PERSONNAGES PRINC

La famille Marcotte

Eusèbe et Estelle Marcotte (décédés)

*Henri Marcotte – Germaine Côté (décédée)

*Maurice Marcotte – Yvette Gagné
    Laurent
    Daniel

*Jocelyn Marcotte – Pierrette Descôteaux
    André Marcotte – Louise Bérubé
    Nicole
    Pascal
    Émilie Marcotte – Gilles Leclair
    Claude Marcotte

*Marie Marcotte – Jos Maloy (décédé)

*Mariette Marcotte (séparée) – Jérôme Poitras

La famille Bergeron

Jean et Annette (décédés)

*Bernard Bergeron – Pauline Marcotte
    Pierre Bergeron – Diane Labrie
    Anne-Marie
    Frédéric
    Paule

    Suzanne Bergeron – Paul Biron
*Colette Bergeron – Ulric Gagné
    Céline Gagné – Georges Hamel
    Gilles Gagné – Anne Parenteau
    Sophie Gagné – Jean-Pierre Côté

*Louis Bergeron – Carmen Labelle
        Richard Bergeron – Jocelyne Lemaire
                Sylvain
                Jean-Pierre (fils de Jocelyne)
*Isabelle Bergeron – François Riopel (décédé)
        Aurore Riopel – Bruno Lequerré
                Julien
                Carole
        Cyrille Riopel – Brigitte Lemoyne
                Sylvie
                Marc
                Éric
        Alain Riopel – Lise Joyal
                Josée

S'habiller de courage et d'espoir
et partir,
malgré les matins glacés,
les midis de feu,
les soirs sans étoiles.
Raccommoder, s'il le faut,
nos cœurs
comme des voiles trouées
arrachées au mât des bateaux.

Partir
Cécile Chabot

Chapitre 1

Saint-Anselme

Les adolescents qui fréquentaient le restaurant Gadbois ne cessaient de répéter sur tous les tons que Saint-Anselme était «un vrai trou» où il ne se passait jamais rien. Une affirmation fausse et injuste, s'il en était une.

La municipalité n'était pas située hors du monde et elle était touchée, comme le reste de la province, par tous les changements qui se succédaient à un rythme fou depuis quelques années. Les drames, les joies, les luttes et les espoirs vécus par les habitants de cette petite communauté de moins de mille âmes ne défrayaient peut-être pas les manchettes, mais c'était la vraie vie. D'ailleurs, les célébrations du 150e anniversaire de fondation de Saint-Anselme à la mi-septembre prouveraient à tous sa vitalité.

Saint-Anselme n'était guère différent de Sainte-Monique, de Saint-Gérard ou de Saint-Cyrille, les villages voisins. Si la municipalité différait de ses voisines, c'était par son dynamisme et la qualité de son entretien.

Érigé au sommet d'un plateau, sur les bords de la rivière Nicolet, le village était situé à égale distance de Nicolet et de Drummondville, à une douzaine de kilomètres au sud de la transcanadienne. Durant le dernier quart de siècle, il avait subi de nombreuses transformations tout en conservant étrangement la même taille.

Le garage Cadieux était toujours situé à l'entrée du village, au sommet de la côte et dos à la rivière. Il était encore flanqué de deux petites maisons sans prétention, celles de Lucien et de son fils René, les copropriétaires du garage. Les deux pompes Shell étaient encore à leur place, mais les voitures usagées que Lucien se plaisait à vendre dans les années 50 étaient disparues depuis une dizaine d'années et elles avaient été remplacées par une demi-douzaine d'autobus scolaires jaunes, objets de tous les soins des Cadieux qui y avaient investi la plus grande partie de leurs économies.

Les maisons voisines, comme la plupart des habitations de Saint-Anselme, avaient profité de la mode du recouvrement en vinyle des années 70 pour faire peau neuve et acquérir une seconde jeunesse. Ainsi, l'épicerie Gagnon et les maisons du docteur Babin et d'Antoine Girouard étaient devenues de beaux bâtiments blancs égayés de faux volets rouges. Seule l'étude du notaire Deschamps avait conservé sa brique et sa pierre d'origine.

Les plus grands changements se retrouvaient de l'autre côté de la rue Principale, face à la rivière et à ce groupe de maisons. L'énorme presbytère de deux étages en brique rouge avait résisté à l'épreuve du temps, comme l'église en pierre, l'édifice voisin. Malheureusement, le couvent des religieuses de L'Assomption qui avait flanqué durant plus d'un demi-siècle l'église paroissiale avait été la proie des flammes en février 1969 et on avait dû abattre ses ruines calcinées. L'unique victime du sinistre avait été le pauvre Vroum Vroum Légaré recueilli par charité par les religieuses. L'handicapé intellectuel avait, semble-t-il, mis accidentellement le feu au couvent en s'amusant avec des allumettes. Comme la clientèle scolaire du couvent avait subi une baisse importante depuis quelques années, les religieuses avaient refusé de faire reconstruire l'édifice et elles étaient parties, laissant derrière elles le sentiment très net de la fin d'une époque heureuse.

L'incendie du couvent laissait donc au cœur du village une plaie béante entre l'église et la nouvelle école primaire érigée l'année précédente. On aurait dit une dent cariée et noircie dans une bouche soignée. Quoi faire de ce vaste terrain situé face à la rivière? Le maire de l'époque fit accepter par ses concitoyens la construction d'un modeste hôtel de ville qui vint prendre appui sur l'école. Les autorités de la caisse populaire ne voulurent pas être en reste et elles décidèrent de quitter le sous-sol de l'église qu'elles occupaient depuis une dizaine d'années pour faire construire un petit immeuble d'un étage sur une parcelle du terrain occupé précédemment par le couvent. Mais les deux constructions neuves n'occupaient que les deux extrémités du grand terrain vacant.

Au milieu de l'été suivant, à la grande surprise des habitants de Saint-Anselme, le boucher Victor Camirand et ses deux fils se portèrent acquéreurs du reste de l'immense terrain des religieuses et demandèrent au conseil municipal un permis pour construire le Petit Foyer, six unités de logement destinées aux personnes âgées de la paroisse. Ravi d'expérimenter ce nouveau concept sans bourse déliée, le conseil donna sa bénédiction et facilita la tâche des Camirand en octroyant tous les permis demandés. Par conséquent, à la fin de l'automne, le centre du village s'était enrichi de six petites maisons sans étage, en brique grise et au toit plat, accollées les unes aux autres. Les propriétaires avaient même installé trois balançoires blanches et quelques bancs sur la grande pelouse qui séparait les résidences du trottoir, ce qui donnait à l'ensemble un aspect assez attrayant.

L'unique autre construction nouvelle de la rue Principale datait de 1974 et c'était la maison à tourelles de Victor Camirand. Ce dernier avait été assez sage pour attendre la mort de son vieux père avant de se laisser aller à faire construire cette «folie», comme disaient les envieux de Saint-Anselme. «Le vieux Lorenzo doit se retourner dans sa tombe», avait chuchoté un Lucien Cadieux envieux en voyant s'élever les murs en pierre de taille et poser les larges baies vitrées de l'imposante demeure du boucher.

— On sait ben, disaient les mauvaises langues, avec les loyers qu'il charge aux pauvres vieux du Petit Foyer, il peut se permettre de se construire un château.

Il ne s'agissait, bien sûr, que de basses médisances. Les Camirand avaient tout simplement réussi. Si Lorenzo n'avait été qu'un simple boucher de village un peu ambitieux, son fils Victor et ses petits-fils étaient parvenus à donner à l'affaire familiale une envergure régionale en se spécialisant dans le transport du bétail sur pied et dans la vente en gros du bœuf et du porc. Leur entrepôt de la rue Lagacé où étaient stationnés les deux camions-remorques et les quatre camions réfrigérés sur lesquels leur nom s'étalait, leur boucherie de la rue Principale, le Petit Foyer et quelques autres biens prouvaient que les Camirand étaient des hommes d'affaires avisés qui ne craignaient pas de prendre certains risques.

Par ailleurs, le reste de la rue Principale n'avait subi aucune transformation significative. On retrouvait toujours les mêmes petites maisons à un étage au toit pentu et au large balcon, flanquées d'une allée asphaltée. La plupart des dépendances plus ou moins solides qu'on voyait autrefois à l'arrière de chacune avaient cédé leur place à des cabanons préfabriqués moins encombrants.

L'ancien restaurant Malloy et la fromagerie Dupré étaient encore les dernières constructions du village, juste avant que la rue Principale amorce son large virage à droite et redevienne la grande route. Jean-Marie Dupré, le fromager, n'avait pas encore digéré que la municipalité place un énorme panneau routier à la limite de son terrain pour dire «Au revoir» aux automobilistes qui venaient de traverser le village. Le quinquagénaire y était allé d'une colère noire à une réunion du conseil pour signifier au maire qu'il n'acceptait pas de se faire boucher la vue par ce panneau de quatre mètres sur trois mètres. Comme sa colère était demeurée sans effet, il se vengeait chaque hiver en entassant la neige de son stationnement contre le détestable écriteau.

Pour en finir avec le village, mentionnons que la rue Lagacé qui s'ouvrait face à la boucherie ne s'était enrichie que de trois maisons, du garage municipal et de l'entrepôt des Camirand en une vingtaine d'années. Pendant cette période, la rue Desmeules perpendiculaire à la rue Lagacé et parallèle à la rue Principale n'avait gagné que quelques centaines de pieds sur les champs voisins parce qu'on n'y trouvait qu'une douzaine de bungalows modestes et sans grand caractère.

****

En ces derniers jours de mars 1980, l'hiver reculait enfin, mais il n'avait pas encore rendu les armes. Il y avait pourtant des signes encourageants. La chaussée et les trottoirs de la rue Principale et des deux rues secondaires étaient maintenant libres de toute neige. Les accumulations de neige grisâtre sur les terrains avaient diminué durant les derniers jours au point de laisser voir à certains endroits de larges plaques de gazon jauni. Même si les corneilles étaient déjà de retour et faisaient entendre leurs croassements déplaisants, une bonne épaisseur de glace couvrait encore la rivière. Les quelques trous noirs dont cette dernière était parsemée ne laissaient pas encore présager la débâcle prochaine.

Ce lundi matin-là, Richard Miron referma la porte du garage municipal de Saint-Anselme et il se mit au volant du petit camion bleu de la municipalité. Son unique employé, Fernand Turcotte, l'attendait, assis à la place du passager. Deux minutes suffirent à l'inspecteur municipal pour aller ranger son véhicule dans le petit stationnement situé sur le côté de l'hôtel de ville.

L'homme de petite taille descendit de son camion, enfonça sa casquette sur sa tête d'un geste décidé et il fit signe à son subalterne de le suivre dans l'édifice où Jeannine Lambert, la secrétaire municipale, régnait.

— Lui voir sa face de bois chaque matin avant de commencer ma journée d'ouvrage, ça me met de mauvaise humeur, dit Miron à mi-voix à son employé en ouvrant la porte.

L'autre ne fit aucun commentaire.

La secrétaire était une quadragénaire longiligne et sévère dont le visage étroit n'était jamais éclairé par un sourire. Son chignon strict et ses lunettes en demi-lune achevaient de lui conférer un air rébarbatif qui déplaisait depuis toujours à l'inspecteur municipal. Par ailleurs, il était évident que les blagues et les airs débonnaires de Richard Miron avaient le don d'énerver la secrétaire.

Bref, depuis dix ans, les deux employés municipaux se livraient une sorte de guerre sourde, ce qui agaçait prodigieusement le maire actuel et plaçait en porte-à-faux le timide Fernand Turcotte, pris chaque jour entre l'arbre et l'écorce. Mais personne n'y pouvait rien. Le petit affrontement matinal entre la secrétaire et l'inspecteur était inévitable parce que ce dernier devait passer à l'hôtel de ville chaque matin pour s'informer des travaux urgents à faire.

Miron s'arrêta devant le comptoir qui séparait le secrétariat en deux parties en gardant sa casquette bien vissée sur sa tête.

— Ça sent le bon café, fit-il remarquer à haute voix en lorgnant la cafetière déposée sur une table basse dans un coin de la pièce.

Jeannine Lambert fit la sourde oreille et continua à consulter le dossier ouvert devant elle, se contentant de lui jeter un bref regard chargé de mépris par-dessus ses lunettes.

— Si ça vous fait rien, fit l'inspecteur municipal en haussant le ton, j'aimerais que vous me disiez s'il y a quelque chose de nouveau avant que l'heure du dîner arrive. Il faudrait pas que la municipalité gaspille son argent à nous laisser poireauter à rien faire devant votre comptoir. Est-ce qu'il y a quelque chose de nouveau?

— Oui, plusieurs, fit sèchement la secrétaire, en se levant lentement.

Elle prit deux ou trois feuilles posées sur le coin de son bureau et s'approcha sans se presser du comptoir. Elle dépassait Richard Miron d'une demi-tête, autre raison de ne pas l'aimer. Fernand Turcotte recula de quelques pas, laissant à son chef, la discussion à venir.

— Monsieur le maire aimerait que vous régliez vous-même l'histoire des deux boîtes aux lettres du rang Saint-Édouard arrachées par la charrue durant la dernière tempête.

— Quelles boîtes aux lettres? demanda hypocritement Miron.

— Celles de Louis Petit et de Paul Biron. Tous les deux arrêtent pas d'appeler pour avoir des explications. Ils veulent que la municipalité leur paie une autre boîte aux lettres.

— Ah oui! fit l'inspecteur. Ils vont attendre longtemps! Vous direz au maire que j'ai pas de temps à perdre à aller discuter de ça avec Petit et Biron. C'est pas ma job. Vous allez trouver dans un de mes rapports du début novembre que je les ai avertis tous les deux que leurs boîtes étaient trop proches du chemin. Le règlement prévoit qu'elles devaient être au moins à 18 pieds du milieu de la route. Il manquait au moins deux ou trois pieds.

— Je sais pas si vous le savez, mais on doit utiliser maintenant des mètres, fit remarquer la secrétaire d'un air supérieur.

— Vous êtes savante, vous, répliqua l'inspecteur en glissant un doigt sous sa casquette pour se gratter. Vous transformerez les mesures en mètres ou en ce que vous voudrez quand vous leur parlerez au téléphone. En tout cas, ils sont dans leur tort et ils le savent.

— Bon, je le dirai au maire. Autre chose, le maire aimerait savoir ce qu'on va faire avec les six propriétaires du village qui l'ont appelé pour se plaindre que leur pelouse avait été très abîmée par la charrue.

— Je suppose qu'ils restent tous sur la rue Desmeules et sur la rue Lagacé? demanda Miron.

— En plein ça, monsieur l'inspecteur.

— Je m'en doutais parce que sur la rue Principale, le trottoir protège les pelouses.

— Ça, ça nous avance à rien de le savoir. Certains de ces propriétaires ont même demandé si le conducteur de la charrue avait pas bu pour conduire aussi mal, ajouta avec perfidie la secrétaire.

— Il faut être niaiseux en maudit pour dire ça, dit Miron en se tournant vers Fernand Turcotte. Tout le monde sait ben que Fernand et moi, on boit pas.

— Qu'est-ce qu'on fait pour les gazons?

— Il y a rien à faire. D'abord, les gens savent que la bande de huit pieds de terrain le long de la rue appartient à la municipalité. Si le gazon a été arraché par la charrue, ils n'ont qu'à le remplacer et il va reprendre durant le printemps.

— Je suppose que c'est encore moi qui devrai répondre ça aux propriétaires.

— Si c'est à vous qu'ils se plaignent, oui.

— J'ai reçu les résultats des derniers tests pour l'eau de nos puits. Les spécialistes du laboratoire demandent de reprendre des échantillons du puits numéro 1. La qualité de son eau commence à les inquiéter et ils vont faire d'autres analyses.

— Fernand, tu t'occuperas d'abord de ça à matin, dit Richard Miron en se tournant encore vers l'employé. J'ai ben peur qu'on soit obligé un jour ou l'autre de nettoyer la plus vieille section de l'aqueduc. On commence à avoir du trouble à chaque inspection avec la qualité de l'eau de ce puits-là.

— Avant que le bureau ferme, vous voudrez bien me laisser un état de ce qu'il nous reste en sable et en calcium.

— C'est pressant?

— Oui, il me faut les chiffres aujourd'hui pour mon rapport.

— Ça va être à peu près, la prévint Miron avec une mauvaise volonté évidente.

— Enfin, monsieur le maire accepte pas la somme d'heures supplémentaires que vous voulez faire payer par la municipalité à monsieur Turcotte pour les mois de février et de mars. Il aimerait que ce soit corrigé avant la réunion du conseil, lundi prochain.

Richard Miron adressa à son employé un regard de totale incompréhension.

— Voulez-vous me répéter ça, s'il vous plaît?

— Le maire trouve que vous avez exagéré et surtout, que vous avez dépassé le budget.

— Aïe! une minute! C'est pas moi qui envoie les tempêtes de neige et le verglas. Fernand a fait 37 heures supplémentaires bien comptées. Il a dû passer cinq nuits sur la charrue. Il a toujours pas fait ça pour vos beaux yeux, non?

— Le problème est pas là, monsieur Miron. Vous avez un budget et vous avez pas le droit de le dépasser sans me prévenir. Vous allez devoir vous entendre avec monsieur Turcotte et le payer en journées de congé.

— C'est brillant, ça. Qui va faire l'ouvrage pendant qu'il va se tourner les pouces chez eux?

— Ça, il fallait y penser avant.

Fernand Turcotte eut une grimace et il souleva les épaules en signe d'impuissance, mais il ne dit pas un mot.

— Je veux parler au maire, conclut Miron. Où est-ce que je peux le trouver?

— Il est parti voir André Marcotte dans le rang Sainte-Anne et je sais pas quand il reviendra.

— Bon! Si c'est comme ça, je vais aller faire réparer le truck à Drummondville. Les vitesses passent mal.

— Encore des dépenses...

— Oui, des dépenses! Je peux ne pas le faire réparer et le laisser au garage, dit l'inspecteur en perdant son calme. On aura juste à s'acheter un cheval et une voiture pour aller entretenir les chemins. Ça serait plaisant en maudit!

Sur ces mots et sans saluer la secrétaire, Miron entraîna son employé à l'extérieur. Les deux hommes montèrent dans le camion sans se presser.

— Je vais aller chercher l'autre truck au garage pour aller le faire réparer, dit Richard Miron en mettant le camion en marche. Pendant que je serai parti, va refaire les tests du puits numéro 1 et commence à décrocher la lame de la charrue. À ce temps-ci de l'année, jamais je croirai qu'on en a fini avec la neige. Pour ton temps supplémentaire, je vais essayer de voir Adrien aujourd'hui pour lui faire cracher le maximum. Mais tu le connais... il a une maudite tête de cochon! S'il s'est mis dans la tête de pas te payer tes heures supplémentaires, tu vas avoir juste quatre ou cinq jours de congé éparpillés sur un mois ou deux.

Debout devant la fenêtre et dissimulée par le store, la secrétaire esquissa un sourire de satisfaction en regardant partir les deux hommes. Sa journée commençait bien. Elle était parvenue à faire perdre son calme à l'inspecteur municipal.

Chapitre 2

Les Marcotte

Quelques minutes plus tard, Adrien Beaulieu, le maire de Saint-Anselme, sortit de l'épicerie Gagnon et monta dans sa vieille camionnette Ford verte après avoir déposé à l'arrière une boîte de victuailles. Il se dégageait du quinquagénaire de taille moyenne une impression de force peu commune, impression créée autant par son cou épais que par ses larges épaules. Il était facile de se rendre compte que ses 120 kilos ne représentaient pas un handicap.

Le cultivateur du rang Sainte-Marie était un homme tout d'une pièce. À Saint-Anselme, on craignait autant son franc-parler qu'on respectait son honnêteté. Quand Adrien Beaulieu haussait la voix, on avait tendance à écouter ce qu'il avait à dire.

L'homme n'avait rien du politicien traditionnel. Il n'était venu à la politique municipale, dix ans auparavant, que par un concours de circonstances et il ne s'y maintenait que pour rendre service à la communauté.

En 1973, le maire Sicotte, son voisin, lui avait demandé de se présenter à un poste de conseiller. Beaulieu, veuf depuis peu, avait accepté après avoir consulté ses deux grands fils qui exploitaient sa ferme avec lui. Quand le maire Sicotte était décédé subitement en novembre 1975, Adrien Beaulieu l'avait remplacé pour terminer son mandat. Aux élections suivantes, on l'avait supplié de se représenter et il avait été élu sans opposition. Pourtant, il était demeuré un homme simple, sans aucune ambition politique.

Ce second mandat lui pesait de plus en plus et il se sentait dépassé par tous les événements qui le bousculaient continuellement depuis deux ans. Depuis que les péquistes avaient pris le pouvoir en 1976, plus rien n'était pareil. Il ne se passait pas de mois sans qu'une nouvelle loi ne vienne compliquer sa tâche. S'il avait eu la chance de rencontrer personnellement René Lévesque, il lui aurait dit deux mots de ses MRC où les maires perdaient une partie importante de leurs pouvoirs... Comme si la nouvelle loi de la protection du territoire agricole et les nouveaux règlements concernant l'environnement ne suffisaient pas pour lui compliquer la vie.

— Maudits péquistes! jura le maire en descendant la côte qui conduisait au petit pont qui enjambait la rivière encore prise par les glaces. Ils s'imaginent qu'en créant comité par-dessus comité, ils vont tout régler. Ils font juste noyer le poisson. Baptême! J'ai pas juste ça à faire, moi, assister à des réunions. Je suis pas un de leurs maudits fonctionnaires qui passent leurs journées à couper les cheveux en quatre.

Le maire accéléra pour gravir la première côte du rang Saint-Édouard à la sortie du pont. Parvenu à son sommet, il vit à sa gauche le premier des huit rangs de Saint-Anselme. Son rang, le rang Sainte-Marie, était le dernier. Il poursuivit son chemin le long de la rivière Nicolet jusqu'au rang suivant, le rang Sainte-Anne.

— Ça a quasiment pas d'allure! s'insurgea-t-il à mi-voix en évitant de justesse un nid-de-poule de dimension impressionnante en tournant dans le rang. On n'a pas encore un rang asphalté. Le chemin est encore comme au temps de mon grand-père.

Adrien Beaulieu ralentit pour ne pas abîmer sa camionnette dans les ornières causées par le dégel des derniers jours. C'était la période de l'année qu'il détestait le plus. Toute cette neige sale qui n'en finissait plus de fondre et les fossés près de déborder lui déplaisaient. Une chance que c'était le temps des sucres. Ses deux fils devaient être à la cabane à l'heure actuelle et il les rejoindrait aussitôt qu'il en aurait fini avec André Marcotte. Au loin, au-dessus des terres boisées, il pouvait apercevoir la fumée qui venait des cabanes à sucre où on était en train de faire bouillir l'eau d'érable.

Le quinquagénaire regarda autour de lui avec une certaine mélancolie. Dans le rang Sainte-Anne, comme dans les autres rangs, la moitié des cultivateurs avaient abandonné parce qu'ils avaient été incapables de suivre le mouvement initié et encouragé par le gouvernement depuis une vingtaine d'années.

Depuis le milieu des années 60, le ministère de l'Agriculture avait tout fait pour que les fermes deviennent ce qu'on appelait maintenant des PME. Les spécialistes criaient alors sur tous les tons que seules les grandes exploitations agricoles survivraient et auraient de l'avenir, qu'il ne fallait pas craindre de s'endetter pour se moderniser et acheter de l'équipement. Évidemment, les plus ambitieux s'étaient lancés tête baissée dans l'aventure en croyant que le gouvernement leur viendrait en aide en cas de difficulté. Ils ont vite appris à leurs dépens ce que valaient les promesses des politiciens.

Plusieurs cultivateurs de la paroisse avaient acheté à des prix élevés des vaches et des quotas de lait parce qu'on leur avait dit qu'un bon troupeau de vaches laitières ne pouvait en aucun cas compter moins d'une cinquantaine de bêtes. Puis, il y avait eu la folie des silos. Ces derniers s'étaient mis à pousser un peu partout à un rythme d'enfer. Comme ailleurs dans la province, on jurait à Saint-Anselme que plus un cultivateur en possédait, plus il était riche. Ensuite, il avait fallu acheter d'autres terres pour augmenter la production, ce qui avait entraîné évidemment l'achat d'une machinerie agricole plus performante et plus coûteuse. Bref, c'était la roue, le cercle vicieux... On ne pouvait en sortir. On grossissait ou on crevait. Aucun éminent économiste n'avait pris la peine d'expliquer que plus on grossissait, plus il fallait s'endetter et qu'un endettement démesuré pouvait aussi entraîner la disparition. On se contentait de croire les spécialistes qui affirmaient sur tous les tons que les petites fermes d'autrefois étaient condamnées à disparaître à plus ou moins brève échéance.

Par exemple, les terres du rang Sainte-Anne avaient permis à neuf familles de vivre honorablement durant plus d'un siècle. Au début des années 60, les données avaient brusquement changé. Comme ailleurs dans la région, les petits cultivateurs avaient commencé à disparaître peu à peu par manque d'argent ou parce que les fils n'étaient plus intéressés à travailler la terre. Ici, tout avait commencé par le décès accidentel d'Alexandre Lagacé en 1962. Lagacé possédait la première ferme du rang. Sa veuve l'avait vendue à Jocelyn Marcotte pour une bouchée de pain et la maison avait été déménagée à Sainte-Monique. Durant les dix années suivantes, les Therrien, les Boursier et les Dupras avaient vendu leur bien à leur tour et ils avaient quitté la municipalité.

— Dans ce rang-ci, se dit le maire à haute voix, il reste pas beaucoup de petits cultivateurs comme moi: Bruno Lequerré, Pierre Bergeron, Cyrille Riopel et Richard Bergeron. Tout le reste appartient à André Marcotte et à son père. Ces deux-là, si on les laisse faire, ils vont finir par avaler toutes les terres du rang.

Le maire avait encore ralenti en passant devant les maisons inhabitées des trois fermes achetées au fil des années par les Marcotte.

Un peu plus loin, il aperçut la ferme de Bruno Lequerré. Sa maison blanche était la seule du rang à avoir conservé son recouvrement original en bardeaux de bois que le Français peinturait tous les cinq ans. À l'arrière, la grange, le silo, l'étable, la remise et le garage étaient bien entretenus, mais aucun n'était neuf.

De l'autre côté de la route, de biais avec la ferme Lequerré, Adrien Beaulieu passa devant les maisons de Pierre Bergeron, de Cyrille Riopel et de Richard Bergeron qui faisaient face à des champs appartenant à leur cousin commun, André Marcotte. Ces trois fermes se ressemblaient étrangement tant par leur taille que par leur maison à un étage prolongée par une cuisine d'été qu'on avait conservée. Les propriétaires avaient recouvert leur maison de déclin de vinyle tant pour en améliorer l'apparence que pour en faciliter l'entretien. Si Richard Bergeron avait choisi de couvrir sa maison de déclin jaune pâle et de faux volets brun foncé, ses deux voisins avaient opté pour la couleur blanche et des faux volets verts. Ces trois fermes possédaient des bâtiments pratiquement de la même taille et des silos identiques. Pour les distinguer l'une de l'autre, il valait mieux s'en remettre aux dessins géométriques différents qui décoraient la porte de chacune des granges.

Mais tout changea lorsque le maire freina pour tourner chez André Marcotte, au bout du rang.

Placée en avant-garde près de la route, l'ancienne école de rang achetée et transformée en petite maison privée par Eusèbe Marcotte quarante ans auparavant, était encore en assez bon état grâce aux soins de Marie Malloy et de sa sœur Mariette qui l'habitaient depuis six ou sept ans.

Plus loin, à l'arrière, au bout d'un court chemin privé, se dressait la grande maison familiale des Marcotte entourée d'érables centenaires. Au fil des ans, la résidence avait subi un bon nombre de transformations.

Jocelyn Marcotte avait dépensé une fortune pour faire remplacer la cuisine d'été par une grande salle vitrée qui donnait sur le jardin et les grands bâtiments construits derrière. En plus, pour se distinguer des autres, il avait recouvert sa maison de vinyle bleu-gris et il avait fait installer des auvents bleu marine au-dessus de chaque fenêtre. Il fallait reconnaître, en toute honnêteté, que le tout avait un bel aspect cossu. Cette impression d'aisance était renforcée par l'immense étable neuve pouvant accueillir une centaine de bêtes et les quatre silos qui la flanquaient. La grande remise voisine abritait deux gros tracteurs et de la belle machinerie.

****

Adrien Beaulieu descendit de sa camionnette et alla sonner à la porte située sur le côté de la maison en évitant la grande flaque d'eau qui occupait une partie de la cour.

Louise Marcotte, la femme d'André, vint lui ouvrir. À 40 ans, cette femme originaire de Saint-Cyrille conservait une jeunesse que bien des habitantes de Saint-Anselme lui enviaient. Toujours soigneusement coiffée et légèrement maquillée, cette mère de famille à la personnalité chaleureuse était en outre une excellente décoratrice et une ménagère hors pair.

— Entrez donc, monsieur le maire, dit-elle en lui ouvrant la porte toute grande. André est parti avec son père chez le voisin. Je vais l'appeler pour lui dire que vous êtes arrivé.

— Merci, Louise, mais si ça te dérange pas, je vais en profiter pour prendre un peu l'air. J'ai de la misère à digérer mon déjeuner.

— Comme vous voudrez, dit la femme d'André Marcotte avec le sourire. Quand vous en aurez assez de respirer de l'air frais, entrez. Une bonne tasse de café vous attendra. J'appelle tout de suite chez Richard Bergeron pour les faire revenir.

Adrien Beaulieu contourna encore une fois la grande flaque d'eau au milieu de la cour et il se mit à faire les cent pas en regardant la petite maison sans étage de Marie Malloy, la sœur de Jocelyn Marcotte. La vieille demeure en bois avait passablement souffert de l'hiver et laissait voir de larges plaques de bois mis à nu.

— Elle va avoir besoin d'une bonne couche de peinture, se dit le maire à mi-voix.

Le quinquagénaire eut un mauvais sourire en songeant aux nombreuses tentatives d'André Marcotte et de son père, durant les dernières années, pour se débarrasser de ce bâtiment encombrant et peu reluisant situé à l'entrée de leur chemin privé. Eusèbe Marcotte avait dû se retourner dans sa tombe en voyant tous les efforts de son fils et de son petit-fils pour enlever de leur vue la maison qu'il s'était choisi après avoir vendu à Jocelyn la grande maison et la terre.

Le maire n'aimait pas André Marcotte pour plus d'une raison et il savait pourquoi. Le quadragénaire ressemblait trop à Jocelyn, son père, et surtout à Pierrette Descôteaux, sa mère. Pour ces trois-là, il n'y avait que l'argent qui importait. Ils ne vivaient que pour ça. Combien de fois avaient-ils tenté de persuader Marie Malloy de leur céder la maison dont elle avait hérité de sa mère en 1970? Pour eux, cette maison en bois était une épine dans le pied. Elle leur bouchait une partie de la vue sur la route et elle dépréciait, selon eux, la grande maison.

Si le maire se souvenait bien, Jos Malloy n'aimait pas particulièrement Jocelyn Marcotte pour les mêmes raisons que lui. Le restaurateur de Saint-Anselme était parvenu à persuader sa femme de conserver la maison malgré toutes les pressions de son frère, même si elle ne l'habitait pas à l'époque. C'était un conseil avisé. Trois ans plus tard, Jos Malloy était mort d'un infarctus. Après avoir vendu le restaurant du village, sa veuve avait été bien contente de pouvoir venir se réfugier dans la maison qu'elle avait habitée tant d'années avant son mariage.

Adrien Beaulieu eut un sourire de satisfaction en revivant la visite que Jocelyn et André lui avaient rendu à l'hôtel de ville à ce moment-là. Ils étaient venus voir si un règlement municipal pouvait leur permettre de déménager la vieille maison un peu plus loin, sur l'une des nombreuses terres qu'ils avaient acquises durant les dernières années. Évidemment, Adrien Beaulieu s'était fait un plaisir de leur dire qu'il n'y avait rien à faire sans la permission expresse de la propriétaire.

Immédiatement après leur départ, le maire s'était empressé d'appeler la dame d'une soixantaine d'années pour la mettre en garde contre les dégâts importants que causerait un déménagement à sa propriété. Il lui avait conseillé discrètement de s'opposer au déplacement de sa vieille maison. La veuve avait suivi son conseil. Elle avait tenu bon malgré tous les moyens de pression utilisés par son frère et son neveu.

En 1978, Mariette Marcotte avait pris sa retraite d'infirmière de l'hôpital Sainte-Croix et elle avait emménagé chez sa sœur Marie. D'un commun accord, les deux sexagénaires avaient accepté que la maison soit déplacée sur un lot situé au bout du rang Sainte-Anne appartenant à leur neveu André. Marie avait fait cette concession plus pour avoir la paix que par envie de changer d'endroit. Mais il était trop tard. La nouvelle loi de la protection des terres agricoles avait empêché André et son père de savourer leur victoire. Il leur était défendu de distraire de l'agriculture la moindre parcelle de terre leur appartenant dans le rang Sainte-Anne. Bref, la maison était demeurée là où le vieux Eusèbe Marcotte l'avait fait installer, que ses héritiers le veuillent ou pas.

Adrien Beaulieu aperçut le visage de Louise Marcotte dans la fenêtre et il lui fit un signe de la main. «Comment cette femme parvenait-elle à vivre avec les Marcotte? Ça ne devait pas être facile tous les jours, surtout avec la Pierrette», se dit le maire en regardant la Ford grise d'André entrer dans la cour et s'arrêter près de lui.

André Marcotte descendit de sa voiture et en claqua violemment la portière.

— Bonjour, Adrien, fit-il avec une mauvaise humeur évidente. C'était pas nécessaire de te déranger. J'aurais pu passer te voir dans le courant de la journée, dit le cultivateur en remontant ses lunettes qui avaient glissé sur son nez.

À quarante-quatre ans, André Marcotte s'était un peu empâté et ses cheveux poivre et sel avaient commencé à reculer sérieusement sur son front. Par ailleurs, comme son père, il avait une taille un peu supérieure à la moyenne et son visage rond était marqué par des nombreuses rides au coin des yeux. Jocelyn descendit à son tour de la Ford. Même s'il comptait un quart de siècle de plus que son fils, l'homme n'avait rien d'un vieillard. La vivacité de son regard et de ses gestes attestait qu'il était encore en pleine possession de tous ses moyens.

— T'as ben l'air en maudit! constata le maire en s'adressant à André.

— Il y a de quoi, répondit André Marcotte en l'entraînant vers l'entrée de la maison. Je viens d'aller rencontrer le vétérinaire Veilleux, je l'avais vu arriver chez Richard Bergeron. Il m'a envoyé la semaine passée un compte de presque cinq cents piastres. Je trouvais que ça avait pas d'allure et j'ai voulu lui faire baisser ses prix. Ben, tu me croiras si tu veux, il a rien voulu savoir. Il a dit que les prix sont fixés par le gouvernement et que si j'étais pas content, j'avais juste à me plaindre à l'UPA ou à me débrouiller sans vétérinaire. Tu parles d'un baveux! Je veux plus le voir ici, lui.

— Qu'est-ce que tu vas faire quand une de tes vaches va avoir un accident ou va avoir de la misère à vêler ?

— Je vais me débrouiller tout seul, comme le père le faisait dans son temps.

— Ton père et même ton grand-père faisaient ça parce qu'ils avaient pas le choix. Mais aujourd'hui, avec le prix des animaux, il y a pas grand cultivateurs qui risqueraient de perdre une bête pour sauver une couple de piastres en faisant pas venir le vétérinaire. Moi, en tout cas, je le ferais pas.

Il y eut un moment de silence.

— Puis, les sucres, qu'est-ce que ça donne cette année ? demanda Adrien à Jocelyn pour changer de sujet de conversation.

— Je pense que ça va être une bonne année. Les érables coulent déjà depuis une quinzaine... C'est de valeur qu'on manque de temps pour s'en occuper, mais on peut pas être partout à la fois. On a 110 vaches, c'est de l'ouvrage. Ça fait qu'on a été obligés d'engager le vieux Onésime Gagnon et son petit-fils pour faire bouillir, mais on va jeter un coup d'œil de temps en temps.

Il était bien évident qu'André Marcotte aurait préféré se retrouver dans sa cabane à sucre plutôt qu'à la maison. Il était fier du pipeline qui reliait ses érables au réservoir de sa cabane et il regrettait de ne pouvoir profiter à son goût de cet appareillage qu'il avait fait installer à grands frais trois ans auparavant.

Tout en parlant, les trois hommes entrèrent dans la maison et retirèrent leur manteau et leurs bottes avant de passer dans la cuisine où Louise s'empressait déjà de servir à chacun une tasse de café.

Le maire n'était pas venu très souvent chez les Marcotte, mais chaque fois, il était charmé par la qualité de la décoration, œuvre de la maîtresse de maison. Louise avait recouvert les murs de beaux papiers peints aux motifs délicats et habillé les fenêtres de rideaux de dentelle. Les tapis et les couvre-planchers étaient en harmonie avec les meubles en érable. Les coussins des chaises et des fauteuils étaient recouverts de tissus aux couleurs chaudes.

Assise dans un confortable fauteuil placé près de l'une des fenêtres de la cuisine, Pierrette Marcotte reprisait ce qui semblait être une chaussette. La sexagénaire leva à peine la tête pour saluer Adrien Beaulieu. Ce dernier ne s'en formalisa pas. Il connaissait cette petite femme sèche et calculatrice depuis assez d'années pour ne pas s'attendre à un autre accueil de sa part.

— Madame Marcotte, vous prenez un café? demanda aimablement Louise à sa belle-mère.

— Merci, Louise. Je suis pas infirme. Quand j'en voudrai une tasse, je suis encore capable de me lever pour me servir toute seule.

Sa bru eut un léger mouvement de recul sous la rebuffade et elle regarda le maire qui haussa les épaules en signe de compréhension. Pour sa part, son mari jeta un regard excédé à sa mère et tout le monde sentit qu'il faisait des efforts pour ne pas éclater devant un étranger.

— Les enfants vont bien ? s'informa le maire auprès de Louise pour détendre l'atmosphère.

— Ils ont l'air de se tirer d'affaire sans problèmes, répondit Louise avec un pauvre sourire. Pascal achève son secondaire 4 à la polyvalente de Saint-Léonard et Nicole a des bons résultats au cégep de Drummondville.

— Tant mieux, fit Adrien.

Le quinquagénaire regarda ostensiblement sa montre avant de demander à André :

— Puis, tu as dit à ma secrétaire que tu voulais me voir aujourd'hui. Qu'est-ce qui se passe ?

André Marcotte consulta son père du regard avant de commencer.

— Est-ce que tu connais ça, Adrien, un centre naturiste ?

— Ben, je suppose que c'est encore une autre de leurs nouvelles patentes pour conserver la nature, répondit le maire après une hésitation. On n'arrête pas de parler de l'environnement qu'il faut sauver.

André adressa un clin d'œil discret à son père qui eut du mal à retenir un sourire moqueur.

— Penses-tu que tu pourrais obtenir que l'île Ouellet en devienne un ?

— L'île Ouellet?

— Ben oui, on l'a achetée l'automne passé aux Letendre de Sainte-Monique parce que l'île est au bout de notre terre et que ça fait des années qu'il y a rien là. Mon père et moi, on a pensé que ça ferait peut-être un bon centre naturiste. C'est sûr qu'on n'a pas l'intention de cultiver là. C'est pas de la bonne terre. Ça servirait à rien de commencer à essayer toutes sortes de cultures là aujourd'hui. Il y a une bonne partie de l'île qui est inondée chaque printemps et il faudrait en plus refaire le bout de route qui traverse la petite Rivière-aux-Rats et le chemin qui fait le tour de l'île.

— Vous allez ouvrir un centre naturiste? demanda le maire, stupéfait.

— Ben non, mais on a un acheteur intéressé à acheter l'île pour en ouvrir un.

— Bon! fit le maire, mais je vois pas où est le problème. Vous avez acheté l'île et vous avez un acheteur. Puis après?

— Ben, après, fit Jocelyn, il y a qu'on a découvert que cette maudite île est zonée agricole. Si ça reste comme ça, notre acheteur est pas intéressé à l'acheter et on le comprend. Ça a pas d'allure cette affaire-là. Il y a jamais eu personne qui a réussi à cultiver là. On s'est dit que le conseil pourrait appuyer notre demande au gouvernement de dézoner l'île pour en faire un centre naturiste. Tu sais, nous autres, on pense que ce centre-là amènerait pas mal de touristes à Saint-Anselme et ça ferait du bien à l'économie.

Adrien Beaulieu devint immédiatement méfiant. Les Marcotte qui se souciaient tout à coup du bien de la communauté, c'était tout à fait nouveau.

— Avez-vous commencé les démarches? demanda le maire.

— Oui, inquiète-toi pas, répondit André. C'est juste qu'on aimerait que la municipalité nous tire pas dans les pattes si quelqu'un du gouvernement vous demande votre avis sur le projet. Je sais pas si tu le sais, mais ça coûte cher en maudit de faire dézoner! C'est depuis octobre passé qu'on fait marcher notre affaire. On nous a demandé toutes sortes de certificats d'arpentage, une vue aérienne et cinquante-six autres affaires pour compléter le dossier. Les frais du notaire Deschamps sont en train de manger le petit profit qu'on essaie de faire avec l'affaire.

— Le mieux que je peux faire, fit Adrien Beaulieu en se levant, c'est de consulter le conseil municipal. Mais je vois pas pourquoi on serait contre ce centre-là si, comme vous dites, il est pour apporter des affaires à Saint-Anselme.

— Ben, on te remercie, Adrien.

****

Quand le maire eut quitté la maison et repris la route à bord de sa camionnette, Louise se tourna vers son mari qui s'était planté près de sa mère, devant la fenêtre de la cuisine, pour regarder partir Adrien Beaulieu.

— Veux-tu ben me dire pourquoi tu lui as raconté ce paquet de menteries-là sur un centre naturiste? lui demanda-t-elle, mécontente.

—Mêle-toi donc pas de ça, répondit André avec un ricanement. Tu connais rien aux affaires. Beaulieu est un peu épais sur les bords, mais il est pas bête. J'ai inventé l'histoire du centre naturiste pour qu'il découvre pas trop vite qui va acheter l'île. Il va finir par apprendre qu'un centre naturiste, c'est juste un club de nudistes. À ce moment-là, je pourrais mettre ma main à couper qu'il va se dépêcher d'envoyer une lettre défavorable au dézonage au nom de la municipalité. Le fonctionnaire qui s'occupe du dossier comprendra plus rien à l'affaire parce que c'est pas ça pantoute qu'on lui a dit, nous autres, qu'on ferait avec l'île. À cette heure, je les connais, les fonctionnaires. Quand ils comprennent pas, ils bougent pas. Si on avait dit à Beaulieu que l'île était déjà presque vendue à un club «gay» de Montréal, tu peux être certaine qu'il aurait viré la municipalité à l'envers pour nous empêcher de bâcler l'affaire et là, le ministère nous aurait bloqués. Je suis certain qu'Adrien aurait même parti une pétition et ça, ça nous aurait mis des bâtons dans les roues pour le dézonage. Il aurait fait capoter l'affaire.

— Tu trouves ça honnête, toi? demanda sa femme d'une voix pleine de reproches.

— Comment ça, honnête? C'est juste une affaire comme une autre.

— Fais-moi pas parler pour rien, André Marcotte! s'exclama Louise, furieuse. L'année passée, t'as obligé Claude Roberge à te payer dix mille piastres de plus la terre des Longpré parce que tu savais qu'il la voulait à tout prix et que tu l'as achetée quarante-huit heures avant qu'il se décide. Penses-tu que ça s'est pas su dans la municipalité? On t'a trouvé ben écœurant d'avoir fait ça à un gars qui en arrachait déjà pour arriver. Qu'est-ce que les gens de la paroisse vont penser de nous autres avec ton affaire de l'île Ouellet? Après ça, ça me surprendrait pas qu'il y ait plus personne qui nous adresse la parole... Tout ça pour avoir un peu plus d'argent!

Pierrette Marcotte avait assisté à la scène sans avoir dit un mot. Quand sa bru cessa de parler, la sexagénaire se leva de son fauteuil et se campa devant la femme de son fils qui la dépassait d'une tête.

— Ma fille, ce que les gens pensent de nous autres, ça a pas d'importance et ça nous empêchera pas de vivre, dit Pierrette d'un ton mordant. Il y a toujours eu des jaloux. André et mon mari prennent des risques et c'est normal que ça leur rapporte quelque chose. À ta place, je me plaindrais pas trop. C'est grâce à ça que t'as ton char à toi, que tu peux aller tous les quinze jours chez la coiffeuse, que tes enfants font des études et que tu peux aller passer deux semaines en Floride avec ton mari presque tous les hivers.

Louise se rebiffa.

— Écoutez ben, madame Marcotte. Parlez-moi pas comme si j'étais une étrangère dans cette maison. Je travaille depuis vingt ans avec André et je suis la mère de ses deux enfants. Je pense que je mérite tout ce que j'ai. Je l'ai gagné et personne me l'a donné. Je suis chez moi dans cette maison et je pense avoir encore le droit de donner mon avis sur ce qui se passe ici.

Comme chaque fois que quelqu'un osait lui faire face, Pierrette recula.

— Je dis pas le contraire, mais il faut que tu te rendes compte que t'en n'aurais pas autant si André faisait pas des affaires.

— Ça va faire ! laissa tomber André en s'adressant à sa femme. Tu parles pour rien dire ; tu connais rien aux chiffres. Le monde dira ce qu'il voudra, je m'en sacre comme de l'an quarante.

Louise se rendit compte avec dépit que, encore une fois, son mari n'allait pas en profiter pour remettre sa mère à sa place. C'était toujours la même chose. C'était comme ça depuis vingt ans. Elle devait supporter sa belle-mère parce que le beau-père était toujours légalement copropriétaire de la ferme au même titre que son mari. Quand la tension augmentait un peu trop entre les deux couples, les deux vieux parlaient de vendre leur part à leur fils et d'aller s'installer au village... mais il ne s'agissait que de paroles en l'air. Avec le temps, leur bru en était venue à penser qu'elle ne connaîtrait jamais la joie d'être l'unique maîtresse de maison des lieux.

Louise tourna le dos à sa belle-mère et elle commença à ramasser les tasses laissées sur la table. Elle les plaça dans le lave-vaisselle avant de se diriger vers le portemanteau. Elle mit son manteau et ses bottes.

— Où est-ce que tu vas? lui demanda son mari.

— Me changer les idées, se contenta-t-elle de répondre avant de sortir.

Par la vitre de la porte, André vit sa femme se diriger lentement vers la maison de ses tantes située en bordure de la route.

— Elle s'en va chez les deux veuves, dit-il comme se parlant à lui-même.

— Il y a des fois où je me demande ce qu'elles peuvent bien avoir à se raconter toutes les trois, dit Pierrette qui n'avait jamais beaucoup aimé ses deux belles-sœurs.

Jocelyn se passa la main sur le front avant de dire à son fils:

— Il faudrait tout de même pas que l'affaire traîne trop en longueur. Baril voudrait commencer à construire sur l'île avant le début de l'été. Plus on attend, plus on risque qu'il apprenne qu'on l'a payée juste trente mille piastres à Letendre...

— Ça, c'est pas de ses affaires, répliqua André, vindicatif. On lui vend l'île soixante-dix mille, mais on a eu tous les frais de dézonage et d'arpentage. Personne sait encore combien ça va nous coûter en fin de compte cette maudite affaire-là. S'il s'énerve le moindrement, c'est ben clair, on garde l'île et on la divise en lots. Il paraît qu'il y a ben du monde intéressés à acheter des petits terrains sur le bord de l'eau pour se construire un chalet. Il y a des fois où je me demande même si on serait pas mieux de tout annuler et de faire ça plutôt.

— Ce serait une bonne chose à dire au conseil municipal si jamais il essaie de nous nuire, dit Pierrette. On n'aura qu'à laisser entendre que si on garde l'île, on va la vendre en lots et les acheteurs vont se dépêcher de venir réclamer une route ben entretenue qui fait le tour de l'île et un service de vidanges parce qu'ils vont payer des taxes. Tu vas voir que les conseillers vont filer doux en pensant à ce que ça coûterait à la municipalité si on fait ça. Un club «gay» leur paiera des taxes et exigera presque rien. Le maire et les conseillers sont pas niaiseux et ils vont savoir de quel côté leur pain est beurré.

****

Lorsque Louise Marcotte entra dans la maison de ses deux tantes par alliance, elle avait retrouvé son sourire. La quadragénaire trouvait les deux vieilles dames reposantes et elle s'était toujours plu en leur compagnie.

— Tiens, v'là de la visite rare! s'exclama Marie en prenant le manteau de sa nièce.

— Il faut pas exagérer, ma tante, je suis venue avant-hier et on a passé une partie de l'après-midi ensemble, dit Louise en riant.

— Ah ben oui! je me rappelle. C'est à cause de toi que j'ai mangé le tiers d'une tarte aux raisins. Si j'engraisse, ça va être de ta faute. Tes tartes sont trop bonnes.

À soixante-sept ans, la veuve de Jos Malloy était devenue une dame bien en chair. Comme Louise, la sexagénaire accordait beaucoup d'importance à son apparence. Elle faisait teindre et coiffer régulièrement ses cheveux gris et elle avait horreur des mises négligées.

Sa sœur Mariette, sa cadette d'un an, sortit de la salle de bain et vint embrasser Louise. En vieillissant, les deux sœurs Marcotte en étaient venues à se ressembler étrangement.

— Assieds-toi, je te prépare une tasse de café, offrit Mariette.

— Merci, ma tante, je viens d'en boire une, dit Louise en prenant un siège dans la cuisine.

Marie vint s'asseoir en face d'elle et la regarda attentivement.

— Ça va pas fort, toi, non? Qu'est-ce qu'il y a encore? C'est la belle Pierrette qui te fait encore des misères?

— Non, pas plus que d'habitude, répondit Louise à mi-voix. Je suis juste fatiguée d'entendre parler d'argent du matin au soir, comme s'il y avait que ça dans la vie.

— Pour entendre parler d'autre chose, il aurait fallu que tu choisisses une autre famille que celle de Jocelyn et de Pierrette.

— Je m'en aperçois ben.

— Regarde ta belle-sœur Émilie. Elle est comme toi. Elle a beau rester tout près, à Drummondville, avec son Gilles Leclair, elle vient pas plus qu'une ou deux fois par année voir ses parents.

— C'est vrai, convint la quadragénaire.

— C'est la même chose avec ton beau-frère Claude. Il est docteur à Saint-Cyrille, c'est encore plus proche que Drummondville... Quand est-ce qu'il vient voir son père et sa mère? Seulement quand il peut pas faire autrement. T'es la seule, avec tes deux enfants, à ne pas vivre que pour l'argent dans cette maison... une chance!

— Vous avez l'air ben certaine de ça. Qu'est-ce qui vous fait dire ça, ma tante? demanda Louise en retrouvant le sourire.

— Parce que chaque fois que ton mari et notre cher frère ont essayé de se débarrasser de notre maison, tu nous as avertis avant.

— C'était ben la moindre des choses, affirma Louise en éclatant de rire au souvenir de la déconvenue de son mari et de ses beaux-parents, chaque fois que leurs manigances avaient échoué.

— Bon! ajouta Mariette d'un ton de conspiratrice en se penchant au-dessus de la table de cuisine autour de laquelle les trois femmes étaient assises, qu'est-ce que notre maire est venu faire chez vous?

Louise pouffa de rire.

— Surtout, oublie pas un détail! l'avertit Marie d'un ton sévère.

Louise se lança alors dans le récit de ce qui s'était passé un peu plus tôt chez elle.

****

Ce soir-là, durant le souper, le maire parla de sa visite aux Marcotte à ses deux fils et surtout de leur idée de transformer l'île Ouellet en centre naturiste.

— J'espère que vous laisserez pas faire ça! s'exclama Lucie, la femme de son aîné, sur un ton indigné.

— Pourquoi? demanda Adrien, surpris par l'éclat de la jeune femme.

— Voyons, beau-père, vous connaissez le monde de Saint-Anselme. Quand on va savoir que des gens vivent tout nus sur l'île, ils vont passer leur temps à aller écornifler autour pour voir de quoi ça a l'air des naturistes.

— Comment ça, tout nus ?

— Ben, des naturistes, c'est du monde qui s'habille pas.

— Ah ben maudit! j'avais pas compris l'affaire des Marcotte pantoute, reconnut le maire. C'est vrai que je leur ai rien demandé. Tu me dis que tout ce monde-là, ça s'habille pas ? demanda Adrien à sa bru. Ils doivent se faire manger tout rond par les maringouins l'été, ajouta-t-il, tout de même un peu émoustillé.

— Ça a pas l'air de les déranger d'habitude, fit Carl. Moi, ce qui me dérange, c'est que des enfants les aperçoivent pas habillés. Je trouve que c'est pas un spectacle pour eux autres.

— Ben d'accord, approuva Gaétan, son frère cadet. Nous autres, ça nous dérangerait presque pas, dit-il en ricanant, mais pour les enfants, c'est pas correct.

— En tout cas, je trouve Jocelyn Marcotte et son gars pas mal effrontés de me demander de leur aider à faire dézoner l'île pour qu'une cochonnerie pareille s'installe là. Du ben drôle de monde! conclut le maire en se penchant sur son assiette.

Il était impossible de savoir s'il parlait des Marcotte ou des naturistes.

Chapitre 3

Les Riopel

Ce jour-là, à la fin de l'après-midi, Cyrille Riopel sortait de l'étable au moment où l'autobus scolaire jaune s'arrêtait dans un grincement de freins devant l'entrée de sa cour. Deux adolescents en descendirent en criant des injures à des camarades restés à bord. L'un de ses fils se pencha même pour former une boule de neige et la lancer contre une vitre de l'autobus au moment où le véhicule reprenait de la vitesse.

— Éric ! lui cria son père en se dirigeant vers la maison, veux-tu arrêter de faire le bouffon !

— C'est pas moi, p'pa, c'est un gars de ma classe qui arrête pas de m'achaler, répliqua l'adolescent de quatorze ans à la tignasse brune et hirsute avant de reprendre son cartable qu'il avait négligemment laissé tomber à côté de lui pour faire sa boule de neige.

En prenant de l'âge, Cyrille ressemblait de plus en plus à son défunt père, François Riopel, avec ses cheveux bruns bouclés et ses tempes argentées. Il avait aussi hérité de lui sa taille moyenne et son caractère bon enfant. Sa femme, Brigitte Lemoyne, ne cessait de répéter qu'il était moins raisonnable que leurs trois enfants et qu'elle devait le surveiller comme eux, même s'il avait quarante-six ans.

En 1961, Cyrille Riopel avait épousé l'enfant unique d'un vieux couple de Victoriaville qui exploitait une petite épicerie. Après le mariage de sa fille, Aurèle Lemoyne avait été trop heureux de pouvoir compter sur l'aide de son gendre pour tenir boutique et il s'était empressé de libérer un appartement au second étage de son duplex pour le jeune couple. Cyrille et sa femme avaient vécu neuf ans à cet endroit. Brigitte y avait eu ses trois enfants en six ans : Sylvie, Marc et Éric. Le couple aurait continué à y vivre si un drame n'avait pas frappé soudainement la famille Riopel.

****

Un matin de mai 1972, François Riopel avait fait une fausse manœuvre avec son tracteur dans son champ et le véhicule s'était renversé sur lui. Le sexagénaire n'avait été découvert qu'une heure après l'accident par son beau-frère et voisin, Louis Bergeron. Quand l'ambulance était arrivée, on n'avait pu que constater son décès.

Isabelle, sa femme depuis quarante ans, avait mis plusieurs mois à surmonter le choc de la disparition brutale de son compagnon. Entourée par sa fille Aurore, par ses fils Alain et Cyrille ainsi que par ses petits-enfants, elle avait fini par reprendre goût à la vie et elle avait même retrouvé le sens de l'humour que les siens appréciaient tant. Mais il ne faisait aucun doute que la mort de son François avait brisé définitivement un ressort chez elle. Même si elle n'avait que cinquante-neuf ans, elle avait tout de même l'impression d'être entrée sans transition dans la vieillesse.

Après les funérailles de François, quand Isabelle parla d'aller vivre au village ou chez Aurore si Cyrille et sa famille voulaient venir s'installer sur la terre des Riopel, son fils et sa bru n'hésitèrent qu'un instant. Ils ne posèrent qu'une condition : elle devait rester avec eux. La maison était bien assez grande pour abriter le couple, les trois enfants et la grand-mère. Isabelle connaissait assez le bon caractère de sa bru pour savoir qu'elle n'aurait aucun mal à vivre avec elle et elle accepta de faire l'essai, un essai qui durait encore huit ans plus tard.

Les années étaient passées et les trois enfants avaient grandi. Si Sylvie était une étudiante de dix-sept ans assez sérieuse, on ne pouvait en dire autant de Marc et d'Éric, ses deux frères âgés de seize et quatorze ans. Il n'y avait pas grand-chose qui leur faisait peur, même pas leur oncle Alain de Nicolet qui avait la réputation d'être très sévère.

Les deux adolescents entrèrent dans la maison en se tiraillant, tandis que leur père bifurquait vers la porte de la cave située à l'arrière de la maison et descendait dans la cave. Cyrille ressortit presque immédiatement en portant une boîte et reprit le chemin de l'étable d'où il était sorti quelques instants plus tôt.

En pénétrant dans la cuisine, les deux garçons aperçurent Sylvie, leur sœur aînée, en robe de chambre et en pantoufles, en train de boire une tasse de chocolat chaud. Elle était assise à la table.

— Ouais! Il y en a qui ont le tour de foxer l'école, hein? dit Marc à sa sœur qui se garda bien de lui répondre.

— Un petit rhume et ça y est! Ça se paie une semaine de vacances! ajouta son autre frère en agitant un doigt sous le nez de la malade qui lui adressa une grimace.

— Aïe! vous deux, laissez votre sœur tranquille! les avertit leur mère qui sortait du salon. Grouillez-vous pour aller vous changer. L'ouvrage manque pas. Il y en a un qui va aller aider son père à faire le train pendant que l'autre va venir avec moi à la cabane où grand-mère est déjà depuis midi.

— On n'a même pas le temps de manger un morceau? demanda Éric.

— Tu te prendras quelque chose dans le frigidaire et tu mangeras en chemin, répliqua sa mère.

Les deux jeunes montèrent en ronchonnant à leur chambre.

Brigitte Lemoyne n'avait plus rien de la grande fille un peu fluette qui avait épousé Cyrille Riopel en août 1961. Elle était devenue une maîtresse femme que son excès de poids n'inquiétait qu'une ou deux fois par année, juste assez pour commencer une diète qu'elle n'observait jamais plus d'une dizaine de jours. Cette quadragénaire enviait la ligne et l'apparence jeune de sa deuxième voisine, Louise Marcotte; mais cela ne l'empêchait pas de se sentir bien dans sa peau, de respirer la joie de vivre et de s'accepter telle qu'elle était... Et ce n'est pas son mari qui lui aurait adressé le moindre reproche sur son tour de taille.

Par ailleurs, tous les proches reconnaissaient en Brigitte Riopel une femme équilibrée et travailleuse, capable de bien éduquer ses enfants et d'imposer des règles sévères dans sa maison. Ses enfants la craignaient beaucoup plus que leur père et ils savaient qu'elle les aimait, mais qu'elle pouvait aussi les punir sans manifester la moindre faiblesse. «Qui aime bien, châtie bien», se plaisait-elle à redire. Mais ceux qui la connaissaient bien savaient que c'était une femme sensible dotée d'un cœur d'or.

Brigitte se préparait à mettre ses bottes quand le téléphone sonna. Elle s'empressa de décrocher.

— Puis-je parler à monsieur ou à madame Riopel? demanda la voix.

— Je suis madame Riopel.

— Bonjour, madame. Je suis Robert Payette, directeur de la polyvalente de Saint-Léonard.

— Bonjour, monsieur Payette.

— Vous êtes bien la mère de Marc?

— Oui, monsieur.

— Je me demandais si votre garçon vous avait remis la lettre que je vous ai adressée jeudi dernier...

— Non, monsieur. C'était à quel sujet?

— Il serait urgent que je vous rencontre, madame, pour discuter du comportement de Marc.

— Est-ce que c'est ben pressant? De ce temps-ci, vous savez, on a ben de l'ouvrage avec les sucres.

— Oui, je comprends, madame, mais c'est très urgent. Est-ce que vous ne pourriez pas vous libérer une heure demain après-midi, disons à 14 heures?

— Si c'est important, vous pouvez être sûr que je vais être là, monsieur Payette. Merci de m'avoir appelée.

La grosse femme raccrocha l'écouteur.

— Qu'est-ce qu'il y a, m'man? demanda Sylvie en train de rincer la tasse qu'elle venait d'utiliser. Est-ce que c'était monsieur Payette, le directeur de la polyvalente?

— Oui, c'était lui.

— Je vais te gager qu'il pense que je suis pas vraiment malade. La secrétaire avait l'air drôle aussi quand j'ai appelé à matin pour dire que j'avais la grippe...

— Ben non, fit sa mère. T'es jamais absente. T'es parmi les meilleurs étudiants de secondaire 5. Il sait ben que tu manquerais pas pour rien. Non, il appelait pour Marc. Marc! Éric! cria Brigitte en s'avançant vers le pied de l'escalier qui conduisait à l'étage, arrivez!

Il y eut des bruits de pas suivis de claquements de portes à l'étage. Ses deux fils dévalèrent l'escalier, bien décidés à faire main basse sur tout dessert qu'ils trouveraient avant de partir. Leur mère se planta devant eux.

— Une minute, vous deux! leur intima-t-elle, avec son air des mauvais jours.

— Qu'est-ce qu'il y a, m'man? demanda Marc.

— Il y a que je viens de recevoir un coup de téléphone du directeur de la polyvalente. Il paraît qu'il t'a donné une lettre pour moi jeudi passé. Où elle est cette lettre-là?

Éric regarda son frère sans rien dire. Marc prit l'air surpris de quelqu'un qui se souvient brusquement de quelque chose.

— Ah! C'est vrai! J'avais complètement oublié de te la donner, m'man. Elle est dans mon sac. Elle a dû glisser dans mon cartable. J'y ai plus repensé.

— Tiens! Tiens! fit sa sœur, soudainement de bonne humeur. C'est bizarre, ça! Ça doit être une lettre de félicitations. C'est pour ça que tu l'as oubliée.

— Aïe! toi, la mourante, mêle-toi pas de ça! s'écria l'adolescent. C'est pas de tes affaires.

— Qu'est-ce que t'attends pour aller me la chercher, cette lettre-là? fit sa mère en haussant le ton. Grouille!

— Pis moi? demanda Éric.

— Toi, attends, fit sa mère. Je vais peut-être avoir une ou deux questions à te poser.

Marc monta à sa chambre et en descendit quelques secondes plus tard en tendant une lettre passablement froissée. Brigitte chaussa ses lunettes déposées en permanence sur le réfrigérateur et sortit la feuille de l'enveloppe.

— «Le rendement académique et le comportement inapproprié de votre fils sont tels qu'il est urgent que nous nous rencontrions dans les plus brefs délais. En attendant notre rencontre, il est suspendu de ses cours. Vous serait-il possible de me contacter à la polyvalente pour que nous prenions rendez-vous dès demain?», lut Brigitte à haute voix. Qu'est-ce qui se passe? Qu'est-ce que t'as encore fait? demanda-t-elle en élevant progressivement le ton.

— Mais j'ai rien fait! protesta Marc.

— Et toi, t'aurais pas entendu parler de quelque chose, par hasard? demanda Brigitte à Éric.

Ce dernier prit son plus bel air abruti pour secouer la tête.

— Non.

— Évidemment. Toi, t'es sourd et aveugle, pas vrai?

— Je vous le dis, m'man, j'ai rien entendu dire. On n'est pas dans la même classe. Il est en secondaire 3, lui.

— En tout cas, demain, je vais aller à la polyvalente. Je t'avertis, Marc Riopel, si t'as fait quelque chose de travers, tu vas payer pour, je t'en passe un papier.

— Il doit se tromper de gars, certain, affirma Marc avec aplomb. Mes notes sont meilleures ce mois-ci.

— Ben oui! Ils sont tous fous dans cette polyvalente, sauf toi... Quand on n'est même pas capable de se rappeler qu'on a une lettre à remettre, on n'a pas une grosse tête. Bon, on reparlera de tout ça demain. Avancez; l'ouvrage attend.

Tous les trois sortirent de la maison. Éric prit la direction de l'étable pour aller rejoindre son père. Brigitte fit démarrer la motoneige et fit signe à Marc de monter dans le traîneau que le véhicule allait traîner.

****

La conductrice contourna la grange et s'élança prudemment à travers champs en suivant la piste tracée par les nombreux va-et-vient des dernières semaines. Au bout du champ, elle ralentit à l'approche du boisé et elle s'engagea dans le sentier qui conduisait à la cabane à sucre que son beau-père, François Riopel, avait installée à la fin des années 20, au milieu de sa terre à bois.

La petite cabane de quatre mètres carrés ne payait pas de mine. Elle avait été construite avec de larges planches qui avaient pris une teinte grise avec les années et elle n'était éclairée que par deux fenêtres étroites. Son toit de tôle et sa courte cheminée étaient rouillés.

Lorsqu'elle entendit la motoneige approcher, Isabelle Riopel s'empressa de dissimuler dans la poche de son large tablier la loupe apportée pour parvenir à lire le thermomètre qu'elle utilisait pour vérifier le degré de cuisson du sirop.

À soixante-huit ans, la veuve de François Riopel s'était un peu tassée et voûtée. Elle coiffait ses cheveux blancs en un chignon serré. Son visage ridé était pourtant toujours éclairé par son regard malicieux et elle avait conservé sa vivacité d'esprit. Cependant, sa santé déclinait sérieusement depuis quelque temps. Sa vue se troublait et elle avait souvent du mal à retrouver son souffle après un effort. Mais elle cachait sa santé chancelante à son entourage autant par fierté que pour ne pas inquiéter inutilement les siens. Elle espérait être rassurée par les résultats des tests médicaux que le docteur Valiquette l'avait forcée à passer quelques semaines plus tôt. D'ailleurs, elle ne cessait de se répéter que s'il y avait eu quelque chose d'inquiétant, le praticien l'aurait déjà appelée.

Par l'une des fenêtres de la cabane, la vieille dame vit sa bru descendre de la motoneige et commander à son fils de poser le baril sur le traîneau et d'aller faire la tournée pour vider les chaudières d'eau d'érable. Ensuite, Brigitte secoua ses bottes sur le pas de la porte avant d'entrer.

— Pas trop fatiguée, belle-mère? demanda la quadra-génaire en enlevant son manteau. Vous avez encore assez de bois pour chauffer?

— Oui, oui, inquiète-toi pas, répondit en souriant Isabelle. Tout est correct. Comment va Sylvie?

— Tout a l'air de ben aller. Je pense même qu'elle va pouvoir retourner à l'école demain ou après-demain.

— Alors, pourquoi tu fronces les sourcils? lui demanda Isabelle qui connaissait bien sa bru.

— Marc. Je sais pas ce qui se passe à la polyvalente, mais le directeur vient de m'appeler. Il veut me voir demain, sans faute. Il m'avait envoyé une lettre de convocation la semaine passée, mais, comme par hasard, Marc a oublié – qu'il dit – de me la donner. J'y pense; c'est pas demain après-midi qu'on doit aller chercher les résultats de vos tests chez le docteur Valiquette à Saint-Léonard?

— Oui, à une heure, mais je peux faire remettre le rendez-vous.

— Il en est pas question, belle-mère. On va y aller. Pendant que vous attendrez à son bureau, j'irai voir le directeur à la polyvalente pour savoir ce qui se passe.

— Comme tu voudras, répondit Isabelle qui avait cru pendant un instant qu'elle pourrait jouir d'un délai supplémentaire avant d'aller voir le médecin.

— En attendant, je sais pas trop comment le punir pour l'histoire de la lettre.

— Si t'attendais de savoir ce qui se passe exactement à la polyvalente ? Il sera toujours temps de lui faire payer son mauvais coup, s'il en a fait un, ben entendu.

— Oui, je pense que c'est ce que je vais faire.

Moins d'une heure plus tard, Marc entra dans la cabane en soufflant sur ses doigts.

— Je te dis, grand-maman, que le froid est revenu. Les érables ont presque pas coulé de la journée. P'pa a ramassé l'eau après le train au commencement de l'avant-midi. Moi, je viens de faire le tour ; j'ai même pas la moitié du baril rempli d'eau.

— Qu'est-ce qu'on fait, madame Riopel ? demanda Brigitte. Est-ce que ça vaut la peine de faire bouillir ou on laisse l'eau dans le baril et Cyrille s'en occupera demain matin.

— Je pense pas que ça vaille la peine, dit la vieille dame. Mais si tu le veux, je peux rester pour faire bouillir et tu viendras me chercher dans la soirée.

— Non, pas question, décida Brigitte. Vous êtes fatiguée et on a tous mérité de manger un bon souper chaud. On n'a plus rien à faire ici. On s'en va. Marc, éteins le feu du poêle avec le gros sel, dit-elle à son fils avant de remettre son manteau.

Cinq minutes plus tard, ils sortirent tous les trois de la cabane. Le soleil, partiellement caché par une bonne couche de nuages gris, était sur le point de se coucher. Il ne restait plus dans le ciel qu'une ligne plus pâle à l'ouest. Un vent frisquet s'était levé.

Brigitte aida Marc à enlever le baril du traîneau sur lequel il avait été déposé. Quand sa belle-mère et son fils furent installés, elle mit la motoneige en marche et, à la lueur du phare du véhicule, elle s'engagea avec précaution dans le sentier.

Chapitre 4

Les Riopel

Le lendemain, première journée d'avril, une petite pluie fine et froide s'était mise à tomber à l'aube et tambourinait dans les fenêtres quand Aurore Lequerré s'était levée. Il était cinq heures et demie. Elle s'empressa de fermer la fenêtre qu'elle laissait entrouverte durant la nuit depuis quelques jours. La quadragénaire eut un frisson et elle mit sa robe de chambre en épaisse ratine jaune avant de se diriger vers le thermostat pour augmenter la chaleur de la pièce.

Bruno, réveillé depuis un moment par les va-et-vient de sa femme, bailla bruyamment et ouvrit les yeux.

— Mais tu as vraiment l'air d'un gros serin dans cette robe de chambre, dit-il à sa femme avec un reste d'accent français qui avait survécu à vingt-cinq ans de vie au Québec.

— Tu peux ben parler, le paresseux. Lève-toi donc au lieu de faire de l'esprit. Moi, je vais être charitable. Je te dirai pas de quoi t'as l'air, toi, avec ta petite bedaine, la poignée de cheveux gris qui te reste sur la tête et ta moustache miteuse. C'est vrai qu'à cinquante-cinq ans, on peut pas avoir l'air d'un jeune poulain du printemps...

— Eh! Oh! vas-y doucement et respecte ton mari. Ce n'est pas ma faute si tu m'as rendu la vie difficile depuis vingt-cinq ans. Tu peux te vanter d'avoir gardé ta ligne de jeune fille et tes cheveux bruns, mais tu as tout de même quarante-neuf ans et dans ton cas, la teinture et les soins de beauté ont leur mot à dire. Tu peux regarder dans les tiroirs de mon bureau, je n'ai pas des tonnes de produits de beauté, moi, pour arranger les vieux restes.

— Serais-tu jaloux, Bruno Lequerré?

— Non, juste impatient, impatient de voir le service s'améliorer dans cette maison. Il me semble que ce serait normal que ma femme m'apporte mon café au lit.

— Pour ça, tu peux toujours rêver. Si tu veux boire un café avant d'aller à l'étable, je te conseille de te lever vite. J'entends Julien et Carole qui sont déjà descendus.

Son mari se contenta de lui lancer un oreiller qu'elle évita habilement avant de sortir de la chambre. Deux minutes plus tard, Bruno, tout habillé, rejoignit les siens dans la cuisine et s'empara de la tasse de café qu'Aurore venait de déposer pour lui sur le coin de la table.

— Il mouille à matin, dit Aurore à ses deux grands enfants. Si vous devez partir plus de bonne heure pour l'université, laissez faire le train. Votre père et moi, on est capables de se débrouiller tout seuls.

— On a tout le temps, maman, fit Julien en s'emparant de son imperméable.

— Bon! Carole, tu restes à la maison et tu nous prépares des crêpes, si tu le veux.

— Est-ce que tout le monde va en manger? demanda la jeune fille en regardant son père et son frère.

— On va s'en contenter, fit son père en lui adressant un clin d'œil.

Sur ces mots, Bruno, Aurore et leur fils sortirent de la maison et prirent la direction de l'étable en penchant la tête pour éviter de recevoir la pluie froide dans la figure.

Julien, l'aîné, était un grand jeune homme de vingt-deux ans qui avait hérité des traits fins et de l'épaisse chevelure châtain et bouclée de sa mère. Il en était à sa dernière année à la faculté des Sciences de l'Éducation de l'Université du Québec à Trois-Rivières. Si tout se passait bien durant ses deux stages d'enseignement, il obtiendrait son diplôme d'enseignant de français à la fin du printemps.

À vingt ans, sa sœur Carole était un beau brin de fille saine et à la répartie mordante. Elle avait les yeux pers et les cheveux noirs de son père. Elle étudiait la comptabilité à Trois-Rivières. Comme les deux jeunes étudiaient dans la même ville, Bruno et Aurore avaient acheté une vieille Plymouth usagée que leurs enfants utilisaient pour aller à Trois-Rivières et en revenir quotidiennement.

Bien sûr, Carole et Julien auraient préféré louer un petit appartement près de l'université pour éviter de perdre autant d'heures à voyager, mais ils manquaient d'argent. Ils étaient trop raisonnables pour demander de plus lourds sacrifices à leurs parents qui se saignaient déjà aux quatre veines pour les aider à payer leurs cours et les coûts d'entretien de leur vieille voiture.

****

Après le déjeuner et le départ des deux étudiants pour Trois-Rivières, Bruno Lequerré se leva et dit à sa femme :

— Je pense que je vais aller chez ton cousin Richard pour m'assurer si les murs de sa maison tiennent encore debout avec toutes ses affiches du «oui». Je vais voir en même temps s'il a besoin d'aide à la cabane à sucre.

— Attends-moi, on va sortir ensemble. Je veux aller parler à ma mère. Il est possible que j'aille avec elle chez le docteur Valiquette. Il me semble que son rendez-vous est cet après-midi. En tout cas, rentre pas trop tard pour dîner et surtout, fais pas trop enrager mon cousin avec le référendum. Tu sais comment il est! Quand on parle de politique avec lui, il perd vite les pédales.

— Tu sauras que Richard Bergeron perd les pédales pour n'importe quoi. Il s'énerve quand le Canadien perd. On ne peut pas lui parler non plus quand les Expos ne gagnent pas. En plus, si on a le malheur d'être pour le «non» depuis l'automne passé, il devient incontrôlable et il nous traite de vendus aux Anglais.

— Bon! Au moins, tu le sais! Fais pas exprès de le faire enrager. Après ça, c'est Jocelyne qui est obligée de le calmer.

— Est-ce qu'on prend l'auto?

— C'est aussi ben! Il pleut pas mal fort et on va marcher dans la boue.

Bruno Lequerré laissa sa femme devant la maison de son beau-frère Cyrille et il continua jusqu'à la ferme voisine, celle de Richard Bergeron.

L'ancienne maison achetée par Jean Bergeron en 1930 n'avait guère changé, mis à part son recouvrement extérieur en vinyle jaune pâle et ses faux volets bruns. Louis et Carmen, les parents de Richard, avaient fait installer le chauffage au mazout au début des années 50 et remplacer quelques fenêtres en 1975, l'année avant leur déménagement au Petit Foyer, au village.

Bruno arrêta le moteur de sa voiture et attendit un instant à l'intérieur du véhicule quand il vit Richard Bergeron, chargé d'une chaise, sortir de sa remise et se diriger vers la maison. Le quinquagénaire rejoignit le cousin de sa femme au moment où il passait près de sa voiture.

—Tiens! Bruno! fit l'autre en l'apercevant, dépêche-toi d'entrer dans la maison. Il y a de quoi attraper la crève avec cette pluie-là.

— Je te suis. Qu'est-ce qui se passe avec ta chaise?

— Je viens de la réparer.

Les deux hommes entrèrent et enlevèrent leurs bottes et leur manteau qu'ils accrochèrent à la patère placée derrière la porte d'entrée. Une voix féminine venue de la chambre située au rez-de-chaussée, près de l'escalier, demanda:

— Es-tu tout seul, Richard?

— Non, Bruno vient d'arriver, répondit son ami.

****

L'homme de quarante-trois ans était petit et assez gras. Une large mèche de cheveux gris dans sa chevelure brune créait un effet saisissant. Par ailleurs, probablement pour compenser sa petite taille, Richard parlait fort et il avait tendance à s'emporter. Sa grand-mère Annette avait longtemps cherché de qui il tenait son caractère explosif. La vieille dame n'avait jamais trouvé la réponse... pas plus que sa femme Andrée qui avait préféré le quitter en 1972 en lui laissant sur les bras Sylvain, leur fils de cinq ans.

Inutile de dire que le comportement de la mère n'avait été approuvé par personne à Saint-Anselme, encore moins par la famille immédiate. Après avoir condamné cette mère indigne qui avait abandonné son mari et surtout son enfant pour aller vivre sa vie à Montréal, il fallut prendre des mesures pour venir en aide au mari et à l'enfant abandonnés. Sa cousine Aurore et les épouses de ses cousins Cyrille et Pierre offrirent d'élever l'enfant qui avait l'âge de fréquenter la maternelle. Lise Joyal, la femme de son cousin Alain Riopel, fut la seule à ne pas lui proposer de recueillir son fils. Cela n'eut d'ailleurs aucune importance puisque Richard Bergeron refusa de confier son enfant à qui que ce soit. Il se débrouilla seul durant quelques mois, jusqu'au jour où il revint de Drummondville avec une jeune femme et son fils âgé de moins d'un an.

Jocelyne Lemaire avait dix ans de moins que son nouveau compagnon et elle le dépassait d'une tête. C'était une jolie blonde aux traits fins qui avait été abandonnée par son mari à la naissance de son fils Jean-Pierre l'année précédente. Selon ce qu'elle avait raconté à Aurore, elle avait laissé tomber son travail de caissière dans une pharmacie Jean Coutu pour suivre Richard à Saint-Anselme afin d'essayer de donner une famille à son fils.

Fait étonnant, c'était la tante Isabelle qui avait adopté le plus rapidement la nouvelle compagne de son neveu. Elle avait vite reconnu en elle celle qui serait capable de le calmer quand il se laissait emporter. Elle avait eu raison puisque l'union durait maintenant depuis sept ans.

Depuis quelques mois, Isabelle poussait discrètement Richard à épouser Jocelyne tant pour régulariser leur situation que pour offrir aux deux enfants un père et une mère légalement mariés. On avait beau être en 1980, le concubinage n'était pas encore entièrement accepté à Saint-Anselme. En plus, Isabelle craignait secrètement de voir réapparaître un beau matin Andrée, la mère de Sylvain. Dieu seul savait si toutes les années qu'elle avait vécues avec son mari ne lui donneraient pas certains droits devant la loi.

****

— Je suis passé te voir pour t'offrir de t'aider à la cabane à sucre aujourd'hui, fit Bruno. Je n'ai pas grand-chose à faire jusqu'à mon train de cet après-midi.

— T'es ben bon de venir m'offrir ton aide, mais t'as vu la température. Je pense que ça va être la fin des sucres pour cette année. Il a pas gelé cette nuit et avec une pluie pareille... En plus, la moitié de mes chaudières ont pas de couvercle. Ça veut dire que l'eau d'érable va être mêlée à l'eau de pluie et que tout ça va être bon à jeter. Je vais attendre à demain et commencer à ramasser tout le barda et à tout nettoyer.

— Si je peux t'aider, tu me le diras, offrit Bruno en s'assoyant dans la chaise berçante que lui présentait Jocelyne. Dis donc, tu me fais penser en voyant le macaron du «oui» que tu portes sur ta chemise. As-tu écouté les nouvelles ce matin?

— Oui.

— Tu as entendu que Trudeau et Chrétien s'en viennent aider Claude Ryan et qu'ils ont décidé d'y mettre le paquet pour faire capoter le référendum de Lévesque et sauver le Canada?

— Oui, ils peuvent toujours essayer, dit Richard d'un ton convaincu. On va leur montrer que les Québécois sont plus des moutons et qu'on est capables de décider nous-mêmes de notre avenir.

— Les ministres de Trudeau vont tous venir faire campagne.

— Je pense pas qu'ils vont arriver à nous faire peur. T'es jamais allé écouter Jacques-Yvan Morin, Jacques Parizeau et Camille Laurin, toi, dit Richard en commençant à s'échauffer. Moi, je suis allé les entendre à Drummondville. Quand ils parlent, ils te prennent aux tripes. C'est pas des vendus à la grosse finance anglaise, ces gars-là.

— Quand même, Richard, tous ceux qui sont pour le « non » sont pas tous malhonnêtes...

— Peut-être pas, mais ils nous prennent pour des maudits niaiseux, par exemple, rétorqua le quadragénaire. Leur histoire de trucks de la Brink's qui transportent des capitaux en Ontario parce que les hommes d'affaires du Québec ont peur des résultats du référendum, qui va croire ça?

— C'est encore étonnant, fit Bruno.

Jocelyne avait assisté à l'échange en manifestant un malaise évident.

— Aïe! Vous allez pas commencer à vous astiner sur la politique tous les deux? demanda Jocelyne, inquiète de la tournure que prenait la discussion. Je monte faire les chambres en haut. Si vous avez besoin de quelque chose, appelez-moi.

— Ne t'inquiète pas, ma belle, fit Bruno avec le sourire, on ne fait que discuter. Richard est assez vieux pour s'apercevoir que son PQ est un bon gouvernement, mais qu'il parviendra jamais à persuader la majorité des Québécois que le Québec peut être un pays indépendant.

— Qu'est-ce qu'un Français peut comprendre aux Québécois? demanda Richard avec une mauvaise foi certaine.

— Je suis aussi Québécois que toi, Richard Bergeron. Ce n'est pas le problème. Tout le problème est la maudite question de Lévesque. Demander le droit de négocier une association avec le reste du pays est bien trop compliqué pour les gens. Ceux qui comprennent la question savent bien que les Canadiens vont refuser.

— Tu sauras que Lévesque est pas un peureux. Sa question est ben claire, répliqua Richard en élevant le ton.

— Elle est tellement claire qu'il passe son temps à l'expliquer depuis que le gouvernement l'a adoptée l'automne passé. C'est sûr que les jeunes et ceux qui n'ont rien à perdre vont dire oui à un changement, mais les vieux vont avoir bien trop peur de perdre leur pension de vieillesse et tout ce qu'ils ont amassé durant leur vie pour accepter. Tu vas voir au mois de juin, le « oui » ne passera jamais !

Au fur et à mesure que Bruno parlait, l'expression du visage de Richard changeait et exprimait une colère qu'il avait du mal à contenir.

— Pourquoi du monde comme toi comprennent pas que c'est l'avenir de nos enfants qu'on est en train de préparer ? Tout ce que vous savez faire, c'est essayer de faire peur aux autres. Vous en avez pas assez de vous faire écœurer par les fédéralistes et par les Anglais ?

— À moi, ils ne m'ont rien fait, protesta Bruno.

— Ils t'ont rien fait ? Tu peux même pas sortir de ta province sans te faire dire : « Speak white », sacrement ! Va à Montréal et tu vas t'apercevoir que ça parle ben plus anglais que français. Ils sont en train de nous noyer avec les immigrants qui aiment mieux apprendre l'anglais que le français et qui vont dans les écoles anglaises.

— On vit en Amérique du Nord, dit Bruno avec bon sens, c'est normal qu'on parle plus anglais que français.

— Un Québec indépendant, reprit Richard dont le visage était tout rouge, va être capable de se protéger. Vous autres, les fédéralistes, vous nous ferez pas peur cette fois-ci. C'est pas en faisant de la publicité avec la piastre à Lévesque qui a perdu un tiers de sa valeur ou en montrant à la télévision les gens de l'Ontario et de l'Alberta qui disent qu'ils nous aiment que vous allez gagner. Vous pourrez pas trouver des raisons pour nous obliger à rester dans un Canada qui a jamais voulu de nous autres.

— On en reparlera, dit Bruno en se levant. Bon, si tu ne vas pas travailler à ta cabane à sucre, je vais passer chercher Aurore chez Cyrille et rentrer.

Bruno remit son manteau et quitta la maison de Richard Bergeron. De toute évidence, les deux voisins étaient maintenant en froid. Cela se sentait à leur façon de se saluer au moment de la séparation. Richard n'appellerait pas Bruno pour qu'il vienne l'aider à fermer sa cabane à sucre et Bruno ne ferait pas les premiers pas, persuadé qu'il avait raison et que l'autre s'énervait pour rien. En arrivant chez Cyrille, le quinquagénaire ne dit pas un mot de la discussion qu'il venait d'avoir avec leur voisin.

De retour à la maison, Aurore prévint son mari qu'elle accompagnerait sa mère chez le médecin au début de l'après-midi et qu'elle reviendrait probablement à temps pour l'aider à faire le train.

****

Après le dîner, Brigitte sortit de la remise la vieille Chevrolet Caprice blanche dans laquelle Isabelle monta. Elle prit en passant sa belle-sœur et les trois femmes se dirigèrent vers Saint-Léonard.

— J'ai pas fini d'entendre Cyrille se lamenter quand il va voir son char sale en revenant, dit Brigitte en riant.

— On demandera aux garçons de le laver, dit Isabelle.

Quelques minutes plus tard, la conductrice laissa sa belle-mère et Aurore chez le docteur Valiquette et elle continua sa route jusqu'à la polyvalente où le directeur l'attendait.

La quadragénaire laissa sa voiture dans le vaste stationnement de la polyvalente et se présenta au secrétariat général où un élève serviable la guida jusqu'au bureau de Robert Payette situé au 2e étage.

Une secrétaire la fit entrer dans le bureau du directeur.

— Ce ne sera pas long, madame, fit-elle. Monsieur Payette est parti rencontrer une élève dans une classe ; il va revenir bientôt.

Quelques minutes plus tard, Brigitte Riopel fut rejointe par un homme grand et maigre qui portait un chandail bleu à col roulé sous un veston noir. Un mince collier de barbe grise donnait à son visage un air sévère.

— Restez assise, madame Riopel, dit le directeur en voyant que Brigitte s'apprêtait à se lever pour l'accueillir.

Le directeur prit un dossier déposé sur le coin de son bureau et il l'ouvrit à la première page.

— Bon, on ne tournera pas autour du pot, madame. Je vous cacherai pas que votre fils Marc nous cause un problème sérieux. Il a été pris à plagier pour la seconde fois en quelques jours durant les examens de fin de trimestre la semaine passée. Pour compléter le tout, il a bousculé son professeur de mathématiques qui venait de le prendre sur le fait.

Brigitte pâlit en entendant cela.

— Mon garçon aurait fait ça?

— Oui, madame, et c'est pas la première fois qu'il se permet d'être violent. Il a été suspendu de l'école durant trois jours au début du mois pour s'être battu avec un camarade.

— Comment ça se fait que j'aie pas été prévenue? demanda la mère, catastrophée.

— Vous l'avez été par lettre, madame, et cette lettre nous est revenue signée par vous. Normalement, vous auriez dû venir en personne réinscrire votre fils à la polyvalente; mais comme vous étiez gravement malade à ce moment-là, nous avons accepté votre lettre.

— Attendez un instant, monsieur Payette. J'ai jamais été malade au début du mois et j'ai jamais reçu de lettre de l'école pour me dire que Marc avait été suspendu. Combien de temps, dites-vous?

— Trois jours, madame.

— Où est-il allé durant ce temps-là ? Il était pas à la maison, ça, je peux vous le garantir. Est-ce que je peux voir la lettre signée par moi qu'il vous a rapportée ?

— Bien sûr, madame.

Robert Payette tira une feuille du dossier posé devant lui et la lui tendit. La mère n'eut qu'à jeter un bref regard pour se rendre compte que son fils avait imité son écriture.

— J'en reviens pas. Il a copié mon écriture. Qu'est-ce qu'on va faire avec lui, monsieur ?

— Le règlement est bien clair, ma pauvre madame, dit le directeur avec une certaine compassion. Votre fils a osé lever la main sur un professeur. Depuis jeudi passé, il est isolé dans un local parce que je tenais à vous expliquer son cas. Il est suspendu indéfiniment par la commission scolaire... En d'autres mots, aucune école secondaire de la commission scolaire ne va l'accepter comme élève.

— Hein ! Mais qu'est-ce qui va arriver avec son année scolaire ? Il va doubler ?

— De toute manière, ses notes étaient déjà trop faibles pour espérer qu'il passe en 4e secondaire l'an prochain.

Il y eut un long silence dans la pièce. Brigitte Riopel avait toutes les peines du monde à retenir les larmes de rage qui lui venaient aux yeux.

— Est-ce que vous pouvez l'envoyer chercher ? finit-elle par demander au directeur.

— Bien sûr, madame. Vous savez, madame Riopel, le professeur que votre fils a bousculé pourrait le poursuivre devant un tribunal, s'il le voulait. À la limite, vous êtes chanceuse qu'il ne porte pas plainte.

Robert Payette décrocha son téléphone et demanda à quelqu'un du service de sécurité d'aller chercher l'élève qui était dans le local B-330, de lui faire vider son casier et de l'amener à son bureau.

Quelques minutes plus tard, Marc, l'air frondeur, entra dans le bureau du directeur et laissa tomber à ses pieds son sac rempli d'articles scolaires. L'adolescent affichait un air de défi tel que Brigitte se leva avec une souplesse surprenante chez une femme d'un tel poids et assena une gifle magistrale à son fils qui recula sous le choc. Pendant qu'il se tenait la joue où la main de sa mère était clairement imprimée, la quadragénaire attrapa son fils par l'épaule et le força à s'asseoir sur l'une des deux chaises disposées face au bureau.

— Vous avez pas le droit de..., commença à protester Marc.

— Toi, ferme-la ! le menaça sa mère sur un tel ton qu'il jugea plus prudent de se taire.

— Monsieur le directeur, est-ce que le professeur que mon fils a bousculé est dans l'école ? J'aimerais que mon effronté s'excuse avant de partir.

— Je vais voir, madame, dit Robert Payette, trop heureux de quitter son bureau pendant un instant.

Durant sa courte absence, Brigitte ordonna à Marc :

— Tu t'excuses, tu m'entends ? Ou bien je t'arrache la tête.

— C'était pas de ma faute. Je…

— Laisse faire, menteur. Tu t'excuses, et on réglera le reste à la maison.

Lorsque le directeur rentra dans son bureau, il était suivi d'un petit homme rondouillard. Brigitte se leva et força son fils à en faire autant.

— Madame Riopel, je vous présente monsieur Lacasse, le professeur de mathématiques de votre garçon.

L'homme lui serra la main sans prononcer un mot. De toute évidence, la situation le rendait mal à l'aise.

— Je m'excuse pour la mauvaise éducation de mon fils, monsieur. Je pense qu'il a quelque chose à vous dire, lui aussi.

L'adolescent, le visage blanc comme un drap, regardait la pointe de ses souliers de course sans parler. Finalement, Brigitte saisit Marc par un bras, ce qui le décida à s'excuser.

— Je vous demande pardon, m'sieur, marmonna l'adolescent d'une voix pratiquement inaudible.

Le professeur de mathématiques accepta sans chaleur les excuses de Marc avant de saluer d'un signe de tête sa mère et le directeur et il quitta la pièce.

La mère et le fils traversèrent les longs couloirs de la polyvalente, descendirent l'escalier et se retrouvèrent dans le stationnement sans desserrer les dents. La voix vibrante de colère rentrée, Brigitte dit à l'adolescent au moment de monter à bord de la Caprice :

— Je dois aller chercher ta grand-mère et ta tante Aurore chez le docteur Valiquette. Pas un mot de ton renvoi devant elles, tu m'entends ?

— ...

— As-tu compris ce que je viens de te dire ?

— Ben oui, ben oui, je suis pas sourd, répondit l'adolescent, agacé par l'insistance de sa mère.

****

Brigitte n'eut pas à attendre sa belle-mère et sa belle-sœur. Dès qu'elle stationna devant le bureau du médecin, les deux femmes sortirent de la clinique où il exerçait. Isabelle et Aurore devaient guetter son arrivée. La grand-mère prit place aux côtés de son petit-fils à l'arrière de la voiture, tandis qu'Aurore s'assoyait près de sa belle-sœur à l'avant.

— Tiens, ils sont fins à la polyvalente, fit Aurore en se tournant vers Marc, ils t'ont laissé partir avant la fin des cours avec ta mère pour qu'elle soit pas toute seule.

— Oui, ma tante, se contenta de répondre Marc, boudeur.

— Puis, demanda Brigitte, les résultats ont-ils été bons?

— Pas fameux, répondit Isabelle. Mais il faut pas s'inquiéter; personne va m'enterrer cette année.

Brigitte tourna les yeux vers Aurore.

— Ça veut dire quoi?

— Ça veut dire que le docteur aime pas son taux de sucre, il trouve que sa vue baisse pas mal vite. En plus, il lui a trouvé un souffle au cœur qu'il aime pas pantoute. À part ça, ma mère est en parfaite santé et elle a pas besoin des docteurs.

— Ils sont tous pareils, laissa tomber Isabelle. Ils aiment ça se donner des airs importants et faire croire qu'ils savent quelque chose.

— Oui, mais m'man, en attendant, le docteur Valiquette veut que vous entriez vendredi matin à l'hôpital Sainte-Croix pour des examens plus poussés.

— J'ai juste un souffle au cœur comme ma mère en avait un et j'ai de la misère avec mes yeux comme elle en a eu. Tout ça l'a pas empêchée de vivre jusqu'à 83 ans. Si je suis comme elle, il me reste encore un bon quinze ans à vous faire enrager.

— Allons, madame Riopel, j'ai ben connu votre mère durant ses dernières années, répliqua Brigitte. Ces années-là ont pas dû être ben drôles pour elle. Elle était pratiquement aveugle et elle était plus capable de marcher tant elle avait du mal à respirer. Je pense pas que c'est ça que vous voulez pour vous.

— M'man, ajouta Aurore, vous le savez que la médecine a fait ben des progrès ces dernières années. J'espère que vous avez pas peur de ce qu'ils vont vous faire à l'hôpital. Si vous êtes malade, les docteurs vont juste vous soigner et vous allez nous revenir en pleine santé...

Puis, pour alléger un peu l'atmosphère, Aurore reprit:

— Est-ce que ça vous rappelle pas ce que vous m'avez dit il y a une vingtaine d'années quand j'hésitais à me marier parce que j'avais peur d'avoir des petits.

Isabelle eut un éclat de rire sans joie.

— Oui, je me rappelle. Vous avez raison toutes les deux. J'ai pas le choix. Vendredi matin, je vais entrer à l'hôpital si quelqu'un vient me conduire.

— Je vais y aller, m'man, dit Aurore. Ayez pas peur, on vous oubliera pas là et on fera pas comme Jocelyn Marcotte qui a voulu profiter de ce que sa mère venait d'être opérée pour essayer de la placer dans un centre pour personnes âgées.

— Oui, je m'en souviens, dit Isabelle. Cette pauvre Estelle Marcotte! Une chance que Mariette et Marie se sont occupées d'elle et que Diane s'est installée chez elle durant tout le temps de sa convalescence parce que le grand sans-cœur, il serait arrivé à la placer.

— Ah! Avec les enfants, on peut jamais prévoir ce qui va arriver! dit Brigitte d'un ton désabusé en jetant un coup d'œil à Marc par le rétroviseur.

L'adolescent se contentait de fixer la route par la glace latérale de la voiture, comme si la conversation entre les trois femmes ne le concernait en rien.

Brigitte laissa sa belle-sœur devant sa porte avant de poursuivre jusqu'à la maison, quelques centaines de mètres plus loin.

Chapitre 5

Pierre et Diane

Dès son arrivée à la maison, Brigitte remarqua la fatigue évidente de sa belle-mère et elle l'incita à aller se reposer une heure ou deux avant le souper. La quadragénaire aida Isabelle à retirer son manteau, mais elle n'enleva pas le sien.

— Toi, tu montes dans ta chambre et tu attends que ton père t'appelle pour aller l'aider à faire le train.

Puis se tournant vers Sylvie qui descendait l'escalier :

— Où est ton père ?

— Il doit être dans la grange. Il me semble que je l'ai entendu ouvrir la porte tout à l'heure.

— O.K., je vais aller le rejoindre.

Sans plus d'explications, Brigitte tourna les talons et sortit de la maison en faisant claquer la porte derrière elle.

Quinze minutes plus tard, elle rentra en compagnie de Cyrille qui n'affichait plus son air bonhomme habituel. Pendant que sa femme changeait de vêtements, il prit le téléphone et appela André Marcotte. La conversation téléphonique ne dura que deux minutes.

— Sylvie, fais attention de pas réveiller grand-mère et dis à Marc de descendre, veux-tu? demanda-t-il à son aînée.

Sans poser de question, la jeune fille monta à l'étage. Il y eut un chuchotement et l'adolescent descendit l'escalier au moment où sa mère sortait de sa chambre à coucher située au pied de l'escalier.

Brigitte passa devant son fils et entreprit la préparation du souper, indifférente en apparence à la scène qui se déroulait derrière son dos.

Cyrille se tenait debout près de la table de cuisine.

— Oui, p'pa? demanda Marc, l'air inquiet, en s'approchant de son père.

— C'est vrai ce que ta mère vient de me raconter? demanda Cyrille, en serrant les dents.

— Oui, mais...

— C'est vrai ou c'est pas vrai?

— C'est vrai, admit l'adolescent.

— Bon, t'as fait ton choix, dit le père d'un ton définitif. On t'a donné la chance de t'instruire, comme à ta sœur et à ton frère; t'as aimé mieux faire le fou plutôt que d'étudier. En plus, t'as frappé un de tes professeurs. Ça, mon gars, ça veut dire qu'il y a plus une école qui va vouloir te prendre. C'est la fin de tes études.

— De toute façon, on fait juste perdre notre temps à la poly. Les profs savent pas enseigner. On est juste des numéros.

— Ben sûr! Tout le monde a tort et t'as raison. Bon, je vais t'aider à régler ton problème. Comme t'as juste 16 ans, tu pourras pas te trouver de l'ouvrage facilement.

— Oui, mais à dix-huit ans, je vais être capable.

— Tu penses tout de même pas que tu vas passer deux ans à gratter ta guitare électrique dans ta chambre ou à être assis devant la télévision à attendre, non? Je viens d'appeler André Marcotte. Tu commences à travailler pour lui demain matin, à cinq heures et demie.

— Je pourrais travailler avec toi, p'pa.

— Non, trancha abruptement Cyrille. Ici, il y a pas assez d'ouvrage pour nous deux. En plus, j'ai pas assez d'argent pour te payer un salaire. Peut-être cet été. En travaillant pour Marcotte, tu vas payer à ta mère, chaque vendredi soir, une pension.

— Payer une pension? demanda l'adolescent, interloqué.

— Ben oui, une pension. T'es plus un étudiant, t'es devenu un travailleur, quelqu'un qui va avoir à se servir de ses bras jusqu'à la fin de ses jours s'il veut manger et avoir un toit sur la tête. Comme t'auras jamais de diplôme, c'est ce qui t'attend. Bon, c'est réglé. Viens-t-en, on va aller faire le train.

****

Durant tout cet échange entre le père et son fils, Brigitte se garda bien d'intervenir, même si l'envie la taraudait. Il avait été entendu qu'elle laisserait Cyrille régler l'affaire et elle était heureuse qu'il s'en soit aussi bien sorti. Pour une fois, il avait été sévère. Elle avait insisté auprès de son mari pour qu'il pense à Éric qui pourrait être tenté de suivre l'exemple de son aîné. En voyant le sort peu enviable qui était fait à ce dernier, peut-être étudierait-il avec plus d'énergie.

Quelques minutes plus tard, la quadragénaire entendit l'autobus scolaire s'arrêter sur la route devant la maison. Éric en descendit et se précipita dans la maison.

— Où est Marc? demanda-t-il à sa mère qui lui fit signe de baisser le ton. Il était pas dans l'autobus.

— Il est revenu avec moi, dit-elle.

— Tu parles d'un chanceux. C'est pas à moi que ça arriverait des affaires de même! s'exclama l'adolescent en enlevant son manteau.

— Marc ira plus à la polyvalente, lui annonça sa mère.

— Pourquoi? demanda Éric dont le visage trahissait une surprise totale.

— Tu le lui demanderas. En attendant, va te changer et va aider ton père aux bâtiments.

Brigitte allait téléphoner à son beau-frère Alain pour lui annoncer l'hospitalisation prochaine de sa mère quand Sylvie vit par la fenêtre de la cuisine une voiture s'arrêter devant la porte.

— M'man, on a de la visite, fit la jeune fille.

— Oui, j'ai vu. J'espère que c'est pas un vendeur parce que là, je suis pas d'humeur à perdre mon temps.

Deux hommes étaient descendus du véhicule et se dirigeaient vers la porte. La maîtresse de maison s'empressa de leur ouvrir avant qu'ils ne sonnent et réveillent ainsi sa belle-mère.

— Oui?

— Bonjour, madame, dit l'un d'eux en lui tendant un dépliant. Nous aimerions nous entretenir quelques instants avec vous du message de la Bible.

— Ah ben! on peut dire que vous tombez à pic, vous deux, dit Brigitte avec humeur. Écoutez, j'ai rien contre vous autres, mais je suis catholique. Vous êtes des Témoins de Jéhovah. Je respecte ça, mais venez pas me faire perdre mon temps. Il en est passé il y a deux semaines et je leur ai dit la même chose.

— Est-ce qu'on peut au moins vous laisser ce journal? demanda le plus âgé des visiteurs d'un ton poli et raisonnable.

— Vous pouvez le laisser, mais je peux vous dire tout de suite que personne dans cette maison va le lire.

Brigitte prit le journal et leur ferma la porte au nez.

— Non, mais sont-ils assez fatigants, ces maudits Témoins de Jéhovah-là! s'exclama la grosse femme. On peut plus faire un pas sans tomber sur eux autres, dit-elle à sa fille qui avait assisté au renvoi des visiteurs. Si c'était arrivé il y a vingt-cinq ans, le curé aurait averti la police provinciale qui les aurait arrêtés. Bon, je vais appeler ton oncle Alain.

Elle prit le téléphone et composa le numéro de son beau-frère qui vivait à Nicolet depuis son mariage avec Lise Joyal en 1963. Alain était gérant régional pour une compagnie spécialisée dans la vente et l'installation de silos et il gagnait bien sa vie. Le couple vivait dans une belle maison et il pouvait offrir à leur Josée de 15 ans une école privée coûteuse. Brigitte espérait tomber sur Alain plutôt que sur sa femme dont le snobisme lui déplaisait au plus haut point. Son beau-frère était «frais», disait-elle, mais il était encore «parlable». Malheureusement, ce fut Lise qui prit la communication.

Après quelques civilités un peu empruntées, Lise Riopel finit par demander à sa belle-sœur la raison de son appel.

— Je voulais juste dire à Alain que les résultats des examens médicaux de sa mère ont pas été bons et que le docteur Valiquette a décidé de l'hospitaliser vendredi matin.

— Pour quelle raison?

— Il veut lui faire subir d'autres tests.

— Pourtant, quand on l'a vue il y a deux semaines, elle avait l'air en assez bonne santé, fit remarquer Lise Riopel.

— Oui, mais elle cache son jeu depuis un bon bout de temps. Je me suis aperçue qu'elle voyait de moins en moins bien depuis un mois ou deux. Elle utilise une loupe en cachette pour lire, même les gros caractères. En plus, elle s'essouffle à rien.

— Bon, je te remercie de nous avoir appelés, Brigitte, fit sa belle-sœur. Tu peux être certaine que je vais dire ça à Alain quand il va rentrer. Maintenant, je te quitte; je participe à un tournoi de bridge ce soir et il faut que je prépare le souper d'Alain avant de partir.

En raccrochant, Brigitte remarqua qu'une voiture entrait dans la cour de la ferme voisine, chez Pierre Bergeron, le cousin de son mari.

— Tiens! se dit-elle à mi-voix, c'est Diane qui va être contente. Voilà les parents de Pierre qui s'en viennent souper.

Avec les années, Pierre Bergeron s'était un peu empâté, mais il était resté aussi taciturne et placide. À quarante-cinq ans, il avait abandonné depuis longtemps les poids et les haltères qu'il prenait tant plaisir à soulever quand il était jeune. Il avait maintenant trop de travail à faire sur sa terre pour s'amuser à faire ça.

De taille moyenne, il avait une grosse tête ronde dont les cheveux poivre et sel étaient coupés très court. Il s'entêtait à porter une épaisse moustache qui, selon Diane, sa femme, le vieillissait. Elle pouvait le narguer facilement puisqu'à quarante et un ans, Diane n'avait pas pris un kilo et il n'y avait pas un cheveu gris dans sa chevelure brune.

En 1958, malgré la sourde opposition de sa mère, Pierre avait épousé Diane Labrie, la jeune fille enceinte recueillie par sa grand-mère et sa tante Marie. Le jeune homme avait aussitôt adopté Anne-Marie alors âgée de deux ans, que sa mère avait eue à dix-sept ans. Durant près de dix ans, le jeune couple avait habité chez Estelle Marcotte. Par reconnaissance et aussi parce que Diane considérait la vieille dame comme sa propre grand-mère, elle refusa de la laisser seule après son mariage et elle persuada son mari de venir s'installer dans la petite maison habitée par la vieille dame.

Pauline Bergeron, la fille d'Estelle et la mère de Pierre, avait accepté assez facilement l'arrangement, du moins tant et aussi longtemps que sa fille Suzanne était demeurée à la maison auprès d'elle. Cependant, quand sa fille avait épousé Paul Biron, l'héritier du moulin à scie et de la quincaillerie du rang Saint-Édouard, la quinquagénaire trouva difficile sa nouvelle solitude avec Bernard, son mari toujours aussi peu bavard. Soudainement, elle aurait aimé que son fils vienne vivre dans la maison de ses parents, plutôt que trois maisons plus loin, chez sa mère. Ce désir s'accrut considérablement quand Diane accoucha de Frédéric en 1959 et de Paule, trois ans plus tard. Selon elle, il était anormal que ses petits-enfants soient gâtés par leur arrière-grand-mère plutôt que par leur grand-mère.

Les décès d'Estelle Marcotte et de Jos Malloy à quelques mois d'intervalle durant l'hiver de 1970 changèrent complètement la situation. La veuve de Jos vendit le restaurant et exprima le désir de venir s'installer dans la maison de sa mère dont elle venait d'hériter. Marie désirait que Pierre et Diane demeurent sur place avec leurs trois enfants. Elle était toujours aussi attachée au couple et elle considérait les enfants de Diane et Pierre comme ses propres petits-enfants. Au fond, Marie ne voulait qu'occuper la place que sa mère avait occupée durant tant d'années auprès du jeune couple. Mais son neveu et sa femme saisirent l'occasion pour libérer sa maison et emménager chez les parents de Pierre puisque Pauline et Bernard vieillissaient et désiraient plus que jamais les avoir avec eux.

La cohabitation avec Pauline ne se fit pas sans heurts. En prenant de l'âge, le caractère de Pauline n'était pas devenu moins tranchant. Durant cinq ans, Pauline et sa bru s'affrontèrent sur la meilleure façon d'élever les enfants et de tenir maison. Les sujets de confrontation ne manquaient pas. Par exemple, Pauline n'acceptait pas de voir les deux enfants tutoyer les adultes, même si Pierre et sa femme disaient que c'était maintenant la mode. La grand-mère trouvait que son fils et sa bru n'étaient pas assez sévères, surtout à l'endroit d'Anne-Marie qui, à quinze ans, prenait des airs un peu trop délurés. Bref, si les femmes se disputaient souvent, Pierre et son père se tenaient à distance et enduraient stoïquement les sautes d'humeur de leurs femmes.

En 1975, à l'occasion de son soixante-cinquième anniversaire de naissance, Bernard annonça à Pauline son intention de laisser la ferme à leur fils et d'aller s'installer avec elle au Petit Foyer. Il s'attendait à une résistance acharnée de sa femme ; il se trompait. Pauline rendit les armes avant même de combattre. On aurait dit qu'elle était subitement fatiguée de se battre pour imposer ses idées et qu'elle n'aspirait plus qu'au repos.

En quelques jours, tous les détails de la transaction furent finalisés et les Camirand louèrent au vieux couple l'un des appartements du Petit Foyer qui s'était libéré le mois précédent.

Diane et Pierre entreprirent alors une seconde lune de miel. Pour la première fois en dix-sept ans, ils se retrouvaient seuls dans leur propre maison. La jeune femme de trente-six ans put enfin donner sa pleine mesure de mère et de femme d'intérieur sans que personne n'intervienne pour contrecarrer ses décisions. Elle s'en trouva épanouie et ses enfants aussi.

Le temps était passé trop rapidement, du moins selon Diane qui, à quarante et un ans, était déjà grand-mère.

Son aînée, Anne-Marie, avait épousé Claude Ringuet, un jeune menuisier de Saint-Zéphirin, en juillet 1978, et la jeune mère avait donné naissance à un petit garçon de trois kilos dès l'année suivante.

Frédéric, vingt et un ans, avait suivi sans grand enthousiasme des cours d'ébénisterie ; mais il n'avait pas d'emploi régulier et il travaillait la plupart du temps avec son père. C'était un garçon tranquille et peu ambitieux. Il en allait tout autrement de sa sœur Paule, sa cadette de trois ans. Cette dernière était coiffeuse et entendait monter un jour son propre salon de coiffure.

Dès leur départ de la ferme, il s'était établi quelques règles tacites entre Pierre et ses parents. Tout d'abord, Pauline et Bernard n'essaieraient pas de diriger leur fils en sous-main. Bernard venait donner un coup de main à son fils quand il y avait un surplus de travail ou une urgence sinon, il demeurait au Petit Foyer. Les grands-parents venaient souper à la maison au moins une fois par semaine, habituellement le dimanche soir.

****

Si Pauline et Bernard venaient souper à la maison un mercredi soir, c'est qu'ils désiraient discuter avec Pierre et sa femme de la nouvelle dont on parlait partout au village : la vente par leur oncle Jocelyn de l'île Ouellet à un club de nudistes. La nouvelle s'était répandue comme une traînée de poudre et elle avait suscité toute une gamme de réactions. Si certains avaient trouvé la perspective amusante, d'autres, par contre, étaient franchement dégoûtés à la perspective que des gens allaient venir vivre sans vêtements à leur porte.

L'île Ouellet était située aussi à proximité de la terre de Pierre, et Pauline était révoltée que des nudistes viennent se trémousser, nus, sous le nez de ses petits-enfants. Elle voulait savoir si son fils était prêt à aller voir son oncle et son cousin pour les persuader de changer d'idée.

— Du monde tout nu, comme des animaux, fit la septuagénaire, si ça a du bon sens ! Vous pouvez pas laisser s'installer ça proche de chez vous. Qu'est-ce que vos enfants vont penser ?

— Vous savez, madame Bergeron, fit Diane en repoussant une mèche de cheveux châtains derrière une oreille, les enfants d'aujourd'hui sont plus comme on était. Ils en ont vu pas mal plus que nous à leur âge. Je suis même pas sûre que voir quelqu'un tout nu les choquerait. Avec la télévision, les films et les revues qui traînent partout, ils sont pas mal déniaisés.

— Voyons, Diane ! la réprimanda sa belle-mère, ton devoir de mère chrétienne t'oblige à protéger tes enfants d'une affaire comme ça.

— C'est ben beau vouloir empêcher ça, fit patiemment Diane ; mais vous connaissez aussi bien votre frère, sa femme Pierrette et son garçon André que nous. S'ils ont dans la tête de vendre parce qu'il y a une cenne à faire, il y a personne qui va les en empêcher, pas plus nous qu'un autre.

— Ben, je pense que cette fois, ils vont s'apercevoir que les gens de Saint-Anselme vont pas les laisser faire ce qu'ils veulent, conclut Pauline sur un ton vindicatif, en ajoutant un peu de sirop d'érable dans son assiette.

Il y eut un long silence pendant lequel chacun mangea son dessert.

— Puis, le petit d'Anne-Marie, comment il va? demanda Pauline.

— Le moins qu'on puisse dire, c'est qu'il bouge en bonyenne. Je le trouve pas mal vigoureux pour un enfant qui a même pas encore deux ans, dit fièrement Diane.

— Et les deux autres? demanda Pauline.

— Frédéric le dit pas, mais je pense qu'il va finir par aller voir à Nicolet ou à Drummondville s'il pourrait pas se trouver un job. Mais au fond, je pense qu'il aime pas mal la terre et que ça le dérangerait pas trop de continuer à travailler avec Pierre.

— Et Paule?

— Depuis qu'elle a son permis de conduire, elle est indépendante comme un cochon sur la glace. Elle coiffe à domicile en plus de coiffer au salon. Si sa patronne apprend ça, elle va croire qu'elle lui vole des clientes. En tout cas, vous connaissez son caractère : elle fonce et il y a rien qui va la faire reculer.

— Je me demande de qui elle tient ce caractère-là ? demanda sérieusement Pauline.

— On se le demande, répliqua finement Diane en jetant un coup d'œil significatif à son mari.

Pierre et son père se regardèrent et se sourirent sans dire un mot.

Chapitre 6

Le curé Lanctôt

En ce premier samedi d'avril, le ciel charriait de lourds nuages gris et la pluie tombait sans discontinuer depuis trois jours.

Les habitants du village de Saint-Anselme avaient clairement entendu, durant la nuit précédente, les bruits sourds indiquant que les glaces avaient cédé sur la rivière Nicolet. Ce n'est qu'au matin qu'ils avaient découvert l'imposant embâcle qui s'était formé à la hauteur du pont. Les eaux de la rivière, grossies par les eaux de la fonte des neiges, essayaient en vain de se frayer un chemin à travers l'enchevêtrement de blocs de glace qui entravait leur passage. L'eau montait dangereusement. Elle avait même envahi la route au bas de la côte. Une section de la route et le tablier du pont disparaissaient déjà sous 50 cm d'eau. Le niveau de cette dernière ne cessait de monter. Poussés par le courant, d'imposants blocs de glace de près d'un mètre d'épaisseur occupaient maintenant toute la largeur de la route à certains endroits.

Debout devant une fenêtre de la salle à manger du presbytère, le curé Lanctôt vit Richard Miron et Fernand Turcotte, vêtus d'un imperméable jaune, descendre du camion de la municipalité, traverser la rue Principale sans se presser et aller examiner l'embâcle. Le prêtre avait vu l'inspecteur et l'employé venir au même endroit à plusieurs occasions depuis le début de la matinée. D'ailleurs, depuis le lever du soleil, il y avait eu un va-et-vient ininterrompu de curieux et de gens inquiets venus se pencher sur les eaux de la rivière pour voir si le village pouvait être menacé d'être coupé des rangs situés de l'autre côté du pont. Debout sur la rive, surplombant le courant d'une hauteur de six ou sept mètres, des badauds protégés par leur parapluie évaluaient la situation et consultaient les anciens, trop heureux de raconter les inondations passées.

En ce début d'après-midi, les deux employés municipaux furent rejoints par le maire qui les attira un peu à l'écart de la dizaine de curieux qui se tenaient près d'eux. Miron avait l'air de pointer quelque chose au loin et Adrien Beaulieu hochait la tête. Nul doute qu'ils devaient être en train de se consulter sur la nécessité de faire dynamiter l'embâcle avant qu'il y ait trop de dégâts.

****

Charles Lanctôt laissa la fenêtre entrouverte et il se mit à faire les cent pas dans la pièce en passant lentement la main dans son épaisse chevelure blanche. Il tira sur son chandail bleu marine un peu trop petit pour lui et il se tapa sur le ventre. À cinquante-deux ans, le quatorzième curé de Saint-Anselme était encore un homme vigoureux de taille moyenne dont la figure poupine disait assez qu'il appréciait la bonne chère. Le prêtre se distinguait de ses prédécesseurs tant par son goût pour le travail manuel que par les conditions difficiles dans lesquelles il exerçait son ministère.

— Je ne sais vraiment pas ce qu'ils auraient fait à ma place, se dit à mi-voix le curé en regardant les photos suspendues aux murs de la pièce.

Ces photos représentaient certains de ceux qui avaient dirigé la paroisse avant lui.

— Ça fait sept ans que je me désâme et il y a pas grand-chose qui bouge.

Dieu avait été bon en lui accordant un caractère accommodant. Par instinct, Charles Lanctôt allait toujours vers la solution pratique et il fuyait les affrontements stériles qui ne suscitent que la rancœur. Les colères et les tortures morales n'étaient pas son lot.

Bien sûr, il aurait aimé vivre trente ou quarante ans auparavant, à l'époque bénie où les presbytères étaient remplis de prêtres, où le curé faisait la loi dans sa paroisse et où l'église était pleine à craquer chaque dimanche. Il en avait eu un avant-goût au début de son sacerdoce durant les années 50. Quand il était vicaire à Pierreville, les cérémonies religieuses étaient encore très fréquentées. Il y avait foule lors de la messe du premier vendredi du mois, à la récitation du chapelet au mois de mai, à la procession de la Fête-Dieu, aux Quaranteheures et même à la messe quotidienne durant le carême. Les organismes paroissiaux fonctionnaient aussi encore à plein régime. La belle époque, quoi!

Tout cela appartenait maintenant au passé, songea le curé en jetant un regard nostalgique à la pièce décrépite où il se tenait. Il n'y avait plus de prêtres. La relève faisait cruellement défaut. Non seulement, les curés vieillissants comme lui ne pouvaient plus compter sur un seul vicaire, mais encore l'évêché s'apprêtait à leur demander de plus grands sacrifices encore en assurant le ministère de deux ou même de trois paroisses en même temps. Quel genre de vie l'attendait au moment où l'âge commençait à le marquer? Quand pourrait-il envisager de prendre sa retraite pour se reposer un peu? À cette évocation, un pli d'inquiétude barra le front du prêtre.

Si encore il y avait des résultats pour l'encourager à poursuivre ses efforts... Il n'y avait pratiquement plus que des têtes blanches à ses messes. Les jeunes et les moins jeunes boudaient la religion et ne fréquentaient presque plus l'église. C'était peut-être le retour de bâton inévitable après plusieurs siècles de dirigisme autoritaire. Si l'Église catholique s'était rapprochée un peu plus des fidèles, ces derniers ne l'auraient probablement pas rejetée si vite.

Évidemment, les gens continuaient à se dire catholiques, mais ils ne pratiquaient plus. Un bon nombre ne faisaient appel au prêtre que pour le baptême, le mariage et les funérailles. L'église ne faisait plus le plein que lors de la messe de minuit, la veille de Noël, et le dimanche de Pâques. Par conséquent, il n'était pas étonnant que lui, Charles Lanctôt, n'ait célébré aucun mariage depuis le mois de juillet précédent. Pourtant, ce n'était pas faute d'avoir fait des efforts pour attirer les paroissiens vers Dieu. Lui-même avait lancé un mouvement de pastorale, un groupe d'études bibliques et un cours de préparation au mariage. Les trois organismes étaient moribonds et ne semblaient survivre que grâce à l'entêtement de leur fondateur et de quelques bénévoles.

La porte de la salle à manger s'ouvrit brusquement dans le dos du prêtre.

— Ma foi du bon Dieu! voulez-vous nous faire crever aujourd'hui, vous? demanda Laure Dubé, les mains sur les hanches.

Le curé sursauta en entendant la voix de sa servante.

— Qu'est-ce qu'il y a, madame Dubé?

— Il y a que vous avez ouvert la fenêtre et que vous êtes en train de faire geler tout le monde dans le presbytère, répondit sèchement la quinquagénaire en lui adressant un regard furieux.

Sur ces mots, elle se dirigea vers la fenêtre qu'elle claqua bruyamment, en signe de désapprobation.

À son arrivée dans la paroisse, en 1973, Charles Lanctôt n'avait pas eu le choix: il avait dû engager l'irascible Laure Dubé comme servante et cuisinière parce qu'elle avait été la seule de ses paroissiennes intéressée par l'emploi et le faible salaire offert par la fabrique.

À cinquante-huit ans, cette petite femme osseuse en était à son troisième mariage. Comme elle était sans enfant, elle exerçait également son autorité sur Étienne, son mari, et sur son curé. L'un et l'autre savaient depuis longtemps à quel point elle pouvait mener par le bout du nez toute personne qui tombait sous sa coupe. Pourtant, le curé lui pardonnait son effronterie parce qu'elle était une excellente ménagère et une cuisinière hors pair.

— Ne vous inquiétez pas, madame Dubé. La pièce va avoir eu le temps de se réchauffer avant le commencement de la réunion.

— Ben là, vous vous trompez, monsieur le curé. Les marguilliers sont déjà tous là, même Claudette Leduc avec son air pincé du dimanche. Ils sont installés dans le salon.

— La réunion n'était prévue que pour 3 heures. Comment ça se fait que je les ai pas entendus arriver ? demanda le prêtre.

— Je les ai vus monter l'escalier et je les ai fait entrer avant qu'ils sonnent.

— Ils sont en avance, dit le curé Lanctôt en consultant sa montre. On va les faire attendre un petit quart d'heure. Ça les fera pas mourir. S'il vous plaît, madame Dubé, faites pas de remarques déplacées sur madame Leduc, la présidente de la fabrique. C'est une bonne personne et une grande chrétienne.

— Première nouvelle, dit effrontément la cuisinière. En tout cas, si vous avez dans l'idée de les faire poireauter encore un quart d'heure, vous allez avoir assez de temps pour aller mettre votre soutane et avoir l'air d'un vrai prêtre, fit la servante sur un ton acide.

— Voyons, madame Dubé, vous savez bien que la soutane est pratiquement plus portée.

— Vous portez même pas votre col romain.

— C'est pas nécessaire non plus.

— Après ça, on s'étonnera que le monde respecte plus les prêtres. Comment voulez-vous qu'on les reconnaisse ?

— Êtes-vous entrée juste pour me chicaner ? demanda le curé Lanctôt qui commençait à perdre patience.

— Non, je voulais vous dire aussi que j'ai mis votre souper au four et que je vous ai préparé un pâté chinois pour demain midi et du poulet pour demain soir.

— C'est parfait, madame Dubé. Je mourrai pas de faim.

— Il y a pas de danger. Avec le ventre que vous poussez devant vous, vous pourriez vivre une couple de jours sur vos provisions. En tout cas, ce que je vous ai préparé, ça devrait être bon.

Laure Dubé mit la main sur la poignée de la porte, mais avant de quitter la pièce, elle ne put s'empêcher de dire :

— En passant, faites donc un effort, monsieur le curé, pour que je retrouve pas ma cuisine à l'envers lundi matin. J'aimerais ça pas passer la moitié de ma journée à tout remettre en ordre.

— Ne vous inquiétez pas; je vais faire attention. Passez une bonne journée du dimanche, dit le curé.

Charles Lanctôt vit partir sa servante en poussant un grand soupir de soulagement. Ses vacances hebdomadaires commençaient officiellement avec son départ, le samedi après-midi.

— À son mari de l'endurer un peu à son tour, dit-il à mi-voix.

****

Le quinquagénaire passa dans sa chambre pour se rafraîchir un peu. Il s'attarda durant une minute devant le miroir sur pied que l'un de ses prédécesseurs un peu coquet avait fait installer dans un coin de la pièce. Il se regarda de profil et rentra au maximum son ventre. Le renflement qui restait lui arracha une grimace de dépit. Il tira une fois de plus sur son chandail avant de sortir de la pièce et de se diriger vers le salon pour aller accueillir les marguilliers.

Le prêtre ouvrit la porte et salua les quatre hommes et la femme qui l'attendaient depuis quelques minutes.

— Si vous voulez bien passer dans la salle, proposa Charles Lanctôt en les précédant dans la salle à manger qui servait de salle de réunion depuis une dizaine d'années.

— J'espère que votre salle à manger est plus chaude que votre salon, dit Émile Deschamps, un sexagénaire gourmé et pointilleux.

— Pas beaucoup plus, monsieur le notaire, fit le curé avec bonne humeur. N'oubliez pas que deux étages du presbytère sont condamnés depuis près de six ans et qu'on ne chauffe que le rez-de-chaussée. L'humidité et le froid sont en train de dégrader ce beau bâtiment. Le plâtre s'en va par plaques et les belles boiseries en chêne vont finir par pourrir. Moi, je n'occupe que ma chambre, la cuisine, le salon et le bureau.

Tout en parlant, les cinq marguilliers entrèrent dans l'ancienne salle à manger et prirent place autour de la grande table en chêne foncé sur laquelle tant de prêtres et de curés avaient pris leurs repas dans le passé.

La présidente de la fabrique, Claudette Leduc, ouvrit sa serviette en cuir et étala devant elle quelques chemises cartonnées. On sentait chez cette quadra-génaire jolie et énergique une volonté très nette de s'imposer. Elle croisa les mains devant elle et elle attendit que le curé Lanctôt fasse une courte prière avant de commencer la réunion mensuelle.

Depuis quelques années, cette mère de trois enfants cumulait à plaisir tous les titres et toutes les responsabilités sur lesquels elle pouvait mettre la main. Présidente du comité de parents de l'école, conseillère municipale, présidente de la fabrique, membre du comité liturgique et coordinatrice des fêtes du 150e anniversaire de Saint-Anselme, elle était partout à la fois. Même si beaucoup de mauvaises langues se plaisaient à dire qu'elle n'était heureuse que hors de chez elle et sur le devant d'une scène, il fallait tout de même lui reconnaître du dévouement et des dons certains d'organisatrice. Il allait tout de même de soi que c'était une femme qui adorait attirer l'attention sur elle.

La présidente ouvrit une chemise déposée devant elle sur la table.

— Comme il est mentionné dans l'ordre du jour que je vous ai fait parvenir, nous consacrerons cette réunion au budget de la paroisse. J'ai reçu le rapport annuel du comptable et tout indique que nous serons incapables de boucler le budget de la paroisse cette année. Avec les sommes envoyées au diocèse et nos charges, nous n'arrivons pas. Il va falloir encore faire des coupures dans les dépenses.

Madame Leduc fit passer à chacun une feuille couverte de chiffres.

— Le chauffage de l'église et du presbytère à lui seul nous coûte cette année plus de dix mille dollars. Je parle pas du salaire versé à madame Dubé, des frais d'entretien du presbytère et de l'église et de la nourriture.

Le visage du curé Lanctôt s'assombrit un instant.

— Je m'excuse de vous coûter si cher...

— Voyons, monsieur le curé, fit Paul Lacasse, un jeune père de famille affable, c'est pas un blâme contre vous. C'est pas de votre faute si tout coûte plus cher d'une année à l'autre.

— De toute façon, continua le prêtre, ce temps-là achève. Notre évêque parle de donner à chaque curé du diocèse deux cures dès l'automne prochain parce qu'il manque de prêtres. Si ça se trouve, je vais avoir à aller m'installer au presbytère de Sainte-Monique ou à celui de Saint-Cyrille. Les paroissiens de ces paroisses-là sont peut-être plus capables de faire vivre convenablement leur curé que ceux de Saint-Anselme.

Claudette Leduc se rebiffa sous l'insulte.

— On a toujours eu les moyens de faire vivre comme du monde notre curé, monsieur le curé, et on les a peut-être encore. Mais on peut pas se permettre de gaspiller.

— Je vous ai donné une solution pour mettre fin au gaspillage l'année passée, fit Charles Lanctôt. Je vous ai suggéré de laisser le presbytère à la municipalité pour un dollar et de faire construire un petit bungalow pour le remplacer. Je suis certain que l'évêché serait d'accord. Ce grand bâtiment est bien trop grand pour un homme seul et son entretien coûte une fortune.

— Avant d'en arriver là, dit Lucien Jutras, un vendeur de machinerie agricole, on peut prendre d'autres moyens.

— Lesquels? demanda la présidente, intéressée.

— On pourrait, par exemple, chauffer vraiment l'église que le dimanche. Si monsieur le curé accepte, on pourrait s'organiser pour que les messes dites durant la semaine soient célébrées dans la sacristie. C'est pas mal plus petit à chauffer. De toute façon, il y a jamais grand monde qui va à ces messes-là. D'après moi, la sacristie serait ben assez grande. De cette manière-là, on sauverait pas mal sur le chauffage.

— On essaiera l'automne prochain si c'est ce que vous voulez, accepta le curé pour montrer sa bonne volonté.

Claudette Leduc enchaîna.

— Avez-vous pensé, monsieur le curé, que la paroisse économiserait pas mal si elle avait pas à payer une servante pour le presbytère ? Même avec le petit salaire qu'on lui paye, madame Dubé coûte pas mal cher au bout de l'année.

Il y eut un silence pénible autour de la table et Charles Lanctôt regarda attentivement le visage de celle qui était assise en face de lui.

— Que proposez-vous, madame ?

— Je me demandais si vous seriez pas prêt à vous débrouiller un peu tout seul dans une cuisine. Si vous étiez capable de préparer vos repas, la fabrique n'aurait qu'à payer la nourriture.

— Je le regrette, mais je n'ai jamais cuisiné, s'excusa Charles Lanctôt en lançant aux marguilliers un regard désolé. À mon âge, je pense que je suis trop vieux pour apprendre.

— Voyons, monsieur le curé, reprit le notaire Deschamps, tout s'apprend.

— Vous en parlez à votre aise, vous! s'exclama le prêtre. Vous avez vous-même une servante, non? Vous êtes, comme moi, un célibataire qui cuisine pas.

Le vieux notaire rougit violemment et ne trouva rien à dire.

— Loin de moi l'idée de vous obliger à faire ce que vous voulez pas ou ce que vous pouvez pas faire, reprit finement Claudette Leduc, mais à moins que la répartition de cette année nous rapporte beaucoup plus d'argent que l'an passé, j'ai vraiment l'impression que vous allez devoir vous passer des services de madame Dubé.

— Et pour le ménage?

— Un homme seul salit pas tellement, répondit la présidente. Je suppose que si on payait deux ou trois heures par semaine à une femme du village, elle aurait tout le temps qu'il faut pour nettoyer. Comme vous venez de le dire au notaire Deschamps, vous occupez que quatre petites pièces du presbytère après tout.

— Quand allez-vous prendre une décision? demanda le prêtre tout de même alarmé par la possibilité d'avoir à se débrouiller seul.

— Je pense qu'on sera en mesure d'en discuter et de décider au mois de juin, quand on aura établi définitivement le budget. Peut-on maintenant passer au deuxième point à l'ordre du jour? s'enquit la présidente.

Comme toutes les personnes présentes hochaient la tête, elle poursuivit.

— On a envoyé l'enveloppe pour la répartition à tous les paroissiens la semaine passée. Comme le diocèse l'a suggéré, on demande deux cents dollars à chaque famille. Monsieur Deschamps, je pense que c'est vous qui étiez chargé de contacter les volontaires pour faire le porte-à-porte et amasser les enveloppes.

— Oui, j'ai trouvé un volontaire pour chacun des rangs et j'ai demandé à deux personnes de se charger du village. Si demain, monsieur le curé veut bien rappeler aux paroissiens de payer leur dîme, mes gens sont prêts à faire leur tournée pour amasser les chèques dès la semaine prochaine.

Le curé Lanctôt nota quelque chose sur la feuille posée devant lui.

— Bon, c'est parfait. Il nous reste un dernier point à régler, dit la présidente. Est-ce que quelqu'un parmi vous a entendu parler du projet d'André Marcotte du rang Sainte-Anne?

Personne dans la salle ne dit mot et on se regarda en levant les sourcils. Claudette Leduc eut un sourire pour marquer sa satisfaction d'apprendre une nouvelle à tous.

— Ça m'étonne que vous n'en ayez pas entendu parler, fit-elle, on parle juste de ça dans toute la paroisse depuis trois jours. Avant que vous me disiez que ce sont juste des rumeurs, je vous dis tout de suite que c'est le maire lui-même qui m'a parlé avant-hier d'un nouveau projet d'André Marcotte et de son père. Il paraît qu'ils ont acheté l'île Ouellet aux Letendre de Sainte-Monique et vous devinerez jamais ce qu'ils se préparent à faire tous les deux... Ils vont la vendre à un club de nudistes.

Il y eut des «oh!» et des «ah!» choqués autour de la table.

— Il manquait plus que ça, s'exclama le curé Lanctôt en se redressant. Ça va être beau à voir! Je vois d'ici les jeunes de la paroisse aller se rincer l'œil.

— Ah! mais c'est pas fait! affirma Claudette Leduc pour calmer son auditoire. Il faut qu'il obtienne le dézonage de l'île. Elle est encore zonée agricole, son île. On peut...

— On ne peut rien faire, laissa tomber le vieux notaire Deschamps d'une voix suffisante un rien précieuse, en redressant son nœud papillon. Les Marcotte ont le droit de vendre leur île à qui ils veulent. Je suis tenu par le secret professionnel, mais je peux vous dire que les démarches pour obtenir le dézonage de l'île sont déjà très avancées. Quand Jocelyn et André Marcotte en ont parlé à monsieur le maire, c'était par pure courtoisie. Ils n'ont pas besoin de son approbation pour procéder à la vente.

— Le père Marcotte et son garçon, courtois! dit Jérôme Dubé, le beau-frère de la présidente. C'est nouveau, ça! Ils sont tous les deux pareils. Je serais plutôt porté à croire qu'ils en ont parlé à Adrien parce qu'ils avaient besoin de quelque chose. Les Marcotte font rien pour rien.

— Il y a tout de même une chose que je peux vous dire, affirma le notaire avec une certaine hauteur. Je connais l'acheteur potentiel de l'île et il n'est pas question d'un club de nudistes... Pas du tout! scanda l'homme de loi.

— Comment ça? s'exclama la présidente, attendant de nouveaux détails. Le maire l'a tout de même pas inventé.

— Je ne peux pas en dire plus, madame.

— Attendons, conclut le curé Lanctôt avec sagesse. On finira bien par savoir ce qu'ils entendent faire de leur île... Parlant de terrain, j'ai une nouvelle qui va peut-être vous intéresser, ajouta le prêtre.

Les membres de la fabrique dressèrent l'oreille.

— En 1973, j'ai fait un petit héritage. Comme certains d'entre vous le savent déjà, j'ai acheté du fils d'Antoine Girouard une partie de sa terre le long de la rivière, au bout du rang Sainte-Marie. À ce moment-là, je pensais qu'un jour, j'aimerais me construire un chalet d'été et peut-être offrir à deux ou trois membres de ma famille de s'en construire un. J'ai fait les démarches nécessaires dans ce temps-là et j'ai eu les autorisations écrites. Sans faire de politique, il faut dire qu'en 1973, le gouvernement libéral était pas aussi regardant sur le zonage agricole. En tout cas, j'ai fait vérifier mes autorisations le mois passé et on m'a assuré qu'elles étaient valides et que le ministère de l'Environnement reviendrait pas sur les permis accordés.

— Vous êtes certain de ça? demanda Jérôme Dubé en jetant un coup d'œil à la présidente.

— Absolument, répliqua le curé, sûr de lui. L'automne passé, je suis allé me promener sur ma terre et j'ai vu à quel point les arbres étaient devenus beaux. Je me suis aperçu qu'il y avait même une petite plage. J'y ai pensé durant tout l'hiver. Ça fait que j'ai décidé de faire arpenter mes terrains dès que la terre sera assez sèche et je vais les diviser en lots d'environ 90 × 100 pieds que je vendrai à un prix raisonnable.

— Qui va acheter des petits terrains comme ça? demanda le notaire Deschamps, intéressé par les nombreux contrats d'achat qui ne manqueraient pas de lui échoir.

— D'après le notaire Gustave Provost de Drummondville, les gens de la ville vont les acheter comme des petits pains chauds. Il paraît que les terrains sur le bord des cours d'eau commencent à être rares et n'ont pas de prix.

Le vieux notaire se rembrunit en apprenant que le curé de sa paroisse n'aurait même pas recours à ses services pour réaliser son projet, mais il ne dit rien. Tout dans sa mine disait cependant sa réprobation.

— Vous avez pas peur d'être critiqué? demanda insidieusement Claudette Leduc.

— Pourquoi?

— Les gens apprécieront peut-être pas que vous fassiez de l'argent avec des terres que vous avez pas payées cher.

— Un instant, madame, dit le curé Lanctôt d'un ton sévère. J'ai pas volé le fils d'Antoine Girouard. Je lui ai donné le prix qu'il demandait. En plus, vous savez pas encore ce que j'ai l'intention de faire avec les profits générés par la vente de mes lots. J'ai l'intention d'ouvrir ce que je vais appeler le Carrefour des jeunes. Ce sera un grand terrain de camping. Il y aura aussi une salle communautaire et une petite épicerie. Je veux encourager des vacances familiales saines.

— J'espère, monsieur le curé, que vous vous rendez compte que vous aurez besoin de l'appui du conseil municipal pour obtenir les autorisations nécessaires autant pour l'ouverture d'un terrain de camping que pour la construction de votre salle, dit finement la présidente du conseil.

— Aux dernières nouvelles, le conseil de Saint-Anselme est formé de gens raisonnables. Ils vont vite voir l'intérêt du Carrefour des jeunes. Tout le monde va en profiter et l'église va se remplir avec de nouveaux paroissiens.

— Est-ce que je peux me permettre de vous demander ce que pense l'évêché de votre idée? demanda le notaire.

— Mon évêque m'a souhaité bonne chance et m'a précisé qu'il ne s'opposerait pas à mon projet aussi longtemps qu'il ne nuirait pas à mon ministère.

— Bon, je pense qu'on a fait le tour de l'ordre du jour, fit Claudette Leduc en fermant la chemise ouverte devant elle.

Tous les participants se levèrent et le curé Lanctôt, en hôte attentionné, accompagna ses invités jusqu'à la porte. Après avoir refermé cette dernière, le quinquagénaire regarda autour de lui le spectacle désolant de son presbytère.

****

Le papier peint rouge vin était décollé à de nombreux endroits et décoloré là où il était exposé à la lumière vive du soleil. Les dessins du linoléum étaient à moitié effacés. Partout où son regard s'arrêtait, la peinture était écaillée. Même le tapis gris du salon laissait voir sa trame. Les rideaux avaient l'air défraîchis. La ménagère avait beau nettoyer soigneusement, elle ne pouvait tout de même pas faire des miracles.

Le curé se frotta les mains en entrant dans la cuisine. Il n'avait parlé à personne de la partie de son projet qui lui tenait particulièrement à cœur : la construction d'un chalet pour lui seul, sur le bord de la Nicolet, érigé sur l'un de ses lots. Si les ventes le permettaient, il aurait bientôt un endroit où se réfugier seul, où il ne serait pas obligé d'endurer qui que ce soit.

Il se frotta de nouveau les mains, en proie à un étrange excès de jubilation. Il ouvrit la porte du four et sortit le plat cuisiné par Laure Dubé. Il le plaça dans le micro-ondes pour le réchauffer. Il dressa son couvert et alluma le téléviseur dans l'intention de regarder les informations durant son repas. Après le souper, il accorderait une heure à la préparation de son homélie du lendemain avant de s'asseoir confortablement pour jouir du premier match des séries de la coupe Stanley.

Le prêtre fit une prière intérieure pour que rien ne vint interrompre le visionnement de cette partie de hockey.

Après le souper et le lavage de la vaisselle, Charles Lanctôt décida brusquement qu'il avait largement le temps de traverser la rue et d'aller voir si le niveau de l'eau avait continué à monter. Il s'habilla rapidement et sortit du presbytère.

Il faisait encore clair, mais la pluie n'avait pas cessé. Le prêtre traversa la rue Principale au moment où Richard Miron s'apprêtait à quitter les lieux. Ce dernier s'arrêta en voyant le curé Lanctôt.

— Bonsoir, monsieur le curé.

— Bonsoir, Richard. D'après toi, est-ce qu'il va falloir faire dynamiter l'embâcle?

— Non, monsieur le curé. On va encore s'en sauver cette année. Les glaces sont en train de lâcher. Elles ont commencé à bouger vers 3 heures. Durant la soirée, je pense que Fernand Turcotte et moi, on va pouvoir descendre la côte avec la charrue, passer sur le pont et ôter la glace et la terre laissées sur le chemin. Je sais pas si l'eau a causé ben du dommage à la route, mais ça m'étonnerait. Ça fait moins de vingt-quatre heures que les glaces sont là. Bon, ben, je vous laisse. Je vais aller souper avant de commencer à nettoyer.

— Bon appétit, fit le curé.

Pendant que l'inspecteur municipal retournait vers son camion, le prêtre s'éloigna un peu en direction de chez Cadieux pour voir si les glaces avaient miné les terrains de l'épicerie Gagnon, du notaire Deschamps, du docteur Babin et de leurs voisins. Quand il se créait un embâcle à la hauteur du pont, il n'était pas rare que les glaces viennent arracher de la terre à la base de la côte et ainsi causer des glissements importants de terrain. Certains propriétaires avaient beau couvrir de galets ou de pierres des champs la pente à l'extrémité de leur terrain, il arrivait tout de même que tout soit emporté au printemps lorsque les glaces, poussées par le courant, venaient frapper la côte.

Chapitre 7

La politique

Dès la fin de la seconde semaine d'avril, le printemps chassa définitivement les derniers vestiges de l'hiver. La température s'adoucit rapidement et les dernières traces de neige disparurent. Des milliers de canards traversèrent le ciel en direction du Nord alors que les premiers bourgeons naissaient. Des vols d'oies blanches s'abattaient en criaillant sur les champs labourés. Déjà, le sol fumait sous l'action d'un soleil de plus en plus chaud.

Au village, les employés municipaux avaient commencé à réparer les nids-de-poule. La niveleuse était passée dans la plupart des rangs pour faire disparaître les ornières et rendre les chemins carrossables. Les cultivateurs travaillaient déjà à redresser leurs clôtures. De loin en loin, on en apercevait en train de changer des piquets de cèdre ou de dérouler un rouleau de fil barbelé. Quelques-uns avaient déjà mis leurs vaches à pacager à l'extérieur. Les jeunes enfants s'amusaient autour de la maison et profitaient des chauds rayons du soleil.

Isabelle Riopel avait été hospitalisée un peu plus d'une semaine. On était parvenu à stabiliser son taux de sucre et le cardiologue lui avait prescrit des médicaments qui devaient lui faire le plus grand bien. Bref, ce samedi matin-là, la vieille dame de soixante-huit ans attendait, avec une impatience mal contenue, l'arrivée d'Aurore qui avait promis de venir la chercher tôt à l'hôpital pour la ramener à la maison. Dès 8 heures, sa petite valise était faite et déposée près de la porte de sa chambre et elle avait déposé son manteau sur le lit.

Quand Aurore et Bruno apparurent, Isabelle s'empressa d'endosser son manteau après les avoir embrassés.

— Mon Dieu, m'man, on dirait que le diable est à vos trousses. Il y a pas le feu, fit Aurore, moqueuse.

— C'est vrai, madame Riopel, ajouta son gendre. Ne me dites pas que vous êtes en train de comprendre pourquoi j'avais si hâte de quitter l'hôpital il y a vingt-cinq ans, quand j'ai eu mon accident.

— Ça fait longtemps que je t'ai compris, mon Bruno, fit Isabelle. Mais pour toi, au moins, c'était grave. T'avais une pneumonie et une jambe brisée. Pour moi, c'était juste pour savoir quelles pilules on me donnerait.

— En tout cas, ils ont l'air d'avoir trouvé, dit sa fille. Vous pétez le feu. Ça fait longtemps que je vous ai pas vue en forme comme ça.

— Tu sauras, ma fille, qu'il faut être en forme pour venir à l'hôpital. C'est pas pour critiquer, mais avec leur maudite manie de jamais te laisser tranquille, ils finissent par avoir ta peau si tu sors pas de là au plus vite. On dirait que les gardes-malades ont peur que tu dormes ou que tu te reposes. Elles viennent même te réveiller la nuit pour te demander si tu dors. Ma foi, je pense qu'elles ont peur qu'on crève sans leur permission.

Sur le chemin du retour, Aurore offrit à sa mère de venir demeurer chez elle, au moins durant quelques semaines, le temps qu'elle s'habitue à sa médication. La maison était calme toute la journée puisque Julien et Carole étaient à Trois-Rivières et qu'elle aidait Bruno. Isabelle remercia sa fille et son gendre, mais elle préférait retourner dans sa chambre, chez Cyrille. De plus, elle avait l'impression d'être encore utile à Brigitte en l'aidant à différents travaux. Avant de les quitter, Isabelle s'informa auprès de Bruno de l'état de sa vigne, sachant à quel point son gendre y tenait.

Depuis son arrivée au Québec vingt-cinq ans plus tôt, le cultivateur français n'avait pas ménagé ses efforts pour trouver des plants de vigne. Il en avait acheté et on lui en avait donné. Au fil des ans, il avait fini par avoir près de deux cents pieds de vigne qu'il avait plantés à l'abri des grands vents.

À Saint-Anselme, on s'était alors beaucoup moqué de son entêtement à faire pousser du raisin. On lui disait qu'il perdait son temps et qu'il ne boirait jamais de vin fait avec son raisin. Bruno Lequerré savait ce qu'il faisait. Chaque automne, il couchait ses pieds de vigne et les recouvrait de paille pour les protéger du gel. Au printemps, il les attachait à des espaliers. Le temps et ses soins lui donnèrent raison. Quelques années plus tard, il récoltait chaque automne de magnifiques grappes de raisin vert et de raisin rouge qui servaient d'abord à la fabrication d'un vin dont il tirait une grande fierté. Il s'était même aménagé une cave à vin dans laquelle, au fil des années, il avait accumulé près de deux cents bouteilles de vin. Certaines avaient été achetées, mais la plupart contenaient du vin fabriqué par lui.

Le lendemain après-midi, la maison de Cyrille Riopel fut prise d'assaut par la famille qui voulait s'informer de l'état de santé d'Isabelle.

La table venait à peine d'être desservie par Brigitte et Sylvie qu'Éric entra dans la maison en coup de vent pour annoncer l'arrivée de Colette et d'Ulric Gagné, la sœur de sa grand-mère et son mari. Les septuagénaires vivaient chez leur fils Gilles, dans le rang Saint-Joseph, en attendant d'obtenir une place au Petit Foyer où ils rejoindraient Louis et Carmen, installés là depuis quatre ans. D'ailleurs, ces derniers, accompagnés par leur fils Richard, Jocelyne et les deux enfants, arrivèrent presque en même temps que Colette et son mari. Tout ce beau monde s'engouffra en même temps dans la maison.

— Tiens! fit Isabelle, confortablement installée dans une chaise berçante, près de la fenêtre, vous venez veiller au corps?

— Fais donc pas de farce avec ça, la réprimanda sa sœur aînée en se penchant pour l'embrasser sur la joue.

— À ce que je vois, la petite belle-sœur, dit le grand Ulric Gagné toujours aussi maigre, t'as pas l'air d'avoir encore envie de lever les pattes.

— T'es pas fou, Ulric. T'es ben plus vieux que moi. Je vais attendre que tu partes et après ça, je vais commencer à y penser.

— Aïe! vous deux! Ça va faire, fit Carmen en retenant à grand-peine un frisson. Vous le savez que j'aime pas parler de la mort. Si ça vous fait rien, on va parler d'autre chose.

On s'informa pendant quelques minutes de l'état de santé d'Isabelle. Les visiteurs étaient rassurés par ses explications et par son humeur joyeuse. La conversation finit donc par dériver sur d'autres sujets.

Moins d'une heure plus tard, une grosse Chrysler noire pénétra dans la cour et attira l'attention des hommes qui étaient sortis sur le balcon pour fumer. Alain, le frère de Cyrille, en descendit, l'air important. Lise et leur fille Josée descendirent à leur tour de la voiture en regardant où elles mettaient les pieds pour ne pas salir leurs belles chaussures. Lise fit une remarque acide à son mari qui lui fit signe de se taire pendant que tous les trois se dirigeaient vers la porte de côté de la maison.

— Bonjour, la visite, fit Cyrille en laissant ses autres invités pour saluer les nouveaux arrivants.

— Comment ça va? lui demanda son frère en tendant la main.

Sa belle-sœur et sa nièce tendirent une joue pour qu'il les embrasse.

— Entrez, entrez. Il y a que les hommes dehors. Alain, après avoir jasé un peu avec m'man, viens nous rejoindre. On reste sur le balcon.

— Je serai pas long, répondit son frère en poussant la porte.

Brigitte les accueillit avec un sourire un peu forcé. Elle connaissait assez Lise pour savoir qu'il lui suffirait de quelques minutes pour monopoliser l'attention de tous sur elle ou sur sa fille. Personne dans la famille ne possédait d'aussi beaux bijoux ou des toilettes aussi coûteuses. Elle faisait les voyages les plus intéressants et elle connaissait tout le monde, en tout cas, tous les gens qui méritaient d'être connus, tant à Nicolet qu'à Drummondville.

Alain embrassa sa mère et prit de ses nouvelles.

— Est-ce que c'est à toi ce grand corbillard noir là? demanda Isabelle à son fils.

— Ben oui, m'man. J'ai dû changer de char parce que l'autre était fini. Ça a l'air de rien, mais je passe six jours sur sept sur la route pour vendre des silos. Ça prend pas de temps pour faire pas mal de millage.

— Je comprends, mais noir...

— Faites-vous en pas, m'man, fit Alain, il est presque jamais noir. Je passe mes journées à rouler dans la poussière avec.

— Tant mieux.

Après avoir enlevé son coûteux manteau de suède, Lise s'assit près de sa belle-mère en se pâmant sur sa belle mine.

— Belle-maman, j'étais morte d'inquiétude quand Brigitte m'a appelée pour me dire que vous entriez à l'hôpital, fit Lise en se penchant sur elle.

— Moi aussi, grand-maman, minauda Josée qui était venue s'asseoir aux côtés de sa mère.

— Il le fallait pas, répliqua la grand-mère, moqueuse. Vous aviez qu'à vous servir du téléphone pour prendre de mes nouvelles. Moi, j'étais pas morte et j'aurais pu vous répondre et vous rassurer.

Brigitte et Jocelyne réprimèrent difficilement un sourire, tandis que Carmen jetait un regard de connivence à sa belle-sœur Colette.

— Vous pouvez être sûre que je l'aurais fait si j'en avais eu le temps et si je n'avais pas eu si peur de vous déranger, madame Riopel.

— Allons donc, Lise, la réprimanda affectueusement sa belle-mère, tu devrais pas laisser le bridge manger tout ton temps. Si tu continues comme ça, tu vas être aussi pire avec les cartes que l'est Alain avec son baseball.

La conversation fut interrompue par l'arrivée d'Aurore et de sa fille. Toutes les deux embrassèrent Brigitte et les autres femmes présentes. Il était évident aux yeux de tous qu'il existait une grande complicité entre Aurore, Brigitte et Isabelle.

— J'avais décidé de faire une marche dans le rang avec Carole après le dîner quand les chars se sont mis à passer sans arrêter devant la maison. J'ai dit à Bruno que ça devait être Brigitte qui avait décidé de faire son party des fêtes avant le temps et je suis venue aux nouvelles.

— T'as ben fait de venir, ricana Brigitte, mais pour le repas, tu vas passer en dessous de la table. Il est trop tard. Si tu veux manger, il va falloir que tu m'aides à préparer le souper.

— À ce que je vois, on manquera pas d'aide, dit Aurore en désignant de la main toutes les femmes assises dans la pièce.

— En plus, on est pas tous arrivés, fit Carmen. On a voulu amener Bernard et Pauline, mais ils avaient pas fini de dîner, mais ils s'en viennent. Je vous dis que c'est pas le monde qui fait le plus de bruit au Petit Foyer depuis qu'ils sont là, eux autres. Ils sont tranquilles en pas pour rire.

La conversation dériva ensuite durant quelques instants sur Sophie et Céline, les deux filles de Colette qui étaient passées la veille prendre des nouvelles de leur tante Isabelle.

Vers 15 heures, la maison de Cyrille Riopel était pleine à craquer. Les hommes qui s'étaient réfugiés pendant un long moment sur le balcon avaient fini par

115

rentrer pour retrouver un peu de chaleur quand le ciel s'était couvert et qu'un petit vent du nord s'était mis à souffler. On n'était tout de même qu'à la mi-avril.

Si les femmes s'étaient rassemblées dans la cuisine et dans le salon, les hommes avaient trouvé plus commode de s'installer dans la cuisine d'été. On laissa la porte de communication ouverte entre la cuisine d'été et la cuisine d'hiver pour réchauffer la première pièce.

Quand Bruno entra en compagnie de son fils Julien, Cyrille se leva pour aller leur chercher des chaises. Deux minutes plus tard, Richard Bergeron se leva et prétexta une vague excuse pour rentrer chez lui. Étonné, Cyrille vit le quadragénaire s'approcher de sa compagne Jocelyne et lui murmurer quelque chose à l'oreille avant de saluer tout le monde et sortir.

— Qu'est-ce qui lui prend ? demanda à mi-voix Cyrille à la cantonade.

Est-il malade ?

— Non, répondit franchement Bruno. Je pense qu'il ne m'a pas encore pardonné de lui avoir dit, il y a une dizaine de jours, que seulement ceux qui ne possédaient rien voteraient pour le « oui » le jour du référendum parce qu'ils n'avaient rien à perdre. Il s'est vraiment fâché.

— Richard a toujours été un peu soupe au lait, fit remarquer Alain, mais c'est un bon diable. C'est de valeur qu'il soit parti, j'aurais aimé lui « tirer la pipe » avec les Expos et les Canadiens qui arrêtent pas de perdre.

— Je pense que ça aurait été trop, dit Bruno. Ce temps-ci, il n'y a que René Lévesque et le référendum qui l'intéressent.

— Je vais lui parler tout de même quand je vais le revoir, affirma son père. Il est rendu qu'il a le caractère de sa mère, fit le vieil homme en clignant de l'œil à l'intention d'Ulric Gagné. Ça a pas d'allure de se fâcher pour des niaiseries pareilles.

Avec les années, Louis Bergeron s'était encore tassé, mais il avait perdu les rondeurs qu'il avait tant cherché à perdre quand il était plus jeune. À soixante-neuf ans, il était devenu un tout petit homme chauve qui ne traînait aucun surplus de poids, contrairement à sa femme qui était devenue aussi large qu'elle était haute.

— En tout cas, ça devient sérieux en baptême ! dit le grand Ulric. C'est rendu que ce maudit référendum-là est en train de revirer tout le monde à l'envers. Georges, mon gendre, dit que dans son école, la moitié des professeurs parle plus à l'autre moitié parce qu'ils veulent voter pour le «non».

— À Nicolet, reprit Alain, mon voisin s'est fait casser trois vitres parce qu'il avait collé le portrait de René Lévesque dans sa fenêtre de salon.

— C'est pas nécessaire d'aller aussi loin, répliqua Cyrille. Dimanche passé, après la messe, chez Gagnon, Victor Camirand voulait se battre avec le garçon de Lucien Cadieux parce que le jeune traitait Trudeau d'écœurant et il disait que c'était les vieux qui empêchaient d'avoir un Québec libre.

— Encore cette semaine, ajouta Bruno, il y a eu une bagarre à Saint-Cyrille parce qu'on a pris deux gars en train d'arracher des pancartes pour le « non ».

— J'ai entendu dire, ajouta Louis, que dans ben des familles, on se parle même plus à cause du référendum.

— Faut être rendu fou! s'exclama le peu loquace Bernard Bergeron qui venait d'entrer dans la pièce. Après leur maudit référendum, les politiciens vont se sacrer de nous autres. Qu'ils perdent ou qu'ils gagnent, il y en aura pas un pour venir réparer les pots cassés, par exemple.

— T'as raison, Bernard, fit Ulric. On en a vu, nous autres, des politiciens avant René Lévesque, Trudeau et Claude Ryan. Duplessis, Sauvé, Lesage, Johnson, Bourassa, Saint-Laurent, Pearson, Diefenbaker, c'était tous du bon monde. Ils avaient tous l'air de croire ce qu'ils nous racontaient... Puis après! Après les élections, on avait tout le temps de déchanter. Les promesses étaient oubliées. On avait changé de premier ministre, mais c'était pas mieux qu'avant.

— Sauf que là, c'est plus grave, affirma Julien, le fils de Bruno. On parle de créer un vrai pays, un pays pour nous autres, les Québécois. Les jeunes y croient et ils sont prêts à se battre pour l'avoir ce pays-là. On veut plus du fédéral qui essaie de nous noyer avec une immigration anglophone et qui vient nous prendre plus d'argent qu'il ne nous en donne. On veut être maîtres chez nous.

Bruno regarda son fils comme s'il avait nourri une vipère dans son sein et il secoua la tête.

— N'exagère pas, Julien. Il y a aussi beaucoup de jeunes qui sont pour le «non».

— Ce que j'aime pas dans tout ça, affirma Cyrille, c'est qu'on est en train de faire accroire au monde que tous les vieux sont contre la séparation et que tous les jeunes sont pour. Ça a pas d'allure. Ça peut pas être aussi simple que ça. C'est sûr que les vieux sont moins tentés parce qu'ils ont plus à perdre. Ils pensent à leur pension de vieillesse et à ce qu'ils ont ramassé de peine et de misère.

— Oui, mais nous autres, les jeunes, nous sommes fiers de notre langue et d'être des Québécois, ajouta Julien, sans perdre son calme.

— Mais Julien, intervint son oncle Alain, moi aussi, je suis fier d'être un Québécois. J'ai pas attendu la chanson «Gens du pays» de Gilles Vigneault ou les monologues d'Yvon Deschamps pour l'être. Je le suis pour toutes sortes de raisons. Avec Habitat 67, l'inauguration de la Manic, les Olympiques de 1976, le nouvel aéroport de Mirabel, je pense que les Québécois valent n'importe quels Canadiens et qu'ils ont pas besoin de se séparer pour faire leur place dans le Canada. Ça m'écœure quand je vois des jeunes se promener avec le drapeau du Québec sur le dos et traiter de traîtres tous ceux qui pensent pas comme eux.

— Dites-moi pas, mon oncle, que vous êtes pour le «non», dit Julien, dépité.

— Ben oui! moi aussi. Puis, tu sais une chose: ça fait long-temps que je sais que c'est inutile de discuter politique parce qu'on n'arrive jamais à persuader l'autre qu'on a raison.

— Tu as raison, Alain, l'appuya Bruno Lequerré. On devrait s'en souvenir. On n'est pas pour recommencer à sortir tous les arguments qu'on trouve à la télévision et dans les journaux. Tout le monde parle comme si le reste du Canada était pour nous laisser nous séparer sans réagir. Voyons donc! Les Canadiens ne voudront jamais s'associer avec les séparatistes. Moi, je suis convaincu qu'il n'y a que ceux qui n'ont rien à perdre dans cette aventure-là qui vont voter «oui».

— Mais papa, il...

— Bon, si on arrêtait de parler de politique, fit sagement remarquer Aurore qui venait d'entrer dans la pièce, attirée par les éclats de voix. C'est un sujet ben trop sérieux pour les hommes. On devrait laisser ça aux femmes.

La quadragénaire se fit huer et on l'invita à retourner dans la pièce voisine. Cette intervention détendit tout de même l'atmosphère.

****

Quelques minutes avant que les gens commencent à prendre congé, un cri d'horreur de Lise créa une commotion dans la maison. La femme d'Alain venait d'apercevoir, par la fenêtre, sa Josée couverte de boue de la tête aux pieds qui se dirigeait en pleurant vers la maison, suivie par Marc, Éric et Sylvie.

Alain se précipita pour connaître la raison du cri de sa femme. Cette dernière venait d'ouvrir la porte à leur fille qui se tenait, piteuse et en larmes, sur le paillasson. Ses cousins pénétrèrent à leur tour dans la maison en la contournant avec soin pour ne pas tacher leurs vêtements.

Aucun invité ne fit de commentaire et tous attendaient les explications de l'un des adolescents.

Brigitte ne perdit pas de temps à analyser les états d'âme de sa belle-sœur. Elle se précipita à la rencontre des jeunes, attrapa une serviette dans la salle de bain au passage et la tendit à sa nièce pour qu'elle essuie au moins son visage maculé de boue.

— Arrêtez-vous là tous les quatre, ordonna-t-elle aux jeunes, les mains sur les hanches. Pouah! ce que ça sent mauvais! Ma foi du bon Dieu, Josée, es-tu tombée dans le fumier?

— Oui, ma tante, pleurnicha l'adolescente.

— Bouge pas de là surtout; tu vas en mettre partout. Essuie-toi encore le visage. Comment t'as fait ton compte? Il y a du fumier juste en arrière de l'étable. Qu'est-ce que tu faisais là?

— Ben, Marc et Sylvie voulaient me montrer les deux petits veaux que vos vaches ont eus cette semaine...

— Oui, puis après ?

— Ils m'ont dit que je les verrais mieux si je passais par la porte en arrière de l'étable. Quand j'ai essayé de l'ouvrir, j'ai glissé sur une plaque de fumier et...

— Elle est tombée dans la coulée, compléta Sylvie avec un air désolé de bon aloi.

Sa mère lui jeta un regard meurtrier.

— Il me semble que vous auriez pu avoir assez de jugeote pour ne pas amener votre cousine habillée en dimanche proche de l'étable.

— On pouvait pas savoir qu'elle glisserait, fit Éric, l'air angélique.

— C'est ben beau tout ça, intervint Alain, de mauvaise humeur, en s'adressant à sa femme ; mais il va falloir trouver un moyen de la nettoyer. Il est pas question de la ramener comme ça dans mon char neuf.

Lise prit un air outragé. Elle consulta du regard sa belle-sœur comme si elle la tenait personnellement responsable de la mésaventure de sa fille. Brigitte n'eut pas à chercher une solution. Isabelle s'approcha de sa petite-fille et l'examina en arborant un air vaguement dégoûté.

— C'est sûr que tu peux pas voyager comme ça jusqu'à Nicolet, dit la grand-mère. Le monde va penser que tu vis sur une ferme et t'aimerais pas ça. Je pense que la meilleure solution serait de te passer deux couvertes. Tu vas aller dans le garage, ôter ton linge et t'envelopper dans les couvertes.

— Sylvie est capable de te prêter une vieille jupe et un chandail, si tu veux, proposa Brigitte.

— Non, non, ma tante, je pense que les couvertures vont suffire, dit Josée en prenant une mine de martyr.

— Comme tu voudras, ma belle.

— Ton père pourrait peut-être tremper ton linge dans une chaudière d'eau, fit Isabelle, ou se servir du boyau d'arrosage pour enlever le plus gros. Rendus à la maison, vous allez être capables d'envoyer nettoyer tout ça.

— Bon! on va faire ça, décida Lise avec une mauvaise grâce évidente.

Sylvie alla chercher deux vieilles couvertures à l'étage et les tendit à sa tante qui avait eu le temps de mettre son beau manteau de suède.

— T'approche pas de moi, prévint-elle sa fille, toujours debout sur le paillasson. Il manquerait plus que tu taches mon manteau neuf.

— As-tu besoin d'un coup de main? proposa Brigitte sans trop d'ardeur.

— Je te remercie, mais on va être capables de se débrouiller, dit Lise en faisant signe à sa fille de sortir devant elle.

Par souci de discrétion, Brigitte n'insista pas.

Alain et sa femme suivirent leur fille et tous les trois se dirigèrent vers l'ancienne remise transformée en garage depuis une dizaine d'années. Isabelle, debout devant la fenêtre, vit son fils sortir du garage avec une chaudière qu'il alla remplir d'eau en utilisant un robinet extérieur.

— Il pourrait au moins venir chercher de l'eau chaude, fit la vieille dame. Cette pauvre Josée va avoir des belles couleurs quand sa mère va avoir fini de la nettoyer.

Quelques minutes plus tard, Alain monta dans sa Chrysler et l'approcha du garage. Il en descendit et il plaça dans le coffre les vêtements mouillés de sa fille. Ensuite, l'adolescente, enveloppée dans des couvertures, sortit du garage et elle se glissa à l'arrière du véhicule tandis que sa mère prenait place à l'avant.

Lorsque la voiture arriva à la hauteur de la maison, Brigitte et Cyrille étaient sortis à l'extérieur pour saluer leurs visiteurs.

— Une ben dure journée pour la fierté, conclut Isabelle avant de se rasseoir.

Vers 16 heures 30 minutes, tous les autres visiteurs quittèrent la maison en même temps. C'était l'heure de faire le train. Colette et Ulric retournèrent chez leur fils. Carmen et Louis acceptèrent l'invitation à souper de Jocelyne avec l'intention de calmer Richard qui devait bouder seul, à la maison. Pauline et Bernard rentrèrent au Petit Foyer. Aurore, Bruno et leurs deux enfants partirent en même temps qu'eux pour aller traire leurs vaches.

****

Durant le souper, on ne parla presque pas autour de la table de Cyrille Riopel. Ce n'est qu'à la fin du repas qu'Isabelle se tourna vers son fils pour lui demander :

— As-tu changé les veaux de place dans l'étable ?

— Non. Pourquoi vous me demandez ça, m'man ?

— Oh! pour rien! répondit la vieille dame en regardant ses trois petits-enfants avec un air malicieux.

— Nous, on n'a rien fait! s'exclama Sylvie.

— Qu'est-ce qui te prend, toi ? lui demanda son père.

— Je connais grand-mère, fit l'adolescente. Elle a l'air de penser...

— De penser quoi ? demanda Isabelle.

— Vous avez l'air de penser qu'on a fait exprès d'amener Josée derrière l'étable pour la faire tomber dans le fumier.

— Et c'est pas ça qui est arrivé ? demanda Brigitte en se tournant vers son aînée.

— Pas pantoute, dit Éric en jetant un regard d'avertissement à sa sœur. Josée voulait absolument voir les veaux et on l'a amenée les voir.

— En passant par la porte d'en arrière de l'étable, une porte qu'on n'utilise jamais, compléta Isabelle.

— Quand tu sais que les veaux sont sur le devant de l'étable, proches de la laiterie, ajouta sa mère. Aïe! Prenez-nous pas pour des niaiseux, tous les trois! On a tout de suite compris que vous aviez fait exprès pour la faire tomber.

— Si on l'a compris, vous pouvez être sûrs que votre oncle Alain l'a compris aussi. Vous avez oublié qu'il a été élevé sur cette terre et qu'il connaît les bâtiments encore mieux que vous autres, fit sévèrement Cyrille. Si je le connais ben, il va s'en souvenir longtemps.

Les trois jeunes se turent. Ils avaient la mine basse. À la fin du repas, ils allèrent s'installer dans le salon pour regarder un film grâce au magnétoscope que leur père avait acheté à la famille le Noël précédent.

Les adultes demeurèrent quelques minutes supplémentaires autour de la table à siroter leur tasse de thé.

— Je sais pas si Alain va s'en souvenir, dit à mi-voix Brigitte, mais je suis certaine que Lise est pas prête à oublier ce qui est arrivé à sa fille.

— J'ai ben peur que son beau manteau va sentir le fumier un petit bout de temps, dit sa belle-mère.

— Il faut pas être jaloux, leur dit Cyrille. Alain travaille comme un fou à vendre ses silos et c'est sûr qu'il est fier de venir nous montrer qu'il a réussi. Il a une belle maison, un gros char et il a les moyens de se payer des voyages et de payer une école privée à sa fille.

— Moi, je veux ben, répliqua sa femme, mais Lise et sa fille sont pas obligées de venir nous snober chaque fois qu'elles viennent nous voir. J'aimerais ça, moi, montrer à la belle-sœur que j'ai aussi du beau linge, mais je pense que ça fait trois ou quatre ans qu'elle nous a pas invités. On dirait qu'on lui fait honte.

— Voyons donc, Brigitte. Elle nous snobe pas; elle connaît pas ça, une ferme. C'est pas une fille de la campagne.

— De toute façon, ça sert à rien de faire un drame de ce qui est arrivé cet après-midi, dit judicieusement Isabelle. L'aventure va vite faire le tour de la famille. Tout le monde va la raconter en riant et si ça se trouve, Lise et Josée seront les premières à trouver ça drôle... Mais je sais pas dans combien de temps, par exemple.

Chapitre 8

Le référendum

Un mois plus tard, le printemps s'était franchement transformé en été précoce tant il faisait chaud. De mémoire d'homme, on ne se souvenait pas d'avoir connu un mois de mai aussi beau et aussi chaud. En plus, on ne pouvait même pas s'inquiéter d'une sécheresse possible parce qu'il avait plu abondamment certaines nuits.

Au village, le grand ménage du printemps était déjà quasiment terminé. Les pelouses avaient été ratissées et certains avaient déjà planté leurs fleurs. Depuis deux semaines, les personnes âgées qui vivaient au Petit Foyer avaient commencé à utiliser les balançoires. Elles pouvaient ainsi épier à loisir tous ceux qui entraient en face, à l'épicerie Gagnon, chez le docteur Babin ou chez le notaire Deschamps. Si elles acceptaient de faire quelques pas en direction de la côte du village, elles pouvaient même surveiller les allées et venues du curé Lanctôt et de sa ménagère irascible.

À l'autre bout du village, Léon Gadbois avait sérieusement entamé ses économies en se lançant dans des transformations qui auraient probablement beaucoup plu à Jos Malloy, l'ancien propriétaire du restaurant, s'il avait vécu. Il avait fait installer devant et sur le côté de son établissement cinq tables à pique-nique peintes en vert et protégées par des parasols jaunes. Il avait aussi fait tendre un grand auvent jaune au-dessus du balcon qui conduisait au guichet qu'il avait fait aménager dans l'un des murs de son restaurant, un mois plus tôt. Le gros quinquagénaire moustachu avait même fait installer, pour le plus grand plaisir des jeunes et des moins jeunes de Saint-Anselme, une distributrice de crème glacée molle.

Toutes ces innovations si populaires auprès de la clientèle du restaurateur avaient immédiatement déplu à Jean-Marc Dupré, le propriétaire de la fromagerie voisine. Il faut dire que Dupré s'était saigné aux quatre veines deux ans auparavant pour faire asphalter le petit stationnement situé devant sa fromagerie. Or, la clientèle du restaurateur n'avait plus d'endroit où stationner puisque ce dernier occupait son ancien stationnement avec ses tables à pique-nique. Par conséquent, les gens, faisant montre d'un sans-gêne qui faisait rager le fromager, venaient stationner leur véhicule ou leur moto devant la fromagerie pour pouvoir aller plus commodément au restaurant d'à côté. En d'autres mots, on considérait son stationnement comme une annexe du restaurant Gadbois, ce qui était un comble.

Après avoir adressé inutilement quelques remarques acides à son voisin, Dupré se mit à faire les gros yeux aux effrontés qui utilisaient indûment son stationnement. Mais le pauvre homme n'osait aller jusqu'à s'insurger à haute voix contre un tel comportement de crainte de perdre sa clientèle. L'unique solution qui lui restait fut de planter un grand écriteau mentionnant que le stationnement était réservé aux clients de la fromagerie et que les contrevenants risquaient d'être remorqués à leurs frais... ce qui fit bien rire les gens de la place. Remorqués par qui? Tout de même pas par la remorqueuse des Cadieux! Ils étaient les premiers à utiliser le stationnement de Dupré.

Mais le référendum préoccupait bien plus les habitants de Saint-Anselme que la mauvaise humeur du fromager.

Depuis quelques semaines, la fièvre référendaire ne les avait pas plus épargnés que les autres Québécois. Bien peu de maisons n'arboraient pas l'allégeance politique des propriétaires ou des locataires. Il y avait des portraits de René Lévesque dans bien des fenêtres et on retrouvait des affiches du «oui» et du «non» sur beaucoup de façades et dans les lunettes arrière des voitures.

Des effrontés n'avaient même pas hésité à venir apposer une énorme affiche bleue du «oui» et des autocollants sur les portes de l'église, au grand dam du mari de la cuisinière, Étienne Dubé, qui servait de bedeau bénévole. Le sexagénaire avait eu tant de mal à enlever les autocollants qu'il avait proféré, à l'épicerie Gagnon, des menaces à l'encontre de toute personne qui oserait refaire ce geste. Il était persuadé que ses avertissements se rendraient à la personne concernée.

Cependant, le bedeau n'était pas le seul à connaître ce genre d'ennui engendré par le trop grand enthousiasme patriotique de quelques partisans. Tous les commerçants du village avaient à faire face au même genre de problème. Camirand, Gagnon, Cadieux, Gadbois et Dupré, pour ne nommer que ceux-là, devaient nettoyer régulièrement la devanture de leur commerce le matin, à l'ouverture, parce qu'on y avait collé une ou des affiches durant la nuit. Certains prenaient la chose avec philosophie ; d'autres juraient de faire un mauvais parti aux responsables de tant d'embarras s'ils leur mettaient la main au collet.

Il n'y eut que Christian Camirand, le fils de Victor, qui put satisfaire sa soif de vengeance deux semaines après le début de la campagne référendaire. Un nommé Lambert, organisateur de la campagne du « non » dans le comté, s'était arrêté à la boucherie pour lui dire qu'il allait poser deux belles affiches dans sa vitrine. Camirand lui expliqua patiemment qu'il n'en était pas question, que les commerçants ne tenaient pas à être identifiés à une option politique et qu'il devait aller poser ses affiches ailleurs. Peine perdue, Lambert sortit de la boucherie et entreprit de coller une première affiche au centre de la vitrine. Le boucher était d'un naturel patient, mais là, l'autre exagérait. Sous les yeux ahuris de son père et de deux de leurs employés, Christian Camirand sortit à son tour, attrapa l'autre par le collet et lui administra un magistral coup de pied là où le dos perd son nom. Ensuite, il le releva d'une main, ramassa de l'autre les affiches et il flanqua le tout dans la Dodge dont le propriétaire avait eu la bonne idée de laisser tourner le moteur. L'histoire fit le tour de la paroisse et les partisans trop zélés firent en sorte de n'exercer leurs activités partisanes que la nuit et hors de la vue des propriétaires des commerces de Saint-Anselme.

Dans le rang Sainte-Anne, seul Richard Bergeron afficha fièrement son allégeance politique. Il avait littéralement tapissé la façade de sa maison d'affiches du «oui» et il avait même fait l'achat onéreux d'un grand drapeau du Québec qu'il avait hissé à un mât improvisé planté devant le parterre entretenu par Jocelyne. Bien sûr, les gens habitant le rang se connaissaient depuis assez longtemps pour connaître les opinions politiques de chacun. Si on se fiait aux conversations, Jocelyn Marcotte et Bruno Lequerré étaient franchement pour le «non» et ne s'en cachaient pas, tandis que Cyrille Riopel et Pierre Bergeron inclinaient vers le «oui» sans faire preuve d'un zèle propre à générer des frictions avec les voisins. Quand Richard avait entrepris de tapisser la façade de sa maison d'affiches bleues, Jocelyn Marcotte l'avait fait sortir de ses gonds en lui demandant hypocritement si sa maison avait des problèmes d'isolation.

Un fait était certain : la maison de Richard Bergeron attirait le regard et la moquerie des habitants du rang qui se demandaient si leur voisin n'était pas en train de perdre définitivement la tête. Même si la plupart reconnaissaient que le référendum était important et qu'il engageait l'avenir de chacun, ils n'en perdaient pas pour autant tout contact avec la réalité. Et la réalité, c'était le pain quotidien à gagner et la bonne entente avec les voisins.

****

On était au milieu du mois de mai et les cultivateurs se réjouissaient d'être en avance dans leur travail. Les jardins étaient prêts et on avait commencé à ramasser les pierres que le dégel avait fait remonter à la surface à la fin de l'hiver.

La semaine précédente, Cyrille avait demandé à son fils Marc d'avertir André Marcotte qu'il ne viendrait plus travailler chez lui. Il avait dorénavant besoin de l'aide de son fils de seize ans. Éric et Sylvie avaient encore un peu plus d'un mois d'école devant eux avant de pouvoir participer au travail.

— Ça me fait pas de peine pantoute de le lâcher, affirma l'adolescent à sa mère. Le bonhomme Marcotte passe son temps à chiâler sur tout ce qu'on fait et on travaille jamais assez vite pour lui.

— En tout cas, t'as tout de même travaillé cinq semaines pour lui et il t'a ben payé chaque vendredi.

— Il aurait plus manqué qu'il me paye pas! s'exclama Marc.

Dès le lendemain, Brigitte se mit au volant du tracteur auquel on avait attaché une voiture et elle se

133

mit à suivre lentement son mari et son fils. Ces derniers arpentaient le champ sous un soleil de plomb et ils déposaient dans la voiture toutes les roches qu'ils voyaient. Cyrille pouvait voir son voisin, Richard Bergeron, occupé au même travail avec sa compagne Jocelyne.

À la fin de l'après-midi, ils rentrèrent tous les trois après avoir déversé près de la coulée les pierres amassées. Au moment où il descendait de la voiture, Marc, fourbu, vit l'autobus scolaire s'arrêter devant l'entrée de la cour et en descendre son frère Éric qui lança une invitation à un camarade avant que le conducteur ne démarre.

Marc eut un pincement de regret au cœur. Il lui sembla que de nombreuses années étaient passées depuis qu'il pouvait se permettre de s'amuser comme son frère. Il aurait aimé retourner au début du printemps, à l'époque où il n'avait qu'à aller s'asseoir sur une chaise à la polyvalente toute la journée. Soudainement, il prit conscience que c'était le bon temps. Il y avait les amis, les activités, les sports et surtout les filles. Maintenant, il était trop fatigué le soir pour faire quoi que ce soit... comme aujourd'hui. Il se sentait vidé. Il avait chaud. Il avait surtout envie d'aller se reposer avant le souper. Pourtant, il n'en était pas question. La journée était loin d'être finie. Il fallait aller chercher les vaches, les faire entrer dans l'étable et les traire. Son frère viendrait bien sûr les rejoindre dans quelques minutes, mais il ne travaillerait pas longtemps, lui.

****

Chez André Marcotte, on se préparait aussi à aller faire le train. Louise se releva en s'essuyant le front. Elle avait passé l'après-midi à planter des fleurs dans le parterre en demi-cercle qu'elle avait aménagé elle-même devant la maison. Elle était satisfaite du résultat de ses efforts. L'agencement de fleurs rouges et de fleurs blanches était réussi.

— Quand t'auras fini de perdre ton temps, tu pourrais peut-être venir me faire une tasse de café, dit André à travers la porte moustiquaire.

— Demande à ta mère, répliqua Louise en enlevant ses gants de jardinage.

— Elle est partie avec mon père chez Marie et moi, je suis pas capable de faire marcher cette maudite cafetière-là.

— Bon, j'arrive. Ça te tente pas de venir voir mon parterre ?

— Je verrai ça plus tard. Là, j'ai envie d'un café avant d'aller faire le train, dit André avec impatience.

Louise s'étonna de ne pas avoir vu passer ses beaux-parents. Ils avaient dû aller chez Marie pendant qu'elle était dans la remise en train de préparer ses boîtes de fleurs. Elle entra dans la maison et elle prépara la cafetière.

— Comment ça se fait que les enfants sont pas rentrés ? demanda le quadragénaire.

— Ils te l'ont dit avant de partir à matin. Ils ont tous les deux une activité. Pascal est à la polyvalente et Nicole au cégep. Ils vont rentrer vers 8 heures.

— J'ai pas fait attention à ce qu'ils disaient. Je commence à avoir hâte que l'école finisse. J'ai besoin d'eux ici.

— J'ai fini avec les fleurs. Veux-tu que j'aille t'aider ?

— C'est pas de refus. Onésime Gagnon m'a lâché au commencement de l'après-midi. Il est rendu trop vieux pour travailler aussi fort. Son temps est fait. Ça fait qu'il me reste juste son petit-fils Paul. Même avec Pascal quand il va être en vacances, j'y arriverai pas. Mon père a beau se vanter, il en fait de moins en moins. Il me reste une chance. Le père Gagnon est supposé appeler le garçon d'un de ses cousins qui reste à Montréal. Il paraît qu'il connaît la terre. Il pourrait être intéressé à venir travailler tout l'été à la campagne. Je suis supposé en avoir des nouvelles après le souper.

****

Cet après-midi-là, Richard Bergeron était occupé à réparer sa voiture à foin dans la remise. La mèche grise en bataille, le petit homme gras rageait contre un boulon récalcitrant quand il entendit la voix de Jocelyne. Il s'étira le cou pour voir à qui elle s'adressait. Il la vit montrer la remise à un inconnu. L'homme la remercia et se dirigea vers Richard qui s'essuya les mains sur un vieux torchon.

— Monsieur Bergeron? Louis Tardif, du ministère de l'Agriculture.

Richard toisa le grand fonctionnaire maigre qui lui faisait face sans lui tendre la main. Le ton de l'homme était incisif et sans aucune chaleur.

— Oui. Qu'est-ce qu'il y a qui marche pas? fit Richard, agressif.

— On va voir ça dans quelques minutes. Je suis chargé de l'inspection des laiteries dans le comté. Je suppose que c'est par là, fit Tardif en montrant la petite construction érigée sur le côté de l'étable.

— C'est ça.

— Vous êtes pas obligé de m'accompagner, précisa le fonctionnaire. Si vous avez autre chose à faire, gênez-vous pas.

— Non, non, je vais vous montrer, décida Richard en entraînant l'autre derrière lui.

Les deux hommes entrèrent dans la petite pièce où aboutissaient les conduits en plastique par lesquels le lait transitait avant de couler dans le réservoir réfrigéré. La pièce était d'une propreté impeccable. Les chaudières propres étaient soigneusement empilées dans un coin. Tout le matériel qui servait à la traite des vaches trempait dans un lavabo rempli d'eau savonneuse. Durant de longues minutes, le fonctionnaire inspecta tout méticuleusement et prit des mesures avec un ruban à mesurer. Il ne cessait de noter des observations sur une tablette qu'il avait tirée de sa mince serviette en cuir.

Appuyé à un mur, Richard le regarda faire sans dire un mot. Il attendait avec impatience que l'autre ait fini.

Finalement, Louis Tardif sortit de la laiterie et dit au cultivateur en se dirigeant vers sa voiture :

— Monsieur Bergeron, je pense que vous avez un petit problème.

— Comment ça, un petit problème ?

— Attendez, je vais vous montrer, fit le fonctionnaire avec patience.

Le ton du fonctionnaire mit immédiatement Richard sur la défensive. Tardif déposa sa serviette sur le capot de sa voiture. Il en tira un dossier et lui montra un croquis.

— Tout d'abord, votre laiterie a pas les dimensions exigées par les règlements. Il vous manque plus qu'un mètre.

— Qu'est-ce que vous racontez là ? Vous voyez ben que mon frigidaire à lait et mon compresseur entrent facilement dans ma laiterie.

— Pour entrer, ils entrent, mais il vous manque tout de même un mètre et ça devra être corrigé dans les soixante jours. En plus, la tuyauterie est pas conforme. Ça aussi, c'est spécifié dans les règlements.

— Voyons donc! Ce que vous dites là a pas un maudit bon sens! s'exclama Richard, rouge de colère. Vous êtes en train de me dire qu'il faudrait que je démolisse toute ma laiterie pour l'allonger de trois pieds et faire installer une nouvelle tuyauterie. Avez-vous une idée de ce que cela va me coûter?

— Écoutez, monsieur Bergeron, j'y suis pour rien, plaida Louis Tardif. C'est le règlement. Toutes les mesures sont motivées par l'hygiène. Il faut qu'une laiterie soit d'une propreté irréprochable. À l'heure actuelle, votre installation est non conforme et doit être corrigée. C'est tout ce que je peux vous dire. À votre place, je m'en prendrais à celui qui a construit votre laiterie. Il a pas tenu compte des exigences du ministère.

Au fond de lui, Tardif savait fort bien que Richard Bergeron, comme la plupart des fermiers, avait construit lui-même sa laiterie.

— Et où est-ce que je vais prendre l'argent pour faire tout ça?

— Ça, j'en sais rien, monsieur. Tout ce que je peux vous dire, c'est que si les améliorations ont pas été faites à la mi-juillet, le camion ramassera plus votre lait et vous perdrez votre quota.

— Ah ben sacrement! jura Richard, les bras en l'air. Tout ça vient du maudit gouvernement pour qui je me bats depuis des mois. Hostie! je viens de décider ce que je vais répondre à son référendum! Ah! Il veut m'écœurer? Je vais lui montrer que c'est un jeu qui se joue à deux!

Pendant que le petit homme laissait la colère le gagner de plus en plus, le fonctionnaire s'empressait de ranger dans sa serviette ses papiers et il montait à bord de sa voiture. Avant de partir, il chercha à le calmer.

— Allons, monsieur Bergeron, c'est tout de même pas la fin du monde. Vous êtes pas le premier à qui cela arrive...

— Ça m'en fait un pli, ça! répliqua l'enragé. J'espère pas vous revoir de sitôt. Vous autres, les sacrements de fonctionnaires, vous êtes juste bons à écœurer le monde!

Tardif, navré, mais non étonné d'une telle réaction, démarra et quitta la ferme de Richard Bergeron sous ses imprécations. En passant devant Jocelyne que les éclats de voix de Richard avaient tirée hors de la maison, il la salua d'un bref coup de tête.

— Veux-tu ben me dire ce que t'as à crier comme un perdu? demanda Jocelyne, tout de même inquiète de la fureur de son ami.

— Laisse faire, hurla Richard qui se dirigea d'un pas décidé vers l'avant de la maison.

Sans perdre un instant, le cultivateur se mit à arracher les photos de René Lévesque et les multiples affiches du «oui» placardées sur la façade de sa maison. Au fur et à mesure, l'homme les lançait loin de lui, sur la pelouse. Finalement, il se précipita dans la remise d'où il revint avec une échelle qu'il escalada pour aller enlever les affiches collées à la hauteur de l'étage des chambres.

Pendant tout ce temps, Jocelyne ne dit pas un mot. La jeune femme garda les bras croisés durant les premières minutes, se contentant d'être la spectatrice stupéfaite de la rage de son conjoint. Ensuite, elle se munit de sacs à déchets et elle se mit à ramasser les morceaux d'affiches arrachés par Richard. Quand il eut fini, ce dernier se calma enfin. À bout de souffle, il expliqua à sa compagne ce que Tardif exigeait.

— En tout cas, conclut Jocelyne, à toute chose malheur est bon.

— Pourquoi tu dis ca?

— Je retrouve enfin la maison comme je l'aime et on a fini de faire rire de nous autres parce qu'elle est décorée comme un arbre de Noël.

Richard prit la direction de l'étable avec son échelle sans rien ajouter.

La disparition des affiches chez Richard Bergeron ne passa pas inaperçue dans le rang Sainte-Anne... surtout à une semaine du référendum. La nouvelle fit rapidement le tour du rang, mais personne n'osa aller s'informer auprès du cultivateur des raisons qui avaient motivé son geste.

— Je ne sais vraiment pas ce qui l'a poussé à faire ça, dit Bruno à son beau-frère Cyrille en montrant du doigt la maison voisine.

— Marc l'a vu en train de nettoyer sa devanture. Il l'entendait sacrer comme un déchaîné. Il est peut-être devenu fou.

— Mais non. Il a dû se produire quelque chose de grave pour qu'il enlève tout son barda de séparatiste, dit Bruno.

— Il a peut-être tout simplement «viré son capot de bord» à la dernière minute, avança Cyrille, peu convaincu. Elle serait drôle celle-là, non? Après nous avoir fait tant suer avec son «oui», il irait voter pour le «non»...

— Si c'est le cas, tu n'en entendras jamais parler. Ça, tu peux me croire, fit le Français, en riant.

Chapitre 9

Le grand jour

Deux jours plus tard, une petite Toyota orangée s'arrêta dans la cour d'André Marcotte, peu après le dîner. Le ciel était nuageux et un petit vent d'est rafraîchissait un peu l'air.

Jocelyn, Pierrette, Louise et son mari se reposaient quelques minutes sur le balcon avant de reprendre le travail. Paul Gagnon, leur employé âgé de dix-sept ans, faisait une courte sieste, étendu sur le gazon, près du garage.

Un homme robuste vêtu d'un jean et d'une chemisette rouge sortit sans hâte de la Toyota et prit le temps de bien regarder la maison et les bâtiments avant de se diriger sans hâte vers le balcon où toute conversation avait cessé à son arrivée dans la cour. Tous détaillaient celui qui venait vers eux.

L'homme avait environ quarante ans. Il avait sensiblement la même taille qu'André, mais il paraissait légèrement plus grand parce qu'il était plus svelte. Il avait un visage taillé à coups de serpe. Il avait les cheveux noirs et les tempes argentées. Sa chemise à manches courtes laissait voir des bras et des avant-bras puissants.

— Bonjour. Daniel Lacoste, se présenta l'inconnu en posant le pied sur la première marche de l'escalier. On s'est parlé hier au téléphone.

Daniel Lacoste était le parent d'Onésime Gagnon. Il avait contacté André Marcotte la veille après avoir parlé avec le vieil homme. Au téléphone, il avait donné l'impression d'être intéressé par le travail proposé par le cultivateur. En tout cas, il avait tenu parole. Il avait promis d'être là au début de l'après-midi et il était sur place.

— Monte t'asseoir, fit André en lui montrant une chaise libre sur le balcon. Boirais-tu quelque chose ?

— Vous êtes ben aimable. Un café, s'il vous plaît.

— Au percolateur ou instantané ? demanda Louise.

— Ce que vous aurez, madame.

Louise entra dans la maison pendant qu'André s'informait des compétences de Lacoste. Elle revint à temps pour l'entendre dire :

— Je connais un peu le travail sur une terre. J'ai été élevé sur une terre de roche en Gaspésie. À vingt-trois ans, je suis monté à Montréal et j'ai toujours travaillé comme menuisier.

— Ton métier t'intéresse plus ? demanda Jocelyn.

— Il m'intéresse toujours autant, mais depuis le commencement du printemps, c'est pas mal plus calme que les années passées... En plus, j'ai perdu ma femme à la fin de l'hiver et j'ai de la misère à me remettre d'aplomb, admit Daniel Lacoste en baissant la voix.

— Excusez-nous, fit Louise, compatissante, on savait pas.

— C'est pas grave. Le cancer, vous savez, ça pardonne pas.

— Et vos enfants? demanda la maîtresse de maison.

— On n'en a pas eu... On n'a pas eu cette chance-là.

André toussota et reprit l'entrevue en main.

— Comme ça, t'es intéressé à essayer de vivre à la campagne pendant une couple de mois?

— Oui, pas de problème.

— Quand serais-tu prêt à commencer?

— Après-demain, si ça vous convient. Vous m'avez dit hier soir que vous pouviez me louer une chambre?

— Oui, ma femme pourra te la montrer tout à l'heure.

— Bon. Ma sœur m'a offert de garder mes meubles. Demain, je vais les déménager dans son garage et après ça, je vais venir m'installer chez vous si vous avez pas changé d'idée pour le salaire dont vous avez parlé hier au téléphone.

— Non, c'est correct comme ça. Louise, va donc lui montrer sa chambre.

Louise se leva et invita Daniel Lacoste à la suivre à l'intérieur. Elle le précéda dans l'escalier qui conduisait aux chambres. En passant, le nouvel employé remarqua à quel point la maison semblait bien tenue.

Sur le palier, Louise lui indiqua les deux portes à sa gauche en lui disant:

— Ce sont les chambres de Nicole et de Pascal, nos deux enfants. Vous aurez la chambre en face de la nôtre, à côté de la salle de bain. Il y a une chambre en bas, au pied de l'escalier, c'est la chambre de mes beaux-parents.

Sur ces mots, Louise ouvrit la porte d'une vaste chambre dont le centre était occupé par un grand lit. La pièce était très chaude. Elle ouvrit la fenêtre après avoir écarté les rideaux.

— Vous avez un grand placard et deux bureaux de quatre tiroirs. Si jamais vous avez des bagages plus encombrants, on pourra toujours vous faire un peu de place dans le sous-sol.

— Merci, madame. Je pense que ça devrait suffire, dit Daniel Lacoste avec le sourire.

Comme il l'avait promis, le Gaspésien revint le lendemain soir et il s'installa sans déranger personne dans sa chambre. La plus grande partie de ses effets personnels tenait dans deux grandes valises et deux boîtes de carton que Pascal l'aida à monter à l'étage.

Le lendemain matin, le nouvel employé était debout à 5 heures, prêt à entreprendre sa journée de travail. Il aida à soigner les animaux et, après le déjeuner, André lui expliqua qu'il aimerait qu'il commence à construire une remise de 6 m sur 4 m sur un plancher de ciment coulé près de la grange l'automne précédent. Ensuite, il passa une bonne partie de l'avant-midi avec son nouvel employé à trier des madriers et des planches empilés depuis plusieurs années dans le grenier du garage.

Il ne fallut pas beaucoup de temps aux Marcotte pour se rendre compte que Daniel Lacoste était un ouvrier minutieux qui ne se précipitait pas inutilement. Après le dîner, il demeura assis à la table de cuisine et il demanda des feuilles. Il prit un crayon pour établir un plan et pour calculer la quantité de bois qui lui serait nécessaire à la construction de la remise.

Pendant quelques minutes, Pierrette le regarda faire avec des signes grandissants d'impatience. Elle finit même par tourner autour de lui en faisant des remarques désagréables.

— Il faudrait tout de même pas prendre la journée juste à dessiner, dit la vieille femme, en prenant son mari comme interlocuteur.

Lacoste leva la tête et la dévisagea pendant un court instant. Louise, occupée à ranger, ne put s'empêcher de dire :

— Voyons, madame Marcotte, si on veut une remise qui soit d'aplomb, il faut bien que monsieur Lacoste fasse un plan.

— C'est tout de même pas le château Laurier qu'il a à construire, fit Pierrette, mauvaise, comme si l'ouvrier n'était pas là.

Elle s'approcha de Daniel Lacoste et se pencha au-dessus de son épaule pour examiner son plan.

— Achevez-vous?

Le menuisier se leva brusquement et alla à la porte moustiquaire pour appeler André qui faisait une courte sieste sur le balcon, comme chaque jour après le dîner.

— Monsieur Marcotte, est-ce que je peux vous voir une minute?

Il y eut un bruit de pas sur le balcon et la porte moustiquaire s'ouvrit sur un André Marcotte aux yeux bouffis.

— Qu'est-ce qu'il y a? demanda-t-il avec impatience. Il y a pas moyen de se reposer une heure avant de retourner travailler?

— Je voudrais mettre les choses au clair tout de suite, dit Lacoste d'un ton sans réplique en se campant solidement sur ses deux jambes au milieu de la cuisine. Qui est le boss dans cette maison? Est-ce que c'est vous, votre père ou votre mère? Si c'est pour être les trois ensemble, je vous le dis tout de suite, je plie bagages. Moi, je suis habitué de travailler juste pour un patron à la fois.

Surpris par le ton, André écarquilla les yeux.

— C'est moi qui engage et c'est moi qui donne les ordres. Pourquoi tu me poses cette question-là?

— Ben, votre mère a l'air de croire que je suis son ouvrier à elle.

— Occupe-toi pas de ça. Je vais régler le problème. Tu peux aller commencer à descendre le bois qu'on a choisi durant l'avant-midi.

Aussitôt que Daniel Lacoste fut hors de vue, André laissa éclater sa mauvaise humeur.

— Écoutez, m'man, j'ai eu ben assez de misère à trouver un engagé sans que vous essayez de l'écœurer la première journée qu'il est ici.

— Tout ce que j'ai fait, c'est de lui demander s'il achevait.

— Vous avez rien à lui demander. C'est mon employé. Laissez-le tranquille. Pour une fois que je tombe sur quelqu'un qui a du cœur à l'ouvrage et qui sait quoi faire de ses dix doigts, j'ai pas l'intention de le perdre.

— O.K., O.K., fit la vieille femme. Si je peux rien dire dans cette maison...

— Vous serez pas pire que moi, madame Marcotte, ajouta Louise... Vous avez remarqué que moi aussi, je suis pas un boss dans cette maison. Je suis juste une employée qu'on paie pas.

— Ah non! Tu vas pas t'en mêler toi aussi! s'exclama son mari.

— Non, inquiète-toi pas, répondit doucement Louise, ça fait vingt ans que tu me dis de me taire, j'ai l'habitude.

— Bon, c'est correct, conclut André. C'est pas en placotant que l'ouvrage va avancer.

Pierrette prit le chemin de sa chambre, tandis qu'André et son père sortaient de la maison et se dirigeaient vers la grange.

****

Deux jours plus tard, le moment historique tant attendu arriva. Le matin du 20 mai, par une journée radieuse, les bureaux de scrutin ouvrirent leur porte dans toute la province. Le Québec allait enfin se prononcer sur son avenir. Jamais une consultation populaire n'avait suscité tant de passion. Après des mois de battage publicitaire dans les journaux, à la radio et à la télévision, l'heure de vérité était enfin venue.

Depuis l'automne précédent, il ne s'était guère passé une journée sans déclaration fracassante de part et d'autre. On avait assisté à une lutte sans merci entre les péquistes et les libéraux de tout poil devenus les ardents défenseurs de l'unité nationale. Tout avait été mis en œuvre pour convaincre les indécis. On avait multiplié les rassemblements aux quatre coins de la province et les spécialistes se perdaient dans l'interprétation des chiffres lancés par des économistes partisans. Qui disait la vérité? Qui mentait? Il était impossible de trancher. Un véritable dialogue de sourds! C'était devenu une vraie guerre entre les deux partis et comme dans toute guerre, la vérité était la première victime.

À Saint-Anselme, le scrutin se tenait dans la grande salle de l'école du village dont les portes largement ouvertes invitaient les électeurs à entrer. Ce matin-là, on aurait dit que toute la tension accumulée durant les dernières semaines venait miraculeusement de disparaître.

Les deux frères, Louis et Bernard Bergeron, avaient quitté l'une des balançoires du Petit Foyer où ils se berçaient quelques instants plus tôt pour venir discuter avec Lucien Cadieux, Étienne Dubé et le curé Lanctôt devant l'épicerie de Marcel Gagnon située face à l'église.

— Ça me fait mal au cœur, dit Lucien Cadieux, quand j'entends les jeunes dire que tous les vieux sont pour le «non» parce qu'ils sont pas capables de prendre un changement.

— C'est peut-être un peu vrai, fit le curé.

— Je pense pas, moi! Des changements, on n'a pas arrêté toute notre vie d'en avoir et on est passés au travers. On en a connu des bons et des mauvais. Ça nous fait pas peur. Vous vous souvenez, par exemple, quand ils nous ont obligés à tout calculer en métrique? On parlait plus de milles, de verges, de pieds, de degrés

Fahrenheit, de pintes, de demiards, de gallons... Non, on devait tout calculer en mètres, en kilomètres, en degrés Celsius et en litres.

— Je me rappelle, ajouta Louis Bergeron. Dans le temps, on nous disait que ce changement-là était urgent parce plus personne calculait comme nous autres. On n'avait pas le choix. À les entendre, on était arriérés.

— C'est ben ça, approuva Lucien. Ça fait presque dix ans, je pense, que c'est changé et on a appris à se débrouiller, même si, dans notre tête, on calcule encore comme avant. Je vais vous dire, moi, ce qui me met le plus en maudit. Aux États-Unis, les Américains ont gardé notre ancienne façon de calculer et ils sont pas morts pour tout ça.

— En tout cas, fit Bernard, toujours aussi peu loquace, le changement que Lévesque veut est pas encore fait. On verra ben à la fin de la journée. S'il gagne, ça sera pas la fin du monde. On a déjà vu pire.

— Moi, je suis pas gêné pour dire que je suis pas pour la séparation, affirma Étienne Dubé, le mari de la ménagère. J'ai pas grand-chose, mais je veux pas prendre le risque de tout perdre, surtout pas ma pension de vieillesse.

— Tu vois, toi, tu penses comme ça, dit le curé Lanctôt et on l'accepte. Il y en a parmi nous qui sont d'accord avec toi et d'autres t'approuvent pas. On se battra pas pour ça.

— Ça, c'est parce qu'on est vieux, dit Ulric Gagné qui venait de descendre de la camionnette de son fils Gilles. Ça empêche pas que dans certaines familles, la chicane est poignée à cause de ce maudit référendum-là.

— Il va falloir prier pour que les esprits se calment et pour qu'on exerce le pardon, dit le curé Lanctôt.

— Bon, fit Étienne Dubé en donnant un coup de coude à Ulric Gagné, monsieur le curé va nous demander de nous mettre à genoux tout de suite sur le trottoir pour prier pour ceux qui voteront pas du bon bord aujourd'hui.

— Dis-moi pas ça, fit le grand Ulric, l'air faussement horrifié. Je vais aller chercher un coussin dans le truck de mon gars pour me mettre à genoux. Je suis maigre, moi, j'ai pas des gros genoux confortables comme ceux de notre curé.

— Aïe! Mes genoux sont pas si gras que ça, protesta Charles Lanctôt en menaçant Ulric du doigt. Vous êtes qu'une bande de mécréants. Vous méritez pas un bon curé comme moi.

Il y eut un éclat de rire et Gilles s'avança vers son père.

— Venez-vous voter, p'pa? Je pense que ça serait plus utile que de mettre la chicane dans la paroisse, ajouta le quadragénaire en souriant.

****

153

Ce soir-là, dans Saint-Anselme, toute l'activité sembla être suspendue après le souper. Quand les bureaux de votation fermèrent leurs portes, les gens s'installèrent devant leur téléviseur pour connaître les résultats du vote. C'était plus solennel qu'une grande soirée d'élection générale. On retenait son souffle. Dans quelques heures, on saurait enfin si les Québécois avaient opté pour une séparation définitive du Canada.

En attendant les résultats, les caméras montraient les milliers de partisans du « oui » rassemblés au Forum et impatients de célébrer la victoire. Dans une autre grande salle de Montréal, un nombre équivalent de Québécois étaient entassés, convaincus que le « non » l'emporterait.

À Radio-Canada, Bernard Derome animait des interviews en studio. De temps à autre, l'animateur vedette de la télévision d'État interrompait ses entrevues pour interroger l'un ou l'autre des reporters disséminés dans différentes régions de la province pour avoir un aperçu du climat qui régnait là où ils étaient. Ces derniers étaient unanimes à reconnaître qu'on avait voté massivement partout et que l'anxiété et l'excitation de la population étaient quasiment palpables.

Quelques minutes après le début des émissions d'information, les résultats partiels des premiers dépouillements donnaient les deux options nez à nez. Et il en fut ainsi toute la soirée. Cependant, un peu avant 23 heures, Bernard Derome arrêta le flot de chiffres qui étaient livrés sur les ondes depuis près de trois heures pour prononcer sa phrase devenue célèbre : « Radio-Canada prédit que si la tendance se maintient, l'option souverainiste ne recueillera qu'un peu moins de 41 % des votes exprimés. »

L'annonce officielle des résultats finals eut l'effet d'une douche froide chez les gens rassemblés au Forum. Un silence pesant tomba sur l'amphithéâtre où régnait un vacarme assourdissant quelques instants plus tôt. Les caméras montrèrent des gens qui pleuraient sans vergogne. C'était pour eux la fin d'un grand rêve.

René Lévesque, debout sur la scène et entouré de ses ministres et de ses principaux conseillers, remercia tous ceux qui s'étaient battus pour la création d'un Québec libre et il essaya de consoler les plus malheureux en leur promettant que « ce n'était que partie remise ».

Par contre, les partisans du « non » exultaient. Ils avaient remporté ce qu'ils considéraient comme une victoire décisive sur les adversaires du Canada. Le premier ministre Trudeau, prié de prendre la parole, tenta de calmer l'exubérance des gagnants en demandant à tous les Canadiens de travailler dorénavant à refaire l'unité canadienne malmenée lors de la campagne référendaire. Il affirma solennellement que son gouvernement tiendrait toutes les promesses faites aux Québécois durant les derniers mois.

Si dans certaines villes et municipalités, les gagnants du référendum fêtèrent bruyamment et formèrent des cortèges cette nuit-là, il n'en fut rien à Saint-Anselme. Plusieurs ne se couchèrent pas moins avec la rage au cœur, en accusant leurs adversaires d'avoir menti et d'avoir gagné en faisant peur aux gens. Mais il n'y eut pas de manifestations publiques de colère ou de joie. Cependant, à la fin de cette journée historique, les plus lucides se rendaient bien compte qu'il faudrait beaucoup de temps pour que les plaies causées par cette consultation populaire se cicatrisent. Le référendum avait donné naissance à des haines qui risquaient d'empoisonner longtemps l'atmosphère.

Pour sa part, Richard Bergeron ne desserra pas les dents de la soirée. Même s'il avait publiquement montré son opposition au gouvernement péquiste en arrachant les affiches qui couvraient sa maison, il n'en restait pas moins un ardent partisan du «oui». Il passa la soirée assis devant le téléviseur, silencieux, incapable d'exprimer la tension qui l'habitait au fur et à mesure que le suspense se prolongeait. Lorsque Derome annonça les résultats officiels, le cultivateur frappa violemment le bras de son fauteuil en lançant un retentissant: «maudit sacrement!». Incapable d'en voir plus, il laissa Jocelyne seule devant le téléviseur et il monta se coucher.

Chez les Riopel, Brigitte et Cyrille avaient invité la famille d'Aurore à venir regarder la télévision avec eux. Éric, Marc et Sylvie, peu intéressés par la politique, montèrent assez tôt dans leur chambre. Carole et Julien, les enfants d'Aurore, demeurèrent avec leurs parents, leur grand-mère, leur oncle et leur tante pour connaître les résultats définitifs. Quand le résultat final fut annoncé, les adultes ne montrèrent aucun triomphalisme et respectèrent la profonde déception des deux jeunes étudiants, résolument partisans du «oui».

Chapitre 10

Les lendemains du référendum

Au lendemain du référendum, la vie reprit peu à peu son cours normal. On fit disparaître rapidement les affiches et les photos qui rappelaient la lutte politique qui venait de dresser une partie de la population contre l'autre. Au fil des semaines, une sorte de torpeur s'empara des plus politisés, comme si toute l'énergie dépensée durant le printemps pour faire triompher leurs idées ne pouvait se renouveler. Bref, à Saint-Anselme, on aspirait à la paix et la politique n'intéressait plus beaucoup de gens. Chacun se disait qu'on verrait bien si Pierre Elliott Trudeau remplirait ses promesses et si René Lévesque serait capable de bien gouverner la province malgré l'échec de son référendum.

Chez André Marcotte, le printemps s'était plutôt mal terminé pour le quadragénaire.

Un vendredi soir, à la fin de ses cours au cégep, Nicole mit ses parents devant le fait accompli. La jeune fille de 18 ans leur annonça après le souper qu'elle avait décidé de s'installer chez une amie qui venait de louer un appartement à Montréal parce qu'elle lui avait trouvé un emploi temporaire de serveuse dans un restaurant.

— Il en est pas question! trancha son père en assenant une claque sur la table.

André avait toujours éprouvé une véritable adoration pour sa fille et il ne la laisserait sûrement pas aller vivre seule, sans surveillance, à Montréal durant deux mois.

— Mais p'pa, j'ai un job et j'ai une place où rester, dit Nicole en cherchant à convaincre son père.

— Tu restes ici et tu vas aider ta mère et ta grand-mère. On a de l'ouvrage par-dessus la tête. On a besoin de toi.

La jolie brune affronta alors son père sans aucune crainte. Ses yeux gris ne cillaient pas et ils disaient assez qu'elle ne reculerait pas.

— P'pa, tout est arrangé et j'ai 18 ans. Je te demande pas d'argent. Je vais en gagner assez pour payer mes dépenses et je vais en ramasser pour mes études.

— Si tu vas passer l'été en ville, je t'avertis, tu peux oublier le char que tu voulais à l'automne. Je sortirai pas une maudite cenne pour te le payer. En plus, compte pas sur moi pour t'aider s'il te manque de l'argent durant l'année.

— C'est pas grave, avait répondu cavalièrement la jeune fille. Je me débrouillerai.

Naturellement, le père tourna sa mauvaise humeur contre sa femme.

— Tiens! On peut dire que tu l'as ben éduquée, ta fille, toi!

Sur ces mots, André se leva de table et sortit de la maison en claquant la porte. La jeune fille monta à sa chambre.

Daniel Lacoste avait assisté sans le vouloir à la scène. Il alla s'installer avec un livre à l'extrémité du balcon et il se contenta de regarder Louise qui, au bord des larmes, vint s'asseoir près de ses beaux-parents. Le massif de lilas mauve planté devant le balcon embaumait l'air d'une odeur entêtante.

— Ça se serait pas passé comme ça dans mon temps, dit Pierrette en regardant sa bru.

— Mêle-toi de tes affaires et laisse faire les parents, dit judicieusement Jocelyn. T'as déjà oublié qu'on a vécu presque la même chose avec Émilie.

— C'était pas la même chose, s'insurgea Pierrette. Émilie s'en allait rester chez son oncle Maurice à Drummondville pour suivre son cours de secrétariat et aider Yvette qui était malade. Elle était pour être surveillée. En plus, elle avait dix-neuf ans faits.

— Ça nous regarde pas, martela Jocelyn en élevant le ton.

Cette dernière mise au point de son mari cloua le bec de la grand-mère.

Quelques minutes plus tard, Nicole dévala l'escalier et sortit sur le balcon.

— Viens-tu voir ma tante Mariette et ma tante Marie avec moi? demanda-t-elle à sa mère.

— Bonne idée, dit Louise en se levant.

La mère et la fille descendirent les marches de l'escalier et se dirigèrent lentement vers la petite maison érigée près de la route où demeuraient Mariette et Marie Marcotte. Lacoste les observait, soulagé de constater que la jeune fille avait l'air de consoler sa mère.

Le lendemain avant-midi, Nicole quitta la maison sans tambour ni trompette. André ne s'était pas informé du jour de son départ et le matin même, il s'était conduit comme si sa fille avait accepté de laisser tomber son projet insensé. Quand l'amie de Nicole stationna sa voiture devant la maison, Lacoste quitta durant quelques instants son travail pour venir aider Louise et les deux jeunes filles à transporter les bagages de Nicole dans la petite Chevette beige de l'amie.

À l'heure du dîner, André Marcotte se contenta de grommeler quand sa femme lui apprit le départ de leur fille.

****

Ce soir-là, en rentrant du travail, Lacoste trouva Louise assise à la table de cuisine en train de lire le livre qu'il avait laissé sur une chaise de jardin, sur le balcon.

— Excusez-moi d'avoir pris votre livre, dit-elle à l'employé. Je l'ai rentré parce que la pluie menace et je voulais pas qu'il se fasse mouiller.

— Vous êtes ben gentille de vous en être occupée, fit Daniel en souriant.

— Il a l'air bon, fit Louise en fermant le livre et en lui tendant un peu à regret.

— C'est pas un nouveau livre. C'est Bonheur d'occasion de Gabrielle Roy. Il a plus de trente ans. Ça fait deux fois que je le lis.

— C'est drôle qu'un menuisier aime autant la lecture, fit Louise Marcotte. Quand votre ouvrage est fini, on vous voit presque toujours avec un livre dans les mains.

— Ça vient de ma femme, avoua Daniel. Elle aimait tellement lire qu'elle m'a donné le goût d'en faire autant. On était abonnés à la bibliothèque de Montréal et en plus, je passais mon temps à acheter des livres. Je sais pas combien j'en ai de boîtes entreposées chez ma sœur. Vous, aimez-vous lire?

— Oui, mais j'ai pas tellement le temps, dit Louise.

— C'est un passe-temps qui nous fait oublier les choses désagréables de la vie, affirma Lacoste. On a tous besoin de s'évader comme le disait ma femme. En tout cas, madame, ça me fait plaisir de vous le laisser si vous avez envie de le lire. J'en ai d'autres dans ma chambre.

— Merci, j'accepte votre offre, dit Louise en lui adressant un merveilleux sourire.

Depuis son arrivée chez les Marcotte, Daniel Lacoste était stupéfait par le degré de résistance de cette belle femme qui tolérait toutes les rebuffades de son mari et de ses beaux-parents sans jamais se révolter. C'était au point où à plusieurs reprises, il aurait attrapé volontiers son patron par le collet pour le secouer un peu. Il était trop bête pour se rendre compte que sa femme était un ange de douceur qui s'oubliait quotidiennement pour le bien-être des siens. L'employé n'admettait pas qu'on considère une telle femme comme une sorte de meuble dans la maison. Ce comportement avait même des effets sur son fils qui ne manifestait jamais aucune reconnaissance pour tout ce que sa mère faisait pour lui. Bien des fois, Daniel Lacoste préféra monter à sa chambre plutôt que d'assister à certaines scènes déplaisantes où, le plus souvent, l'argent était en cause.

****

À la mi-juin, la canicule s'abattit sur la région et les jeunes ne parlèrent plus que de vacances. Une chaleur moite et humide rendait le moindre geste inconfortable et tout travail épuisant.

André Marcotte devait ménager ses vieux parents qui étaient maintenant incapables de fournir un effort soutenu par d'aussi grandes chaleurs. Il était content de pouvoir compter sur l'aide de son fils Pascal qui, à 16 ans, était maintenant en mesure de lui donner un sérieux coup de main. Ce dernier avait terminé ses examens à la polyvalente et il restait à la maison depuis quelques jours pour aider.

L'adolescent s'entendait particulièrement bien avec Daniel Lacoste qui faisait preuve à son endroit d'une patience remarquable. Le quadragénaire avait commencé à l'initier à la menuiserie quand son père le laissait travailler avec lui à la construction de la remise. Cependant, André était un peu jaloux de l'admiration manifestée par son fils à l'endroit de son employé et il s'arrangeait le plus souvent pour l'avoir à ses côtés.

****

Chez les Riopel, juin fut un mois spécial, surtout pour Sylvie qui terminait son secondaire. La jeune fille était déjà inscrite au cégep de Drummondville pour le mois de septembre suivant. Évidemment, il n'était pas question que l'adolescente ne participe pas au bal des finissants offert à l'Auberge Universel de Drummondville. Qui dit bal dit toilette. Alors, en compagnie de sa grand-mère et de sa mère, elle courut les magasins pour trouver la robe de bal originale qui lui convenait.

Quand Brigitte apprit à Cyrille le prix de la toilette sur laquelle sa fille avait jeté son dévolu, le père se rebiffa. Après l'album des finissants, la location de la toge, les photos et la bague, le quadragénaire commençait à trouver que les festivités prenaient des allures extravagantes. Il invita sa femme à revenir sur terre et à proposer à leur fille une robe plus modeste. Il n'était pas nécessaire que l'événement prenne les allures d'un mariage royal.

Finalement, grand-mère Isabelle suggéra de confectionner la robe désirée si on achetait le patron et le tissu. Après de multiples essayages et retouches, la jeune fille put assister à son bal, vêtue d'une robe magnifique. Quand Marc vit sa sœur monter dans la voiture qui allait la conduire à l'hôtel où avaient lieu les festivités, il se dit avec amertume qu'il ne connaîtrait jamais le plaisir d'assister à ce genre de fête.

****

Cyrille et Brigitte n'apprécièrent pas la fin des classes uniquement parce qu'elle mettait un point final à tout l'énervement entourant le bal des finissants de leur fille. Ils étaient contents parce qu'Éric et Sylvie étaient d'aussi bons travailleurs que leur frère Marc. L'un et l'autre ne rechignaient pas à la tâche. Éric était maintenant presque aussi grand et aussi costaud que son frère aîné. Malgré les deux années qui séparaient les deux frères, ces derniers avaient plusieurs goûts en commun, dont celui des motos.

Malgré les réticences de Brigitte, Cyrille avait acheté à ses fils, l'automne précédent, deux vieux scooters Vespa chez un marchand de Nicolet. Le père en avait fait l'acquisition à la condition expresse qu'ils ne les utiliseraient pas pour aller à la polyvalente. Naturellement, il n'y avait rien eu à faire pour défendre aux deux adolescents d'aller au moins au village chaque soir depuis l'arrivée du beau temps.

Chaque soir, le même scénario se reproduisait après le souper.

La dernière bouchée avalée, Marc et Éric s'empressaient d'enfourcher leur moto et Brigitte leur criait invariablement de mettre et d'attacher leur casque avant de partir. Ils obéissaient en ronchonnant et ils partaient en pétaradant dans un nuage de poussière.

— Ils vont se tuer avec ces patentes-là! s'exclamait Brigitte en prenant sa fille, sa belle-mère et son mari à témoin de sa prédiction.

— Ben non! répondait Cyrille, ils sont jeunes, mais pas fous. Tu sais ben qu'ils font attention. Ils partent vite comme ça, c'est juste pour t'énerver. Ils peuvent pas aller ben vite dans un chemin de gravelle plein de côtes. Leurs scooters ont juste un tout petit moteur.

Le tout aurait pu continuer ainsi durant tout l'été si Aurore n'avait pas inquiété sa belle-sœur sans le vouloir une semaine après le début des vacances scolaires.

Un mardi soir, elle s'arrêta chez son frère avec Bruno. Le couple revenait du village.

— On a aperçu Marc et Éric sur le chemin, juste avant le pont, dit Aurore à Brigitte. Je te dis qu'ils roulent vite sur ces petits scooters-là.

Cyrille fit les gros yeux à sa sœur pour l'inviter à ne pas inquiéter inutilement leur mère, mais Aurore ne perçut pas le signal.

— En plus, ils roulent tous les deux sans casque... Tu devrais les obliger à en porter un, Cyrille, fit-elle. De toute façon, c'est pas permis de rouler en moto sans casque. La police pourrait les arrêter et saisir leur scooter.

— Ah ben, les deux maudits insignifiants! explosa Brigitte. Je prends la peine de les avertir chaque soir de mettre leur casque. Ils partent avec, mais ils doivent se dépêcher de les enlever au bout du rang.

Aurore fut soudainement mal à l'aise.

— Écoute, Brigitte, je voulais pas être un porte-panier. J'étais seulement inquiète pour eux. De toute façon, je suis pas arrêtée pour ça. Je voulais juste demander à m'man si elle voulait aller faire un tour chez quelqu'un au village demain après-midi; j'ai un rendez-vous chez le docteur Babin.

— Si tu veux me laisser au Petit Foyer, dit Isabelle, j'haïrais pas ça aller jaser avec Carmen et Louis une petite heure.

— Je vais vous prendre en passant, promit Aurore.

— En tout cas, t'as ben fait de me le dire, fit Brigitte. Je comprends que c'était pour leur bien. On va aller les chercher au village. S'ils ont pas leur casque, ils vont s'en souvenir. On leur dira pas que c'est toi qui nous en as parlé.

Un quart d'heure plus tard, Cyrille prit, à contre-cœur, le volant de sa vieille Chevrolet Caprice avec Brigitte à ses côtés.

— Il faut pas en faire tout un drame, Brigitte, l'avertit son mari en négociant la côte qui descendait au petit pont qui enjambait la Nicolet.

— C'est pas une question d'en faire un drame, mais j'attendrai pas qu'il y en ait un qui se tue pour faire quelque chose. Tu m'entends, Cyrille Riopel? S'ils ont pas leur casque, on va les priver de leur scooter durant quinze jours. Ça devrait être assez pour les faire réfléchir.

Comme elle disait ces mots, Brigitte aperçut ses deux fils qui descendaient la côte du village que la Caprice peinait à escalader. Les deux adolescents ne portaient pas leur casque.

— Qu'est-ce qu'on fait? demanda Cyrille, agacé. On est tout de même pas pour tourner de bord en arrivant au village pour nous mettre à les suivre.

— Ben non, on peut aller passer quelques minutes chez mon oncle Bernard au Petit Foyer. Ça fait presque un mois qu'on l'a pas vu, lui et ma tante Pauline. On verra peut-être en même temps mon oncle Louis.

— Comme tu voudras.

Peu après le coucher du soleil, Cyrille et sa femme rentrèrent à la maison et ils trouvèrent leurs deux fils affalés devant le téléviseur du salon en train de regarder une partie de baseball. Cyrille montra du doigt à sa femme les clés des deux motocyclettes que leurs fils avaient déposées au centre de la table de cuisine.

Sans dire un mot, Brigitte les prit et les mit dans sa bourse. Elle appréciait à sa juste valeur le fait qu'ils aient compris tous les deux que leurs parents les avaient vus sans leur casque et qu'ils les priveraient de leurs motos durant un certain temps.

Elle sortit sur le balcon avec son mari pour profiter d'un souffle d'air frais qui venait de se lever. En se laissant tomber sur une chaise, la quadragénaire se contenta de dire :

— Je pense qu'une semaine sans moto devrait leur suffire comme punition, tu penses pas ?

Cyrille se contenta de hocher la tête.

****

Le samedi après-midi, Aurore tint parole et arrêta prendre sa mère chez Brigitte. Elle stationna la Dodge brune devant le Petit Foyer et elle regarda la vieille dame entrer chez son frère Louis avant de traverser la rue Principale pour aller chez le docteur Babin.

En pénétrant dans la petite salle d'attente aménagée près de la porte d'entrée, Aurore découvrit parmi les trois personnes qui attendaient Anne-Marie, la fille de Diane Labrie, l'enfant adoptée plus de vingt ans auparavant par son cousin Pierre. Aurore la salua et alla s'asseoir à ses côtés après avoir averti de son arrivée Lise Babin, l'épouse du médecin qui jouait le rôle de réceptionniste.

— Je savais pas que le docteur Babin était ton docteur, dit Aurore à la jeune femme de 24 ans à la mine épanouie.

— Ben oui! Il m'a toujours ben soignée. Quand je me suis mariée il y a deux ans, j'ai dit à Claude que je voulais le garder comme docteur.

— Est-ce que ça fait longtemps que t'as vu tes parents?

— Une dizaine de jours. Claude travaille comme moi six jours par semaine au magasin. Ça nous laisse pas grand temps pour aller voir la parenté.

— Moi, j'ai vu ton frère Frédéric et ta sœur Paule cette semaine. Ils avaient l'air en forme.

— Je comprends. Frédéric est arrêté à la maison avant-hier pour me dire qu'il travaillerait tout l'été sur la terre

169

avec mon père, mais que quelqu'un de Drummondville lui avait promis de l'ouvrage à l'automne. Pour Paule, je la vois toutes les semaines. Elle profite de son jour de congé au salon de coiffure pour venir coiffer mes voisines chaque lundi. Dans ce temps-là, elle vient dîner avec moi.

— Et toi? Tu vas bien? demanda Aurore en regardant attentivement le visage énergique surmonté d'une épaisse chevelure blonde et bouclée.

— Oui, j'ai pas de problème. Je viens parce que je pense être enceinte, dit la jeune femme en baissant la voix. J'espère que je me suis pas trompée. Claude attend ça depuis un an.

— Je te le souhaite, dit Aurore en lui serrant le bras. Ce serait ton deuxième.

— Oui et on aimerait ça avoir une fille.

— Je l'espère pour toi.

— Et vous, madame Lequerré? Vous avez pas l'air malade.

— Non, je pense pas l'être non plus. Je viens juste chercher les résultats de mes radiographies. Mon gynécologue envoie les résultats chaque année au docteur Babin.

— Bonne chance.

Quelques minutes plus tard, Anne-Marie Bergeron sortit radieuse du bureau du médecin.

— Ça y est, madame Lequerré, je suis enceinte, annonça-t-elle à voix basse en passant devant Aurore. J'ai assez hâte d'annoncer la nouvelle à mon mari.

Aurore la félicita et entra à son tour dans le bureau du médecin. À 59 ans, Yves Babin n'avait plus qu'une mince couronne de cheveux gris fer et une épaisse moustache de la même couleur. Après avoir pris des nouvelles de toute la famille qu'il connaissait depuis son installation à Saint-Anselme, trente ans auparavant, il finit par aborder le sujet du rendez-vous. Le praticien ouvrit la chemise cartonnée beige posée devant lui.

— J'ai bien peur, madame Lequerré, que vos radiographies révèlent une masse suspecte dans votre sein droit.

— Et ça signifie quoi? demanda Aurore, devenue subitement très pâle.

— Tant qu'on n'aura pas fait une biopsie, on ne peut pas savoir.

— Est-ce que ça peut être cancéreux? demanda-t-elle, le cœur au bord des lèvres.

— Impossible de le dire avant. C'est pourquoi je vous ai pris un rendez-vous à l'hôpital pour lundi prochain. Le docteur Rancourt va vous faire une biopsie et il m'a promis de m'envoyer les résultats le plus tôt possible.

— Combien de temps ça peut prendre?

— Une semaine ou deux.

— Comment je vais faire pour dormir pendant tout ce temps-là ? fit Aurore, au bord de la panique.

— Ça vous sert à rien de vous énerver avant, dit sévèrement le médecin. La masse suspecte peut être tout à fait anodine. Je vous suggère de ne pas perdre de temps et de confirmer votre rendez-vous en chirurgie pour lundi prochain.

— Merci, docteur, dit Aurore en sortant de son bureau.

La quadragénaire alla chercher sa mère chez son oncle Louis et sa tante Carmen. Elle refusa leur invitation à boire une tasse de café en prétextant un surcroît de travail à la maison et elle s'empressa de monter à bord de son auto.

Sa mine défaite n'avait pas échappé à l'œil scrutateur de sa mère. Aussitôt assise dans la Dodge, cette dernière se tourna vers sa fille pour lui demander :

— Veux-tu ben me dire ce qui t'arrive? T'es blanche comme une morte.

Aurore ne répondit pas tout de suite et elle mit l'auto en marche.

— Les résultats de tes tests sont pas bons?

— Les radios montrent que j'ai une bosse dans un sein. Je dois aller à l'hôpital pour une biopsie la semaine prochaine, dit Aurore dans un souffle.

— Il y a pas à dire, c'est notre année à nous, les Riopel! s'exclama la sexagénaire. Tu me caches rien à part ça?

— Ben, vous trouvez pas que c'est assez! s'exclama sa fille.

— Voyons, Aurore! la disputa sa mère. Prends sur toi! C'est pas parce que t'as une bosse dans un sein que t'as nécessairement un cancer. T'es pas encore étendue dans ton cercueil. Du calme, ma fille! Attends au moins de savoir ce que c'est. Je sais que ça va être énervant d'avoir à attendre, mais t'en mourras pas.

Il y eut un long silence dans l'auto, jusqu'au moment où la conductrice tourna dans le rang Sainte-Anne.

— Qu'est-ce que je fais pour Bruno et pour les enfants?

— Ce que tu veux, lui répondit sa mère. À ta place, je les mettrais au courant. Ce serait normal, tu trouves pas? Ils t'aiment et ils te pardonneraient pas de pas leur dire la vérité.

— Oui, vous avez raison, reconnut Aurore en arrêtant l'auto devant la maison de son frère Cyrille pour laisser descendre sa mère. Mais m'man, pas un mot à Brigitte et à Cyrille. J'ai pas envie de voir défiler tout le monde à la maison pour me montrer leur pitié.

— Inquiète-toi pas. Je vais te laisser leur apprendre la nouvelle, si tu le veux.

Isabelle se pencha et embrassa sa fille sur la joue.

— Lâche pas. C'est sûrement pas aussi grave que tu le penses.

****

173

Quand Aurore entra dans la maison, une bonne odeur de poulet rôti venait de la cuisine. Carole avait déjà préparé la table et elle invita d'un ton sans réplique sa mère à s'asseoir en attendant le souper.

— Je suis pas devenue impotente parce que je reviens de chez le docteur, protesta faiblement Aurore.

— Je le sais, m'man, mais il fait tellement chaud que vous devez être fatiguée.

— C'est vrai qu'il fait étouffant. Mais le ciel noircit et je pense qu'on va enfin avoir de la pluie durant la soirée.

— Il serait temps, dit Bruno en entrant dans la pièce. Tout est en train de brûler dans les champs. Les vaches se tiennent près de l'étable pour profiter de l'ombre du bâtiment. Bon, avant de tout salir, je vais aller me nettoyer un peu dans la salle de bain de la cave. Julien s'en vient. Il a presque fini à l'étable. Je te dis que ça paraît quand les enfants sont à la maison, affirma Bruno avant de descendre l'escalier, le travail se fait pas mal plus rapidement.

C'était l'un des grands regrets de Bruno Lequerré et d'Aurore de ne pouvoir compter sur l'aide de Carole et de Julien durant l'été. Pour payer leurs études, ils travaillaient tous les deux à l'extérieur. Carole faisait la comptabilité chez Camirand, au village, tandis que Julien travaillait au clos de bois de Paul Biron dans le rang Saint-Édouard. Depuis quelques semaines, Bruno essayait de trouver un ouvrier qui ne serait pas trop exigeant pour le salaire. D'après le père Lambert, il avait une chance d'engager Raymond Patenaude d'ici une semaine ou deux; mais rien n'était encore fait.

Au moment de passer à table quelques instants plus tard, Bruno demanda à sa femme si tout s'était bien passé chez le docteur Babin. Il y eut un bref silence. Carole, Julien et leur père tournèrent la tête vers Aurore pour connaître la raison de ce silence inhabituel.

— Qu'est-ce qu'il y a? demanda Bruno, un peu alarmé en remarquant pour la première fois l'air inquiet et la pâleur de sa femme.

Aurore expliqua en quelques mots ce que le docteur Babin lui avait appris ainsi que la nécessité de se soumettre à une biopsie deux jours plus tard. Rarement, on assista à un repas aussi silencieux chez les Lequerré. Il n'y eut pas de taquineries et chacun se cantonna dans ses pensées.

Au milieu de la nuit suivante, Bruno se réveilla en sursaut dans son lit. Il crut d'abord que c'était le bruit de la pluie qui s'était mise enfin à tomber qui l'avait éveillé. Puis, il se rendit compte que la place à ses côtés était vide. Il se leva sans allumer la lumière et il se mit à la recherche d'Aurore.

Bruno retrouva sa femme pelotonnée dans la causeuse du salon, dans l'obscurité. Sans dire un mot, il s'assit à côté d'elle et il l'entoura de l'un de ses bras. Aurore mit sa tête sur son épaule et ils demeurèrent ainsi durant de longues minutes. Finalement, il chuchota à l'oreille d'Aurore:

— On serait beaucoup mieux dans notre lit, non?

Ils se levèrent tous les deux et regagnèrent leur chambre. Quelques minutes plus tard, Aurore finit par s'endormir dans les bras de son mari.

Chapitre 11

Les mulots

Le dimanche matin, à l'aube, le curé Lanctôt ouvrit lentement les yeux. Une lumière grise entrait par la fenêtre de sa chambre et il entendait le bruit de la pluie qui tombait sur l'avant-toit. Mais ce n'était pas cela qui l'avait réveillé en sursaut. Le prêtre tendit une main hésitante vers sa table de chevet et il tâtonna à la recherche de ses lunettes. Il les mit, comme si le fait de les porter allait l'aider à mieux entendre.

Le curé tendit l'oreille et attendit. Quelques instants plus tard, les grattements qui l'avaient réveillé revinrent.

— Ah non! Pas encore! s'exclama-t-il à mi-voix. J'en ai assez de cette vermine.

Le gros prêtre s'assit dans son lit, alluma sa lampe de chevet et il posa ses pieds avec précaution sur le plancher. Il se pencha, prit ses deux pantoufles et les secoua vigoureusement avant de les mettre. Enfin, l'ecclésiastique se leva en traînant les pieds et il se dirigea vers la salle de bain.

Durant tout le temps que dura sa toilette, il se demanda ce qu'il allait faire pour se débarrasser des mulots qui avaient fait leurs nids dans son presbytère. C'était devenu une véritable plaie. Il comprenait que ces bêtes cherchent à se mettre à l'abri à l'automne, à l'arrivée du froid, mais qu'est-ce qu'elles faisaient à l'intérieur en plein mois de juin?

Charles Lanctôt disait «avoir dédain» de ces bestioles qui s'infiltraient partout et s'attaquaient à ses vêtements et à sa nourriture. En fait, il ressentait à leur endroit une peur quasiment maladive qu'il n'osait même pas s'avouer. Seul dans le grand presbytère, il lui arrivait souvent de guetter les bruits caractéristiques de ces rongeurs. S'il en entendait, il avait le plus grand mal à s'endormir.

Par le passé, chaque fois qu'il avait trouvé des crottes de mulot dans un tiroir ou près d'un fauteuil, il s'était contenté de dire à Laure Dubé, sa ménagère:

— Madame Dubé, venez voir, on a encore eu de la visite.

Dans ces cas-là, il lui montrait les dégâts causés par les rongeurs. Cette dernière prenait alors un air excédé et disait à Charles Lanctôt:

— Monsieur le curé, je vous l'ai dit cent fois. Ça vous sert à rien de me montrer ça. Tout ce que vous avez à faire, c'est de prendre les pièges à souris qui sont dans le bas de l'armoire et de les placer là où ces maudites bestioles passent.

— Je sais pas comment arranger ça, se défendait le prêtre en réprimant un frisson.

— Ça aussi, je vous l'ai expliqué. Vous avez rien qu'à mettre un peu de beurre de peanuts dessus et à tendre le ressort. C'est immanquable, vous allez retrouver un mulot pris dans le piège le lendemain matin.

C'était justement ce que Charles Lanctôt ne voulait pas. Il désirait se débarrasser des petits rongeurs, mais il avait des nausées à la seule pensée d'avoir à vider un ou des pièges occupés.

Le brave pasteur avait un instant envisagé la possibilité de se procurer un chat, mais Laure Dubé avait déclaré qu'elle était allergique à ces bêtes et que si un chat entrait dans le presbytère, elle, la ménagère, en sortirait.

Bref, il ne restait qu'une solution : les pièges.

Charles Lanctôt sortit de sa salle de bain, vêtu uniquement de sa robe de chambre. Il rentra dans sa chambre et ouvrit le premier tiroir de sa commode pour y prendre un sous-vêtement propre. Un petit mulot fuit sous son nez dans un coin du tiroir et sous les vêtements.

Le curé poussa un cri et il repoussa le tiroir avant de faire un saut en arrière. Après un raté, son cœur se mit à battre furieusement dans sa poitrine. Le quinquagénaire avait la gorge sèche et il sentait la sueur lui couler dans le dos. Finalement, il se raisonna et il se précipita vers la cuisine où il saisit un balai.

Au moment où l'horloge du couloir sonnait 6 heures, le prêtre, armé de son balai, rentra dans sa chambre d'un pas martial et il se dirigea directement vers sa commode. Après avoir pris une grande respiration, il ouvrit le tiroir et il s'en éloigna précipitamment. Du bout du manche, il touilla à deux ou trois reprises, à bonne distance et avec précaution, le contenu du tiroir dans l'espoir d'en faire sortir le mulot qui s'y cachait. Ensuite, le curé tint son balai levé comme une massue, prêt à jouer courageusement son rôle de bourreau.

Sa stratégie réussit. Par on ne sait quelle diablerie, le mulot se retrouva soudainement sur le linoléum, au centre de la chambre, à la portée du balai vengeur. La pauvre bête, probablement aussi émue que son poursuivant, eut un instant d'hésitation sur la direction à prendre. Sans perdre une seconde, Charles Lanctôt prit son élan et frappa de toutes ses forces...

Il ne resta entre les mains du prêtre que la moitié du manche du balai qu'il avait fracassé en frappant. Le cœur au bord des lèvres, il s'apprêtait à relever la seconde moitié du balai qui était par terre pour constater l'étendue du massacre qu'il venait de perpétrer quand il vit le mulot, probablement un peu étourdi par le choc qu'il venait de subir, se remettre en marche comme si de rien n'était et se diriger rapidement vers une encoignure de la chambre. Avant que le curé ne soit revenu de sa stupéfaction, la bête était disparue.

Le curé de Saint-Anselme alla se rafraîchir dans la salle de bain pour retrouver son calme. Il ramassa les morceaux du balai en se demandant comment il expliquerait son bris à sa cuisinière le lendemain matin.

Après s'être habillé, il se fit une tasse de café qu'il alla boire lentement sur le balcon en regardant tomber la pluie qui semblait redoubler.

— C'est le cas de le dire, la procession de la Fête-Dieu est à l'eau, dit-il à mi-voix.

Le curé Lanctôt pensa immédiatement aux Desmarais qui avaient tant travaillé à préparer un reposoir. Ce dernier ne devait pas être beau à voir avec toute cette pluie qui était tombée durant la nuit et qui semblait partie pour durer une bonne partie de la journée. Il n'avait vraiment pas le choix. Il remplacerait la procession par une célébration dans l'église au début de l'après-midi.

— Une chance qu'il fait un peu plus frais, se dit le curé. En laissant ouvertes les portes de l'église, l'air va être plus respirable.

****

Après la messe, la pluie cessa de tomber durant un peu plus d'une heure, ce qui permit à certains paroissiens de se parler quelques minutes. Sur le parvis, Pierre et Diane Bergeron s'approchèrent de Marie et Mariette Marcotte pour s'informer de leur santé. Avec les années, les liens entre ces quatre personnes étaient devenus de plus en plus forts. Diane continuait à considérer Marie comme sa seconde mère et elle avait éprouvé un véritable chagrin à la mort de Jos Malloy en 1973. Pour sa part,

Pierre aimait vraiment ses deux tantes et il leur était reconnaissant pour tout ce qu'elles avaient fait pour lui, sa femme et ses enfants.

— Ma tante Marie, je pense que votre ancien amoureux s'en vient vous parler, dit Pierre à voix basse à sa tante Marie en indiquant de la tête Émile Deschamps qui se dirigeait vers leur petit groupe.

— Ah non! Qu'est-ce qui lui prend de s'occuper de moi tout d'un coup? demanda la sexagénaire en voyant le vieux notaire, nœud papillon au cou et imperméable sur le bras, venir à pas lents vers elle.

— Je pense qu'on va y aller nous autres, dit Diane. Est-ce qu'on vous ramène, Madame Poitras? offrit-elle à Mariette.

Marie mit la main sur le bras de sa sœur Mariette qui vivait avec elle depuis quelques années.

— Tu bouges pas de là, toi, tu m'entends! Si tu me laisses toute seule avec lui, je t'étripe, la menaça Marie.

— Ben non! Tu sais ben que je te laisserai pas toute seule avec ton beau Émile, chuchota Mariette. On sait jamais; depuis que sa vieille mère est plus là pour le surveiller, il est peut-être devenu dangereux.

Diane et Pierre s'éclipsèrent.

Mariette Marcotte s'arrêta sur ces mots. Le notaire arrivait.

— Bonjour mesdames, fit-il, toujours aussi pompeux. La nature nous accorde un agréable répit, dirait-on.

— Bonjour, monsieur Deschamps, lui répondirent en même temps les deux femmes, aussi formelles que lui.

Il y eut un silence embarrassant. Le notaire émit une petite toux avant de se tourner vers Mariette pour lui demander :

— Nous excuserez-vous quelques instants, madame Poitras ? J'aurais un mot à dire à votre sœur.

— Bien sûr, acquiesça Mariette avec une bonne volonté suspecte. Tout le temps que vous voudrez. Marie, je vais traverser et aller acheter une ou deux choses chez Gagnon. Je te retrouve en sortant.

Marie fusilla sa sœur d'un regard plein de rancune avant que cette dernière ne s'esquive.

Quand Mariette sortit de l'épicerie quelques minutes plus tard, elle trouva sa sœur assise à la place du conducteur dans la petite Datsun bleue qui lui appartenait. Marie pianotait avec impatience sur le volant.

Dès que l'auto eut démarré, Mariette se tourna vers sa sœur, intriguée par son silence.

— Est-ce que je peux te demander ce qu'Émile Deschamps te voulait ?

— J'ai ben envie de pas te répondre, dit Marie avec mauvaise humeur. Tu m'avais promis de pas me laisser seule avec lui.

— C'est vrai, mais je pouvais pas faire autrement quand il m'a demandé s'il pouvait te parler seul à seule. De toute façon, tu risquais rien sur le perron de l'église, devant tout le monde.

Il y eut un long silence entre les deux femmes.

— Puis? Est-ce que je vais finir par savoir ce qu'il te voulait?

— Tu le devineras jamais, fit Marie, mystérieuse.

— O.K., je devinerai jamais, mais accouche qu'on fasse baptiser.

— Émile Deschamps vient de me demander s'il pouvait venir me visiter.

Mariette regarda longuement sa sœur.

— Non, c'est pas vrai! Tu veux rire?

— Ben non! Je ris pas. Il avait l'air sérieux. Il a l'air d'avoir oublié que je l'ai renvoyé à sa mère il y a vingt-cinq ans.

— Je me souviens plus, fit Mariette. Combien de temps vous êtes-vous fréquentés?

— Trois ans. Dans le temps, il se décidait pas à me demander en mariage. Sa mère trouvait peut-être que j'étais pas un assez bon parti pour lui. En tout cas, elle avait pas l'air de m'aimer. Pendant ce temps-là, p'pa commençait à perdre patience. La veille de sa mort, il m'avait dit qu'il voulait qu'Émile se déclare ou me lâche.

— Je me rappelle que tu l'as planté là du jour au lendemain quand Jos a commencé à te faire les yeux doux.

— Et je l'ai pas regretté une minute, compléta sa sœur.

— Pas plus que j'ai regretté d'avoir lâché Jérôme Poitras qui me battait pour un oui ou pour un non. J'ai vraiment commencé à vivre le jour où je suis partie de la maison. Tu te rappelles quand je suis arrivée un après-midi chez vous? M'man était dans une colère noire. Quand Jérôme a voulu me forcer à le suivre le lendemain, une chance que c'est Pierre qui s'en est occupé. Si ça avait été m'man, elle l'aurait tué.

— Dans le temps, on était au début de la quarantaine, dit Marie. On était plus des jeunes poulettes, mais... Aujourd'hui, j'ai 67 ans et j'ai pas le goût de recommencer quoi que ce soit. J'ai aimé Jos. C'était l'homme de ma vie, celui qu'il me fallait.

— Oui, mais il est mort depuis sept ans.

— Ça change rien, répliqua vivement Marie.

— Bon! c'est correct, concéda Mariette au moment où la Datsun s'arrêtait près de leur maison. En fin de compte, qu'est-ce que t'as répondu au vieux notaire?

— Je lui ai dit qu'on était rendus trop vieux pour jouer à ces jeux-là.

— Qu'est-ce qu'il t'a répondu?

185

— Il m'a répondu qu'il m'attendait depuis des années et qu'il s'était jamais marié parce qu'il m'avait jamais oubliée. J'ai pas osé lui parler de sa mère. La vérité est que quand elle est morte — il me semble que c'était en 1965 - il avait pas encore trouvé une fille capable de plaire à sa vieille mère.

— Si j'ai ben compris, tu lui as dit non, demanda Mariette en descendant de la voiture et en cherchant les clés dans sa bourse pour déverrouiller la porte de la maison.

— Ben...

— Oui ou non? s'impatienta sa sœur.

— J'ai pas osé être aussi directe, fit Marie, un peu gênée. Je lui ai dit que je réfléchirais.

— Est-ce que je dois déjà commencer à me chercher un appartement au village? demanda Mariette, tout de même un peu secouée par la perspective de voir sa sœur fréquentée.

— Il en est pas question, répliqua Marie d'un ton sans réplique. Je lui ai pas dit non parce que je trouvais qu'il faisait pitié. Puis, tu connais assez Émile Deschamps pour savoir qu'avant qu'il parle de me traîner au pied de l'autel, on va être mortes de vieillesse toutes les deux, toi et moi, et ça va faire longtemps que les os nous feront plus mal.

— C'est vrai que ton Émile a jamais été un vite.

— Pas «mon Émile», Mariette, l'Émile à sa mère.

****

Après la messe, Claudette Leduc entra dans la sacristie sans frapper, comme si elle était chez elle. La présidente de la fabrique était soigneusement coiffée et bien habillée, comme d'habitude. Elle jeta un regard de propriétaire autour d'elle avant de s'adresser au curé Lanctôt en train de retirer ses habits sacerdotaux.

— Une fois, madame, vous allez me surprendre en petite tenue si vous ne frappez pas avant d'entrer, lui fit remarquer le pasteur avec un certain agacement.

La remarque sembla laisser de glace la femme.

— Vous inquiétez pas, monsieur le curé, j'ai un mari et trois garçons et je sais comment un homme est fait. Ça me gêne plus depuis ben longtemps de les voir en petite tenue.

— Tout de même, madame.

Claudette Leduc eut un geste de la main pour signifier que cela avait peu d'importance.

— Je voulais juste vous apprendre une bonne nouvelle, monsieur le curé.

— Ah oui! fit le curé. Elle va être bienvenue. Qu'est-ce que c'est?

187

— Hier, nous avons fini de faire le tour des familles de la paroisse et on a reçu à peu près toutes les répartitions. Cette année, on a ramassé presque 4000 piastres de plus que l'année passée et en plus, on a le double pour la lampe du sanctuaire et les messes. On a même trois familles qui ont donné 1500 piastres.

— C'est une belle générosité.

— Ça fait que si vous êtes d'accord, poursuivit Claudette Leduc, on va avoir assez d'argent pour garder madame Dubé comme ménagère, à la condition que vous soyez toujours prêt à dire les messes de la semaine dans la sacristie l'hiver prochain.

— Il y a pas de problème pour les messes dans la sacristie, fit le prêtre, soudainement de meilleure humeur. Cette nouvelle me soulage vraiment, madame Leduc. Franchement, je me voyais pas faire la cuisine et le ménage.

— C'est triste à dire, monsieur le curé, mais vous êtes aussi pire que la plupart des hommes. Il vous faut une femme pour tout faire à votre place sinon vous êtes tout perdu. À dire vrai, le pape devrait permettre le mariage des prêtres juste pour cette raison-là.

— Tout de même, madame, il faut pas exagérer, répliqua Charles Lanctôt, piqué au vif par la remarque désagréable. Il y a une foule de choses que je suis capable de faire. Et pour ce qui est du mariage des prêtres, je suis pas certain que ce soit une si bonne idée que ça. À voir le caractère de certaines femmes, j'ai bien peur que beaucoup de prêtres préféreraient se laisser mourir de faim plutôt que de se marier.

Claudette Leduc salua le prêtre d'un air gourmé avant de sortir de la sacristie. Charles Lanctôt, mis de bonne humeur autant par la bonne nouvelle qu'il venait d'apprendre que par sa dernière réplique à la présidente de la fabrique, prit son parapluie et sortit par la porte située au fond de la sacristie. Au moment où il mit les pieds à l'extérieur, les vannes du ciel s'ouvrirent à nouveau et un véritable déluge se mit à tomber.

****

Le prêtre laissa tomber la dignité ecclésiastique et il courut jusqu'au presbytère. Il escalada rapidement la douzaine de marches qui menaient à la porte d'entrée. Rendu sur la galerie, il prit le temps de refermer son parapluie et il jeta un coup d'œil autour de lui. La rue Principale s'était vidée en un clin d'œil. En face, il ne restait que deux voitures stationnées devant l'épicerie qui fermerait ses portes dans quelques minutes pour le court congé hebdomadaire de Laure et Marcel Gagnon. À côté de l'épicerie, le docteur Babin fumait paisiblement un cigare sur son balcon en attendant probablement que sa femme l'appelle pour dîner. Entre les deux édifices, il voyait le mince ruban gris foncé de la Nicolet. En tournant la tête à gauche, il n'apercevait que le capot jaune des autobus scolaires stationnés au garage Cadieux avant que la rue Principale ne plonge vers le pont. À sa droite, la masse de l'église lui cachait la caisse populaire et le Petit Foyer.

Le curé se décida finalement à entrer dans son presbytère humide et il poussa la porte de la cuisine. À la vue du balai brisé appuyé dans un coin de la pièce, le prêtre éprouva une soudaine envie de se précipiter à l'épicerie d'en face pour en acheter un neuf, mais à la pensée de la forte pluie qui tombait, il préféra renoncer. Il en serait quitte pour fournir des explications embarrassées à Laure Dubé le lendemain matin.

Il ouvrit la porte du réfrigérateur et il en sortit deux œufs et un litre de lait.

— Une omelette, madame Leduc, dit-il à haute voix, ça, je suis capable de me la préparer et j'ai pas besoin d'une femme pour le faire.

Le quinquagénaire s'arrêta brusquement et regarda autour de lui d'un air inquiet.

— Il va tout de même falloir que j'arrête de me parler tout seul. Je le fais de plus en plus souvent. Si je continue comme ça, je vais finir dans une camisole de force.

Il cassa ses œufs dans un bol et il les brassa avant de laisser couler doucement le mélange dans une poêle qui chauffait déjà à feu doux. Pendant que l'omelette commençait à cuire lentement sur la cuisinière électrique, il s'empressa d'aller jeter un coup d'œil dans sa chambre où, au début de l'avant-midi, il avait placé à contrecœur deux trappes à souris sur lesquelles il avait déposé un peu de beurre d'arachide après avoir tendu le ressort. En entrant dans la pièce, il espérait que les pièges étaient demeurés vides.

Malheureusement, Charles Lanctôt découvrit chacune de ses deux trappes occupées par un mulot à qui la gourmandise avait été fatale. L'ecclésiastique eut un mouvement de recul en découvrant les deux bêtes mortes. Il retourna rapidement dans la cuisine pour éteindre le feu sous son omelette et il s'assit à la table en se demandant ce qu'il devait faire. Devait-il se débarrasser des corps avant ou après le dîner ? À la seule pensée de ce qui l'attendait, le pauvre homme en avait des sueurs froides. S'il disposait des mulots avant le dîner, il savait qu'il perdrait l'appétit. S'il procédait après le repas, il ne digérerait pas. Le dilemme lui enlevait tous ses moyens.

Après quelques instants de réflexion, une solution s'imposa à son esprit et lui redonna du courage.

Le curé Lanctôt se précipita dans l'entrée de la cave et il s'empara d'une pelle. D'un pas conquérant, il entra dans sa chambre, armé de sa pelle et du reste du manche du balai fracassé le matin même. En moins d'une minute, le prêtre poussa dans la pelle les deux trappes et leurs occupants et il n'eut qu'à ouvrir la porte de la cuisine qui donnait sur l'arrière du presbytère pour lancer à la volée le contenu de la pelle.

— Que le diable emporte les trappes! s'écria-t-il. J'en achèterai d'autres avec un nouveau balai demain matin.

Chapitre 12

Quota et contrat

Le lundi matin, le beau temps et la chaleur étaient revenus. Il ne restait des averses abondantes de la veille que de larges flaques d'eau au milieu de la route, flaques que le soleil ferait disparaître rapidement.

Le temps de la première coupe de foin était venu. Certains cultivateurs avaient beau compter de plus en plus sur l'ensilage du maïs à l'automne pour nourrir leurs bêtes, il n'en restait pas moins que le fourrage représentait encore une bonne partie de l'alimentation de leur troupeau.

Après avoir fait son train et avant d'aller déjeuner, Richard Bergeron s'avança à une dizaine de mètres dans le champ situé derrière son étable. Le petit homme regarda lentement le foin autour de lui et il frappa le sol boueux de son pied. « Après le dîner, se dit-il avec satisfaction, le foin sera assez sec. On va pouvoir commencer à le couper, à moins que la terre soit trop molle pour supporter le poids de la machinerie. » Il tourna les talons et rentra à la maison où Jocelyne et leurs deux fils l'attendaient pour manger.

La jeune femme servit du gruau à son compagnon et aux deux garçons de 8 ans et de 12 ans avant de s'asseoir à un bout de la table pour manger à son tour.

— Tu te rappelles que c'est demain soir qu'il y a une réunion pour l'école du village ? demanda Jocelyne.

— Ils ont passé l'année à nous casser les pieds avec toutes sortes de réunions, ronchonna Richard, il me semble qu'ils pourraient nous sacrer patience durant les vacances d'été.

— C'est important, Richard. La commission scolaire parle sérieusement de fermer l'école en septembre prochain. Jean-Pierre et Sylvain seraient obligés d'aller à l'école de Sainte-Monique.

— Pis après ? Ce serait pas au bout du monde. Ils vont avoir un autobus jaune pour les voyager, non ?

— Voyons, Richard ! se révolta la jeune femme. Y as-tu pensé une minute ? Il y a pas de raison pour que notre école ferme, tandis que celle de Sainte-Monique resterait ouverte. Là-bas, ils ont pas plus d'enfants que nous autres. Pourquoi ce serait la nôtre qui devrait fermer ? Ça vaut la peine de se battre pour la garder ouverte. Les enfants vont avoir à faire plus que 30 km par jour si l'autobus est obligé de faire le tour de tous les rangs de la paroisse avant d'aller à Sainte-Monique. En plus, les enfants pourront plus venir dîner à la maison.

— Ça en fait toute une différence, dit Richard, gagné peu à peu par la mauvaise humeur. Ils venaient pas plus quand ils allaient à l'école au village.

— Fais-moi pas parler pour rien, dit Jocelyne en haussant la voix. Tu sais ben qu'ils allaient toujours manger chez tes parents au Petit Foyer. Ils étaient pas pris pour manger des sandwiches tous les midis.

— O.K., O.K., énerve-toi pas. Si je suis pas pris pour entrer le foin, on va y aller à ta maudite réunion. Qui va garder les petits?

— On est assez vieux pour rester tout seuls, dit Sylvain en relevant la tête.

— Toi, mange et mêle-toi pas de la conversation des adultes, lui ordonna sèchement sa mère. On demandera à Sylvie, à côté. Ça la dérangera pas de venir les garder une heure ou deux.

Après le déjeuner, Richard Bergeron sortit de sa grange le lance-balles pour huiler et graisser ce qui devait l'être. Le quadragénaire voulait surtout s'assurer que la machine était en parfaite condition et qu'elle ne le laisserait pas tomber au milieu du champ au moment où il serait en train de charger le foin le lendemain.

Vers 11 heures, il entendit une voiture freiner devant l'entrée de sa cour. Il releva la tête de l'engrenage qu'il était en train de graisser et il aperçut la Pontiac verte du facteur. L'employé de la poste avait déposé le courrier dans sa boîte aux lettres et il avait relevé le drapeau rouge avant de démarrer vers la maison de Marie Marcotte et celle de son frère.

Richard songea subitement qu'il venait peut-être de recevoir sa paie pour tout le lait que le camion de la coopérative était venu chercher quotidiennement depuis le début du mois. Il était curieux de savoir combien de livres de lait ses vaches avaient donné et combien de centaines de dollars ça lui avait rapporté. À vue de nez, s'il tenait compte du nombre de ses vaches, il s'attendait à recevoir entre sept cents et huit cents dollars, peut-être même un peu plus. Il s'essuya les mains à un vieux chiffon qui dépassait de la poche arrière de son pantalon et il traversa la cour.

Le petit homme vida sa boîte aux lettres et abaissa le drapeau rouge. Il trouva une enveloppe de la coopérative avec deux prospectus, le journal régional et le compte d'électricité. En passant près de la maison, il ouvrit la porte de la cuisine d'été et il laissa tomber sur la table les prospectus et le journal et il sortit à l'extérieur. Il s'assit sur la première marche de l'escalier pour ouvrir d'abord l'enveloppe du compte d'électricité : rien d'exceptionnel, si ce n'était une légère baisse de la consommation. Il ouvrit ensuite l'autre enveloppe et il y trouva, comme prévu, son chèque de paie.

Les yeux de Richard allèrent tout de suite au montant inscrit sur le chèque.

— Ah ben sacrement ! jura-t-il.

Il tâta frénétiquement la poche de sa chemise à la recherche de ses lunettes qu'il refusait obstinément de porter pour autre chose que pour lire, et encore. Il ne les trouva pas.

— Jocelyne! Jocelyne! hurla-t-il. Où est-ce que t'es encore?

— Je suis là, répondit sa compagne de la fenêtre de la chambre de Sylvain, à l'étage. Je suis en haut en train de nettoyer les chambres. Qu'est-ce qui se passe?

— J'ai besoin de mes lunettes et je les trouve pas.

— Je les ai vues sur la télévision dans le salon.

Richard retourna dans la maison en coup de vent, trouva ses lunettes et les chaussa. Il regarda son chèque : deux cent vingt-six dollars.

— C'est quoi ça? Ça peut pas être ma paie pour un mois! s'exclama-t-il. Ils ont fait une erreur, c'est sûr, dit-il à haute voix. Jocelyne, viens voir. Il y a quelque chose qui marche pas.

La jeune femme descendit l'escalier et alla retrouver Richard qui s'était laissé tomber sur une chaise de cuisine.

— Qu'est-ce qu'il y a encore? demanda-t-elle sur un ton excédé.

— On vient de recevoir le chèque de la coopérative. Tiens, regarde.

Jocelyne prit le rectangle de papier jaunâtre et regarda le montant, sans comprendre.

— Il y avait pas une lettre avec le chèque? demanda-t-elle.

Richard prit une feuille dans l'enveloppe et la lui tendit.

— C'est tout ce qu'il y a avec le chèque.

La jeune femme se plaça près de la fenêtre pour avoir un meilleur éclairage et elle prit le temps de lire le document attentivement avant de se tourner vers son compagnon.

— C'est ben simple. La coopérative dit que t'as dépassé ton quota de lait depuis le 20. Elle te charge le transport du lait depuis cette date-là et elle ajoute des amendes. C'est pour ça que t'as pas plus sur ton chèque.

— Quoi! Es-tu après me dire qu'ils me prennent mon lait sans me donner une cenne et qu'en plus, ils me font payer le transport et des amendes?

— Ça en a tout l'air.

— Mais c'est une maudite bande de voleurs! s'emporta le quadragénaire en se levant précipitamment de sa chaise. J'ai pas le droit de jeter mon lait et je dois payer pour le faire transporter... J'ai envie d'aller en parler à André Marcotte pour savoir ce qu'il en pense, lui.

— À ta place, Richard, j'irais plutôt en parler à Cyrille ou à Bruno Lequerré. Ils ont tous les deux à peu près le même quota de lait que nous autres. Marcotte a cinq fois plus de vaches que nous autres et il doit pas avoir ce problème-là.

— Ouais! T'as peut-être raison. Donne-moi la lettre. Je vais aller dire deux mots à Cyrille. J'ai pas besoin de parler à Lequerré; j'aime autant pas voir la face du Français... Il me tape sur les nerfs.

Sur ces mots, Richard mit sa casquette et sortit. Deux minutes plus tard, Jocelyne le vit passer, perché sur son tracteur; il se dirigeait vers la ferme voisine.

Le hasard voulut que Bruno Lequerré venait d'arriver chez son beau-frère, de retour de l'hôpital où Aurore avait subi sa biopsie au début de l'avant-midi. En voyant le mari de sa cousine en grande conversation avec Cyrille dans l'entrée de sa grange, Richard eut envie de faire demi-tour. Mais il n'en eut pas l'occasion. Les deux hommes l'avaient vu entrer dans la cour sur son tracteur et ils lui faisaient signe de venir les rejoindre.

Il arrêta son véhicule près des deux hommes. Après une brève hésitation, il éteignit le moteur et descendit de son tracteur. Cyrille lui serra la main et Bruno fit de même. De toute évidence, Bruno Lequerré avait déjà oublié leur brouille du mois précédent. Il n'avait plus qu'à en faire autant.

— Qu'est-ce qui t'amène? lui demanda Cyrille.

— Ça, lui répondit Richard en lui tendant son chèque et la lettre explicative.

— Sacrifice! Tes vaches t'ont pas rapporté grand-chose ce mois-ci, mon Richard! s'exclama son cousin en montrant le chèque à Bruno.

— Tout ça parce que t'as dépassé ton quota, je suppose.

— Ben oui, fit Richard, plus découragé qu'en colère. Je suis tout de même pas pour poser des robinets aux pis de mes vaches...

— C'est la première fois que ça t'arrive? demanda Bruno.

— À ce montant-là? Oui. Comment ça se fait que ça vous arrive jamais de dépasser votre quota, vous autres?

— Ça nous arrive, ricana Cyrille, mais on s'arrange. Ça fait trois semaines que je surveille pour arriver juste.

— Qu'est-ce que tu fais?

— Je m'organise avec Bruno, avec Beaulieu ou avec Pierre. Quand j'ai un surplus de lait, j'en mets quelques bidons de côté tous les matins pour un ou l'autre qui est pas rendu à la limite de son quota. De cette façon-là, je suis pas pénalisé et lui, ça lui donne le lait qui lui manque. Quand la paie arrive, on s'arrange entre nous autres.

— Oui, mais il faut faire attention, ajouta Bruno. Ils sont pas bêtes à la coopérative. On échange pas trop de lait pour que le taux de gras soit à peu près pareil. S'ils se rendaient compte d'une trop grande différence, ils enquêteraient. On n'a pas le droit de faire ce genre d'échange-là.

— Comment ça se fait que vous m'en avez jamais parlé? demanda Richard, frustré d'avoir été mis à l'écart de l'entente.

— Tout simplement parce que tu ne nous as jamais dit que tu avais des ennuis avec ton quota. On croyait que tout allait bien pour toi. Mais si tu veux te joindre à nous pour l'année prochaine, on va te faire une place.

— O.K., j'accepte. Bon, il me reste encore cinq jours avant la fin de l'année.

— Pourquoi tu ferais pas venir un fromager ? demanda Cyrille. Tu as le droit de le faire. Tu gardes tout ton lait et tu paies le fromager pour qu'il te fasse tout le fromage que tu veux.

— Tu peux le congeler et tu peux en vendre en cachette à des gens en qui t'as confiance, ajouta Bruno en baissant la voix. Si tu le vends 75 cents ou une piastre de moins que sur le marché, tu vas t'apercevoir que c'est facile à vendre.

— Fais ben attention à qui tu le vends, par exemple, le prévint Cyrille. Tu te rappelles que tu peux perdre ton quota et même ton troupeau si un inspecteur t'attrape à vendre du fromage.

— Inquiète-toi pas. Je pense que c'est ce que je vais faire. Mais ça tombe mal en maudit, juste au moment où je commence les foins.

— Au fond, c'est pas ben compliqué, dit Cyrille. T'appelles la coopérative pour avertir de pas venir chercher de lait jusqu'au 1er juillet puis tu t'arranges avec un fromager indépendant. Moi, ça fait trois ans que j'ai pas fait venir de fromager, mais si t'en veux un bon, prends Cholette de Saint-Cyrille. Il arrive avec tous ses vaisseaux et il fait du vrai bon fromage, meilleur que celui de Dupré, au village.

— Est-ce qu'il est cher? demanda Richard.

— Il est pas donné, lui répondit son cousin, mais tu vas t'apercevoir que ça va tout de même te coûter moins cher que de payer des amendes et du transport.

Quelques minutes plus tard, Richard quitta les deux hommes et revint à la maison. Jocelyne approuva sans retenue sa décision de faire appel à un fromager et elle téléphona elle-même à la coopérative et à Cholette. Ce dernier accepta de venir le vendredi suivant et il précisa ses exigences à la jeune femme.

Au milieu de l'après-midi, Richard Bergeron jugea que le sol était assez durci pour supporter le poids de la machinerie. Il installa la faucheuse à l'arrière de son tracteur et il entra dans son champ. Il n'existait aucun travail qu'il préférait à celui-là. Il adorait se retrouver seul, juché sur son tracteur, au milieu de son champ. Il regardait le foin ondoyer doucement sous la brise jusqu'à l'orée du bois. Si rien ne venait le retarder, il aurait le temps de couper le foin de la moitié de son champ avant l'heure du train.

****

Vers 20 heures ce soir-là, quand André Marcotte rentra du travail avec son père, son fils et Daniel

Lacoste, Louise invita son mari à rappeler sans tarder le notaire Deschamps.

— Est-ce qu'il t'a dit ce qu'il me voulait? demanda André, fatigué.

— Non, il m'a juste dit que c'était important.

André alla dans la pièce voisine et appela le notaire pendant que Lacoste montait à sa chambre faire un brin de toilette. Quand André revint dans la cuisine d'été, deux minutes plus tard, il se frottait les mains de contentement et un large sourire illuminait sa figure.

— Ça y est, c'est réglé, fit le cultivateur triomphant.

— Quoi? demanda son père.

— Deschamps a reçu aujourd'hui tous les papiers de dézonage et le contrat est prêt. Il a même appelé Baril. Il est d'accord pour passer chez le notaire demain après-midi. Qu'est-ce que vous en pensez, le père?

— Une ben bonne nouvelle, fit Jocelyn. Est-ce que Deschamps t'a donné une idée de ce que tout ça va nous coûter?

— Je lui en ai parlé. Il m'a dit que ses honoraires seraient ben raisonnables, comme d'habitude.

— De toute façon, vous allez le savoir demain, intervint Pierrette.

André se tourna vers sa femme.

— On dirait que t'as pas l'air contente qu'on fasse une bonne affaire !

— J'appelle pas ça une bonne affaire de tromper tout le monde, dit sombrement sa femme. Il me semble qu'on a ben assez d'argent pour vivre sans être obligés de faire des affaires comme ça.

Sur ces mots, Louise prit le livre de Gabrielle Roy qu'elle était en train de lire et elle alla lire sur le balcon.

Tout le monde se tut quand Lacoste descendit de sa chambre. S'apercevant que sa présence gênait, l'employé sortit de la maison et alla s'asseoir dans la balançoire placée sur le côté de la maison. Quelques instants plus tard, il fut rejoint par Pascal. Un simple coup d'œil avait appris au Gaspésien que la femme du patron ne partageait pas l'allégresse de son mari et de ses beaux-parents.

****

Le lendemain après-midi, André et son père allèrent chez le notaire Deschamps. Dès leur entrée dans l'étude, ils reconnurent le grand homme maigre et maniéré assis devant le bureau du vieux notaire.

Claude Baril se leva pour serrer la main des deux nouveaux arrivés. Jocelyn et André avaient eu deux longs entretiens avec l'homme d'affaires au mois de janvier précédent, entretiens où ils s'étaient mis d'accord tant sur le prix que sur les conditions de la vente.

Émile Deschamps se racla la gorge avant d'entreprendre la lecture fastidieuse du contrat dans lequel il était stipulé que Jocelyn et André Marcotte vendaient pour la somme de soixante-dix mille dollars l'île Ouellet au groupe Les Gais Amis représenté par Claude Baril, le président de l'association. Les vendeurs assumaient les frais d'arpentage et de dézonage de l'île et accordaient un droit de passage jusqu'à l'île sur leur lot 336 jusqu'à l'an 2010.

Baril tendit au notaire un chèque visé de soixante-dix mille dollars que ce dernier remit cérémonieusement à André. Des signatures furent apposées au bas des exemplaires de contrat et l'homme de loi remit un document à chacun.

Il y eut une dernière poignée de mains et Claude Baril quitta les lieux, apparemment satisfait de la transaction qu'il venait d'effectuer.

Quand la porte de l'étude se fut refermée sur l'acheteur, André Marcotte sortit son chéquier et attendit qu'Émile Deschamps ait repris sa place derrière son bureau.

— Je pense qu'on est aussi ben de régler toute l'affaire aujourd'hui, dit André, en regardant son père.

Ce dernier hocha la tête en signe d'approbation.

— Combien on vous doit, monsieur Deschamps?

Sans se lever, le vieux notaire sortit une chemise cartonnée du vieux classeur situé près de son bureau. Il la déposa devant lui et se mit à consulter les quelques feuilles qu'elle contenait en jetant quelques chiffres sur un bloc-notes.

— Si je tiens compte des recherches, des démarches entreprises pour obtenir le dézonage, l'enregistrement des certificats d'arpentage et des autres documents que j'ai dû rédiger, mes honoraires se chiffrent à 2 653,28 dollars.

André était déjà assis au bout de son siège, son chéquier ouvert sur le coin du bureau. En entendant ce montant, il recula brusquement et il déposa son stylo.

— Un instant, monsieur Deschamps, fit André Marcotte, je pense qu'il y a quelque chose qui va pas. On vous a déjà payé le contrat d'achat de l'île l'automne passé. Aujourd'hui, c'est Baril qui vient de vous payer le contrat pour la même île. C'est toujours l'acheteur qui paie le contrat, non?

— Évidemment, fit Émile Deschamps avec condescendance. Je n'essaie pas de vous faire payer un contrat déjà payé par votre acheteur, monsieur Marcotte. Ce que je vous facture, ce sont les démarches et documents dont je me suis occupé depuis l'hiver dernier. Je vous prie de me croire quand je vous dis que je vous fais vraiment un bon prix. Beaucoup de mes confrères vous auraient demandé le double de mes honoraires pour ce travail.

Les deux Marcotte cachèrent leur mécontentement sous un pâle sourire sarcastique et André libella un chèque au nom du notaire et il le remit à ce dernier en échange d'un reçu.

En montant à bord de sa Ford grise, André dit à son père :

— Émile Deschamps vient de s'occuper de sa dernière affaire pour nous. Il nous tondra pas comme ça deux fois, je vous le garantis. Un notaire, on va en trouver facilement un moins cher à Drummondville.

— À moins qu'il se remette à fréquenter ta tante Marie...

— Comment ça? demanda André, surpris par la remarque de son père.

— T'as pas remarqué qu'Émile Deschamps tourne autour de ta tante après la messe, le dimanche. Ça fait deux dimanches que je le vois essayer de lui parler.

— Ah ben! on aura tout vu! s'exclama André.

Chapitre 13

L'école du village

Ce mardi soir-là était une véritable soirée de juin à Saint-Anselme. Au village, l'air embaumait le gazon fraîchement coupé et les fleurs. Cependant, à certains moments, des effluves beaucoup moins agréables venaient de la rivière et de certains terrains.

On entendait des cris d'enfants qui jouaient à se poursuivre dans la cour de l'école et sur les trottoirs. À l'autre bout du village, quelques adolescents désœuvrés étaient assis sur les tables à pique-nique disposés devant le restaurant Gadbois. Cigarette aux lèvres, ils sirotaient un coca et discutaient de leur prochaine sortie, sans perdre de vue leur moto ou leur auto, prêts à intervenir si quelqu'un s'en approchait trop. De toute évidence, les adolescents attendaient l'arrivée des filles pour savoir ce qu'ils feraient de leur soirée.

Un peu avant 20 heures, la rue Principale s'anima brusquement. Des autos se mirent à arriver de partout. Leur conducteur les laissait le long des trottoirs et dans le stationnement de l'église. Des gens se dirigeaient lentement vers l'école dont les portes étaient ouvertes. Le vieux Eugène Dalpé, le concierge, avait ouvert toutes les fenêtres du gymnase après avoir aligné plusieurs rangées de chaises face à l'estrade dressée au fond de la grande salle.

Quand Brigitte, Cyrille, Aurore et Bruno arrivèrent ensemble dans le gymnase, ce dernier était déjà à demi rempli d'habitants de Saint-Anselme. Le brouhaha des conversations était assourdissant. Brigitte repéra Jocelyne et Richard, assis à l'avant de la salle, à gauche de l'estrade. Elle entraîna les autres dans cette direction.

— Avez-vous de la place pour nous quatre ? demanda-t-elle au couple qui ne les avait pas vus venir.

— Ben oui, fit Jocelyne en souriant. Ça va nous faire du monde avec qui jaser.

Richard avait l'air plus détendu que la veille et il invita Cyrille et Bruno à s'asseoir à côté de lui.

— Je disais justement à Jocelyne que je pensais pas que tant de monde viendrait, dit-il. Il y en a beaucoup qui ont pas d'enfant à l'école du village qui sont venus quand même.

— Comme nous autres, fit Aurore. Nos enfants sont venus à l'école au village et c'est important que les enfants en âge d'aller à l'école primaire puissent en faire autant.

— On voit pas pourquoi ils devraient voyager en autobus, ajouta Brigitte.

— Tiens, mon père et ma mère avec Pierre et Diane, dit Richard en regardant vers la porte. Pierre a dû vouloir aller chercher son père et sa mère au Petit Foyer et ils ont pas voulu venir. Mon oncle Bernard et ma tante Pauline sont de plus en plus casaniers, on dirait.

Richard se leva et fit signe aux nouveaux arrivés de venir se joindre au groupe.

À 20 heures, un peu plus de deux cents personnes avaient pris place dans la salle. Trois hommes et l'incontournable Claudette Leduc étaient assis sur des chaises de la première rangée et discutaient entre eux à voix basse, comme s'ils avaient été seuls dans la salle. Lorsque Claudette Leduc se leva, ils l'imitèrent et ils allèrent s'installer derrière la longue table posée au centre de l'estrade. Leur entrée en scène fit taire une partie de l'assistance.

Un quinquagénaire ventru, vêtu d'un costume beige et cravaté, examina la foule d'un air important et chuchota quelques mots aux deux hommes chauves qui avaient pris place à ses côtés pendant que la présidente du comité de parents s'emparait du micro.

Le silence s'établit peu à peu dans la salle.

— Mesdames et messieurs, nous vous remercions de vous être déplacés si nombreux ce soir pour la défense de notre école primaire, dit Claudette Leduc en affichant son plus chaleureux sourire. Je vous ai invités à titre de présidente du comité des parents à rencontrer le président, le directeur général et un commissaire de la régionale Les Bouleaux de qui dépend la survie de notre école. Avant que monsieur Yves Belcourt, le président de la commission scolaire, vous explique pourquoi il lui semble nécessaire de fermer notre école, j'aimerais d'abord vous communiquer quelques explications.

— Vas-y, Claudette, explique-nous ça. On a juste ça à faire : t'écouter, fit une voix masculine dans la salle.

— Mais exagère pas ; on n'a pas toute la nuit, ajouta une autre voix tout aussi anonyme.

Il y eut quelques éclats de rire et des « chut », mais la représentante des parents ne perdit pas pied pour autant.

— Le mois dernier, poursuivit-elle avec un sourire contraint, un représentant des professeurs nous a appris que les enseignants avaient été avisés par lettre qu'ils seraient affectés à l'école de Saint-Cyrille ou à celle de Sainte-Monique en septembre prochain. Le directeur de l'école a expliqué aux enseignants que les commissaires avaient pris la décision de fermer l'école de Saint-Anselme parce qu'il n'y avait pas suffisamment d'inscriptions pour septembre 1980. On lui aurait dit que nos enfants seraient envoyés à l'école de Sainte-Monique l'an prochain. Après vérification, nous avons appris qu'il y avait autant d'enfants inscrits à notre école qu'à celle de Sainte-Monique. À la réunion de comité de parents du début du mois de juin, nous avons essayé d'obtenir des éclaircissements de la régionale, mais personne n'avait le temps de se déplacer pour venir nous rencontrer. À force d'insister, nous avons finalement obtenu que, ce soir, monsieur Belcourt, monsieur Sénécal et monsieur Morin viennent nous expliquer pourquoi on a pris cette décision. En terminant, je vous fais remarquer que tous les membres du comité de parents, la direction et les professeurs de notre école sont tous présents ce soir.

Il y eut quelques applaudissements pendant que Claudette Leduc plaçait le micro devant Yves Belcourt, le président de la régionale Les Bouleaux. L'homme ne fit pas un mouvement pour se lever. Il avait décidé de s'expliquer et de répondre aux questions confortablement assis, retranché derrière la table.

— Mesdames, messieurs, fit-il d'une voix posée et bien modulée, il me fait plaisir de venir vous rencontrer ce soir...

— Je comprends que ça te fait plaisir, fit une voix dans la salle, il a fallu te tordre le bras pour que tu viennes.

Belcourt regarda la foule de visages levés vers lui, cherchant à identifier la personne qui venait de parler.

— J'aimerais que les personnes qui veulent intervenir se lèvent et demandent la parole, fit-il en parlant un peu plus fort.

— On se lèvera quand tu seras assez poli pour te lever toi-même quand tu nous parles, fit la même voix.

— Si vous voulez, concéda Belcourt qui eut l'air de se rendre compte brusquement qu'une bonne partie de l'assistance lui était ouvertement hostile.

Le président se leva et saisit le micro d'une main assurée et il vint prendre place devant la table pour bien montrer qu'il ne craignait pas les contradicteurs.

— Vous le savez comme moi que le ministère de l'Éducation a regroupé depuis une dizaine d'années les petites commissions scolaires locales en de grands ensembles: les commissions scolaires régionales. La régionale Les Bouleaux couvre un vaste territoire qui comprend la ville de Drummondville et neuf petites municipalités. En peu d'années, nous sommes parvenus à bâtir trois polyvalentes capables d'offrir un grand choix d'options à nos jeunes. Nous avons aussi mis sur pied un transport scolaire de premier ordre et nous avons réparé et modernisé la plupart des écoles de village dont nous avons hérité. D'ailleurs, votre école a été rénovée il y a à peine cinq ans.

Il y eut dans la salle des marques d'approbation. Le président de la régionale en tira un certain réconfort. Il reprit donc avec une assurance accrue.

— Vous avez aussi certainement remarqué que vos taxes scolaires ont beaucoup augmenté en quelques années parce qu'il fallait payer toutes ces améliorations. Tout coûte si cher aujourd'hui qu'on ne peut pas se permettre de jeter l'argent par les fenêtres. Je suis certain que vous ne l'accepteriez pas. C'est de l'argent de vos taxes scolaires qu'il s'agit. On a reçu un mandat des électeurs: celui de gérer correctement leur argent. Une école, même petite, coûte cher à entretenir et à chauffer. Le ministère, en plus, impose des règles de fonctionnement très strictes. Par exemple, il n'accorde un enseignant que si on a 26 élèves au primaire et 32 au secondaire. Ça, ce sont des réalités incontournables. Or, en septembre prochain, il y aurait eu moins de trois classes dans votre école qui en a déjà abrité huit. On n'avait pas le choix: les 70 élèves inscrits devaient être relocalisés ailleurs. On a choisi Sainte-Monique parce que c'était l'école la plus proche.

Une dame Langlois se leva.

— Oui, madame ?

— On sait que l'école de Sainte-Monique aura pas plus d'élèves que la nôtre l'année prochaine. Pourquoi avez-vous choisi de la garder ouverte plutôt que la nôtre?

— J'allais justement répondre à cette question, madame. Tout simplement parce que l'école est plus neuve. Il n'y a pas d'autre raison. Fin de l'histoire. Je sais que ça ne vous plaît pas, mais comment faire autrement? Si nous avions choisi votre école, ce soir, je serais devant les parents de Sainte-Monique en train de leur expliquer pourquoi j'aurais choisi votre école.

Pendant une ou deux minutes, il y eut des chuchotements dans la salle.

— Monsieur Sénécal, le directeur général de la régionale, ainsi que monsieur Morin, le commissaire qui représente votre secteur, sont aussi à votre disposition pour répondre à vos questions, précisa Yves Belcourt.

Après cette mise au point, le président de la régionale retourna s'asseoir derrière la table et Claudette

Leduc revint au micro dans le but évident de donner la parole aux intervenants de la salle qui voulaient se faire entendre.

René Bigras du rang Saint-Joseph demanda, narquois, à Yves Belcourt si le fait d'habiter Sainte-Monique l'avait aidé à prendre cette décision-là. Le président fit comme si cette question ne dissimulait pas une attaque personnelle.

— Cette décision, monsieur, a été prise à l'unanimité par tous les commissaires.

Durant près de trois quarts d'heure, différentes personnes reprochèrent au président de la régionale et au commissaire d'avoir agi hypocritement dans le dos des gens de Saint-Anselme. Certains posèrent des questions surtout au directeur général, voulant l'amener à admettre qu'il existait des moyens de sauver l'école de Saint-Anselme. Ils en furent pour leurs frais. L'administrateur disait haut et fort être prisonnier des règles du ministère de l'Éducation et que même les commissaires étaient incapables de changer la décision qu'ils avaient prise.

Finalement, l'assemblée décida, à l'unanimité, de déléguer tout le comité de parents au bureau du député du comté pour que ce dernier fasse des pressions en haut lieu pour sauver l'école du village.

Vers 22 heures, la réunion prit fin dans un beau charivari. Les gens, épuisés par leur journée de travail et incommodés par la chaleur qui régnait dans la salle, manifestèrent bruyamment leur mécontentement.

Plusieurs dirent clairement ce qu'ils pensaient des responsables de leur commission scolaire avant de quitter les lieux.

À leur sortie du gymnase, les Bergeron et les Riopel rencontrèrent Louise Marcotte qui était venue en compagnie de Marie et de Mariette, les deux tantes de son mari. Richard regarda autour avant de demander :

— Tiens, nos voisines. Louise, où as-tu mis ton mari ?

— Il avait affaire à Drummondville, répondit Louise. Tu connais André, ajouta-t-elle, les affaires d'abord.

Diane et Pierre Bergeron s'approchèrent du petit groupe.

— Comme d'habitude, il y avait pas mal moins d'hommes que de femmes à la réunion, dit Diane en clignant de l'œil en direction des femmes présentes.

— C'est vrai, admit Cyrille, mais ceux qui étaient là, c'était les plus beaux et les plus fins.

— Je suis pas sûre de ça, répliqua sa sœur Aurore. D'après moi, ce sont ceux qui sont toujours dans les jupes de leur femme. Ils sont pas capables de s'en passer durant une heure. Ils les suivent partout.

Il y eut un éclat de rire et le groupe se scinda en deux. Pendant que les femmes parlaient entre elles sur le trottoir, Cyrille, Bruno, Richard et son père s'écartèrent de quelques pas pour parler des foins et des fraises qui seraient prêtes dans moins d'une semaine.

Peu à peu, le trottoir se vida et les gens rentrèrent chez eux.

Quand Louise arriva à la maison après avoir déposé chez elles Mariette et Marie, il n'y avait que la lumière de la chambre de Pascal qui était allumée. Elle fit sa toilette et se glissa dans son lit en faisant attention de ne pas réveiller son mari qui dormait déjà à poings fermés.

****

Le lendemain, le ciel était légèrement nuageux et la température un peu plus fraîche que la veille.

Au début de l'avant-midi, après le déjeuner, André Marcotte confia la conduite des deux tracteurs à sa femme et à son père. Dans le champ, son père remplirait une voiture de balles de foin avec le lance-balles remorqué par son tracteur pendant que Louise tirerait avec l'autre tracteur une voiture pleine jusqu'à la grange où elle serait déchargée par Pascal, Daniel Lacoste et le jeune Gagnon.

— Et toi, qu'est-ce que tu vas faire? demanda Jocelyn en se hissant sur le siège du tracteur.

— Je dois aller à Drummondville. Je vais être revenu pour midi.

Le cultivateur rentra dans la maison changer de vêtements et Louise vit avec étonnement son mari, endimanché, monter dans la Ford grise.

Vers 11 heures, Louise aidait son fils et les deux employés à décharger une voiture pleine de balles de foin quand une énorme Cadillac noire entra lentement dans la cour et alla s'arrêter devant la porte du garage. Tout le monde cessa de travailler pendant un instant. Pierrette, qui était en train de préparer le repas du midi, sortit de la maison pour voir qui arrivait.

La porte de la limousine s'ouvrit et André Marcotte en descendit, tout fier de l'effet produit par son arrivée sur les spectateurs. Il fit lentement le tour du véhicule.

Louise quitta les autres et s'avança vers son mari en essuyant la sueur qui lui coulait dans les yeux. Elle arriva sur place en même temps que sa belle-mère.

— C'est à qui ce corbillard-là? demanda-t-elle à André.

— C'est pas un corbillard, c'est une Cadillac Fleetwood de l'année et toute équipée, à part ça, répondit André, éclatant de fierté. Je viens de l'acheter chez Lemaire, à Drummondville.

— T'es pas sérieux, André? demanda sa femme. T'as acheté ton auto ailleurs que chez Laurent et Daniel?

Depuis une dizaine d'années, Laurent et Daniel Marcotte avaient repris le garage de Maurice Marcotte, leur père, et la plupart des membres de la famille les encourageaient en achetant chez eux leur voiture.

— Ils vendent juste du Ford. Moi, je voulais un peu de luxe. Tu vas voir. Quand on va monter en Floride l'hiver prochain, on n'aura pas l'air de tout nus. Le dimanche, quand on va aller à l'église, le monde va nous voir arriver de loin. Même les Camirand ont pas un beau char comme ça.

André ouvrit la portière avant de sa Cadillac et invita sa femme et sa mère à tâter les sièges en cuir gris foncé et à admirer le tableau de bord richement orné de bois.

— Quand on aura le temps, je vous ferai faire un tour. C'est un vrai salon roulant.

— La Ford aurait pu durer encore un bon bout de temps, déclara Louise.

— Aïe! J'ai assez travaillé; je mérite ben de me payer ça, affirma André, dépité du manque d'enthousiasme de sa femme pour son achat.

— T'as pas pensé que cet argent-là aurait pu servir à ben d'autres choses. Ça fait cinq ans qu'on se dit que le set de salon est à changer. La laveuse et la sécheuse sont finies et...

— Ça viendra en temps et lieu.

— Tu t'es fait plaisir, mais les enfants, eux autres? Chaque fois qu'il a besoin d'argent pour s'acheter quelque chose, Pascal doit te supplier. La même chose pour Nicole. Quand je veux une robe neuve, c'est comme t'arracher une dent.

— T'es pas à plaindre pantoute, Louise Bérubé! s'emporta André. Cet argent-là, je l'ai gagné et j'ai le droit d'en faire ce que je veux.

Sur ces mots, il planta là sa femme et sa mère et il se dirigea vers la maison. Cinq minutes plus tard, il sortit, vêtu de ses habits de travail et il rejoignit Pascal et les autres. Il n'avait même pas remarqué que son fils ne s'était pas dérangé pour venir admirer sa nouvelle acquisition.

Le dîner se prit dans un silence pesant. Pierrette et Jocelyn attendirent que les deux employés aient quitté la maison pour dire ce qu'ils avaient à dire.

— Tu t'es acheté tout un char, fit Jocelyn, sans avoir l'air d'y toucher.

André ne dit pas un mot.

— C'est vrai qu'après avoir vendu l'île à ce prix-là, tu pouvais te permettre ça.

— Ah! Parce que l'île est vendue! s'exclama Louise. Je suis ben contente de l'apprendre.

André fit comme si sa femme n'avait pas parlé.

— J'espère en tout cas que tu manqueras pas d'argent si une autre affaire intéressante se présente, ajouta Pierrette.

— Voyons, m'man, vous savez comme moi comment on se fait chaque mois avec notre paye de lait. On a plus que cent vaches. En plus, l'assurance-récolte va encore nous rapporter pas mal cette année.

— Oui, mais on a aussi pas mal de dettes, signala sa mère.

— Des dettes quand on a une terre, c'est normal. Le gouvernement nous prête à un petit taux d'intérêt et c'est facile à rembourser. En plus, il y a pas moyen de faire autrement.

— Tire tout de même pas trop sur la corde avec l'assurance-récolte, André, le prévint son père. Tu tomberas une fois sur un inspecteur qui a les yeux clairs et tu vas y goûter.

— Inquiétez-vous pas, p'pa, j'ai l'habitude. Je sais ce que je fais, dit André en se levant de table.

Louise était déjà debout devant l'évier en train de laver les chaudrons. Sa belle-mère se leva à son tour pour placer dans le lave-vaisselle les assiettes et les tasses sales. Encore une fois, Louise n'avait pas eu son mot à dire. Tout se passait comme si elle n'était pas là. Les décisions étaient prises par André avec la bénédiction de ses parents.

L'épouse d'André Marcotte se hâta de finir le lavage de la vaisselle pour profiter d'une heure de repos avant de reprendre son travail.

Quand elle aperçut André et son père confortablement installés sur le balcon, elle choisit d'aller s'asseoir seule, à l'ombre, dans la balançoire, avec le livre dont elle achevait la lecture. Avant de replonger dans la triste histoire des malheurs de la famille Lacasse, elle regarda longuement les champs qui s'étendaient de l'autre côté de la route, en face de la maison de la tante Marie. Elle avait l'impression que son mari courait devant les ennuis sérieux en trompant les responsables de l'assurance-récolte pour empocher frauduleusement des sommes assez importantes.

À trois reprises, les années passées, il n'avait ensemencé qu'une partie d'un champ ou deux pour réclamer, à la fin de la saison, des indemnités de l'assurance-récolte sous le prétexte qu'il avait perdu sa récolte. Chaque fois, la réclamation avait été honorée. Comme cette dernière n'était faite qu'à l'automne, après les labours, il y avait peu de chance qu'on découvre la supercherie. Selon André, c'était une pratique courante. Plutôt que de laisser un champ en jachère qui ne rapportait rien, on n'en ensemençait qu'une infime partie pour faire croire aux passants et voisins qu'il produisait. De toute manière, il y avait peu de chance qu'un voisin vous dénonce.

Louise était certaine que cela finirait par mal tourner et elle en avait plus qu'assez de cette course au profit qui ne respectait rien. Au moment où elle se penchait vers le livre posé sur ses genoux, elle aperçut Daniel Lacoste, assis un peu plus loin, au pied d'un érable, qui la regardait. Elle lui sourit et se mit à lire.

Quelques jours plus tard, plus personne dans Saint-Anselme n'ignorait qu'André Marcotte était le propriétaire de la grosse Cadillac noire rutilante qui passait de temps à autre dans le village. Les envieux y allaient de leurs commentaires malveillants, mais cela n'empêchait pas le cultivateur de se croire l'objet de l'admiration générale quand il circulait au volant de sa grosse voiture.

****

En ce vendredi matin, chez les Lequerré, Bruno se demandait pour la dixième fois depuis qu'il était debout s'il avait eu raison d'engager Raymond Patenaude pour la saison. Le quinquagénaire se gratta furieusement dans le dos avant de reprendre sa tasse de café.

— Maudits maringouins. Il n'y a que l'hiver qu'ils nous fichent la paix! dit le Français avec mauvaise humeur.

— Bon, le père grognon, qu'est-ce que t'as à matin? demanda Aurore qui l'avait entendu ronchonner. Tu t'es levé du pied gauche ?

— Non, ce n'est pas ça, fit Bruno. C'est Patenaude qui m'agace.

— Momon? Pourquoi? Qu'est-ce qu'il a fait?

— Il n'a rien fait, admit Bruno en baissant la voix. Je me demande seulement si j'ai eu une bonne idée de l'engager.

— Je vois pas pourquoi tu te poses des questions comme ça, fit Aurore. À notre âge, on peut pas faire les foins tout seuls et les enfants ont besoin de gagner de l'argent pour payer leurs études. T'as engagé qui t'as pu.

— Oui, mais Patenaude m'inquiète.

— On le sait que Momon a pas inventé le bouton à quatre trous et que s'il est pas assez fou pour mettre le feu, il est pas assez fin pour l'éteindre, mais il est fort comme un bœuf et il travaille ben si tu le surveilles.

— Oui, je sais tout ça, mais ça me fatigue de le voir tourner autour de la machinerie. Il faut que je le surveille comme un enfant. S'il se blessait, je serais responsable.

— Laisse-le pas monter sur le tracteur et donne-lui de l'ouvrage simple. Le père Lambert l'a engagé durant cinq ans et il a jamais eu de problème avec lui. Donne-lui une chance.

— Bon, ça va. Je m'en fais peut-être trop pour rien, admit Bruno en déposant sa tasse sur la table. Je m'en vais à l'étable. Momon a dû déjà y ramener les vaches.

Chapitre 14

La nouvelle

Les premiers jours de juillet furent remarquablement beaux et chauds pour la plus grande satisfaction des cultivateurs. Ces derniers travaillèrent tous les jours très tard à engranger le produit de la première coupe de foin. Chez la plupart, on installa d'énormes ventilateurs dans les granges pour assécher le fourrage.

Quand les foins furent terminés, on passa à la cueillette des fraises. Les savoureux petits fruits rouges étaient maintenant mûrs.

Chez André Marcotte, les fraises étaient l'affaire exclusive de Louise et de Pierrette. André n'avait jamais été très intéressé par ces fruits délicats qui demandaient à son avis trop de soins pour ce qu'ils rapportaient. Il avait conservé les vieux plants entretenus par ses grands-parents, Eusèbe et Estelle Marcotte, mais il n'avait jamais jugé bon de se lancer dans une culture intensive de ce fruit. Par conséquent, chaque année, Louise et sa belle-mère s'occupaient seules des fraises et partageaient les profits quand elles en vendaient. Mais la plus grande partie de la récolte allait à la confection de confitures dont toute la famille se régalait.

Il en allait tout autrement chez Cyrille Riopel et Richard Bergeron. Les fraises représentaient une partie importante de leurs revenus annuels. Chaque année, les deux voisins se livraient une lutte sourde pour embaucher le plus de cueilleurs possible et il arrivait à l'un ou à l'autre de baisser ses prix pour écouler ses produits plus rapidement que son voisin.

L'idée vint de Jocelyne, l'amie de Richard.

Après le passage de Cholette, le fromager, la jeune femme avait appelé les voisins et les parents en qui elle avait confiance pour leur proposer du fromage frais. Les Gagné, les parents de Richard, Pierre Bergeron, Aurore Lequerré et Brigitte Riopel s'empressèrent de venir tour à tour acheter quelques livres de fromage en grains ou en meule pour aider Richard et sa famille.

Lors de la visite de sa voisine, Jocelyne avait parlé des fraises qui étaient presque prêtes à être cueillies, en regrettant qu'ils se fassent chaque année concurrence.

— On devrait plutôt se mettre ensemble pour engager et pour vendre, suggéra Jocelyne. Nos champs sont voisins. On pourrait même permettre que les gens cueillent eux-mêmes leurs fraises. Il y en a de plus en plus qui le font et ça marche. L'été passé, je suis allée voir deux fermes de Notre-Dame-de-Pierreville où toutes les fraises sont ramassées par les clients. D'après ce que j'ai pu voir, c'était pas pire que ce que nos engagés font. Je dirais même que c'est moins de trouble. En plus, au lieu de louer deux tables au marché et d'être obligés de baisser nos prix, on pourrait en louer juste une et on vendrait toutes les fraises qu'on aurait sans problème. Après, on partagerait les dépenses et les profits en deux.

— Je trouve que t'as une ben bonne idée et c'est comme ça qu'on devrait faire, approuva Brigitte, séduite par l'idée de sa voisine. On perdrait ben moins de temps comme ça. On a à peu près le même nombre de fraisiers. On ferait ramasser les fraises là où elles sont prêtes les premières et il y aurait moins de pertes. J'en parle à Cyrille en rentrant. Penses-tu que Richard va être d'accord?

— Inquiète-toi pas pour ça, j'en fais mon affaire.

Ni l'une ni l'autre n'eut du mal à convaincre son conjoint du bien-fondé de l'idée. Ce fut d'autant plus facile de persuader Richard que depuis quelques jours, il ne pensait qu'à sa laiterie qu'il lui faudrait bien modifier bientôt s'il ne voulait pas être sanctionné.

En moins d'une heure, on s'entendit sur la façon de procéder et sur le travail à effectuer. Jocelyne fit annoncer dans le journal régional l'autocueillette et Brigitte téléphona à tous les jeunes de Saint-Anselme susceptibles d'être intéressés à venir cueillir. Le lendemain, les hommes et les jeunes étendirent de la paille entre les rangs de fraisiers et préparèrent les contenants. Dès le départ, il était entendu qu'on alternerait au marché de

Drummondville où on avait réservé une table le vendredi et le samedi. En plus, on mit en commun les clients à qui on livrait à domicile.

À la surprise générale, tout se déroula sans à-coup dès le premier jour. Les quelques clients attirés par l'autocueillette stationnèrent chez Cyrille où ils étaient accueillis par Isabelle aidée par Sylvie. À leur arrivée, ces deux dernières leur indiquaient où aller et leur fournissaient des contenants s'ils n'en possédaient pas. À leur départ, la grand-mère et sa petite-fille pesaient les fruits cueillis et se faisaient payer.

Dans les champs, les deux familles surveillaient les cueilleurs engagés aussi bien que les clients qui venaient cueillir eux-mêmes leurs fraises. Au début de l'après-midi, Richard et Cyrille déposaient dans la vieille camionnette Ford de Richard ce qui avait été amassé durant l'avant-midi et les deux hommes partaient vendre leur produit.

À la fin de la journée, on laissait à Isabelle et Sylvie le soin de payer les cueilleurs à même la petite caisse commune et on déposait à l'ombre ce qui avait été cueilli durant l'après-midi.

****

Le vendredi matin, Lise Babin, l'épouse et la secrétaire du médecin, téléphona chez les Lequerré. Aurore, seule à la maison, prit la communication.

Le médecin voulait la rencontrer à la fin de l'après-midi, vers 16 heures si c'était possible. Les résultats! Les résultats de sa biopsie étaient arrivés! Après avoir raccroché, la quadragénaire s'assit un instant, les jambes coupées. Elle avait subitement chaud. Durant deux semaines, elle était parvenue à apprivoiser un peu la peur qui la submergeait en pensant aux conséquences possibles d'un cancer du sein. On ne cessait d'entendre parler de femmes décédées de cette forme de cancer. Aurore avait tellement prié depuis cette biopsie. Elle n'avait cessé de demander à Dieu d'être épargnée.

Le reste de l'avant-midi se passa comme dans un rêve. Aurore passa l'avant-midi à désherber son jardin. À midi, lorsque Bruno rentra avec Momon Patenaude pour dîner, elle ne lui parla pas de son rendez-vous pour ne pas l'inquiéter inutilement.

— Allez vous laver les mains pendant que je fais réchauffer la fricassée, commanda-t-elle aux deux hommes.

Momon s'approcha du lavabo, ouvrit le robinet et entreprit de se laver les mains à grande eau.

— Momon, ouvre pas l'eau si fort, tu éclabousses partout. Il y a même de l'eau sur mon plancher, s'écria Aurore avec humeur.

L'homme s'empressa de réduire le débit d'eau à un mince filet après avoir jeté un regard pitoyable à la patronne.

Raymond Patenaude avait un peu moins de 40 ans. C'était un gros homme blond de taille moyenne. Sa grosse figure lunaire, habituellement figée dans un sourire niais, était surmontée de cheveux courts et raides. On aurait juré que sa grosse tête ronde était directement posée sur ses larges épaules. L'homme savait à peine écrire son nom et il était incapable de lire.

Momon habitait Saint-Anselme depuis plus de vingt ans. Il avait été confié en foyer nourricier aux Therrien du rang Sainte-Anne à la fin des années 50. À l'époque, il avait quatorze ou quinze ans et il venait d'un orphelinat près de Québec. La première réaction de Paul Therrien avait été de le renvoyer quand il s'était rendu compte que l'adolescent était retardé mentalement. Mais Raymond avait fait montre de tant de bonne volonté et d'une telle capacité de travail que le cultivateur avait vite changé d'idée et il avait décidé de le garder. En quelques mois, Raymond Patenaude devint Momon pour toute la paroisse et les jeunes cessèrent rapidement de se moquer de lui quand ils s'aperçurent qu'il pouvait piquer des colères mémorables et se défendre.

Momon demeura chez les Therrien aussi longtemps qu'ils gardèrent leur ferme. Lorsqu'ils vendirent cette dernière, le jeune homme avait près de vingt ans et il décida de demeurer à Saint-Anselme parce que c'était le seul endroit qu'il connaissait vraiment. À compter de ce jour, il n'eut aucun mal à se faire engager tantôt chez l'un tantôt chez l'autre. Avec lui, il n'y avait pas de surprise. On savait qu'il ferait son possible pour donner satisfaction. Pourvu qu'on lui donne suffisamment de nourriture, qu'on lui confie des tâches simples et qu'on ne lui crie pas après, Momon pouvait travailler de l'aube au crépuscule sans rechigner pour un salaire très raisonnable.

Aurore savait tout cela et regretta son mouvement d'humeur.

— C'est pas grave, Momon, c'est seulement de l'eau.

Le sourire qui s'était un instant effacé du visage rond de l'homme engagé revint. Il s'essuya les mains et alla prendre sa place derrière la table de la cuisine d'été, pièce qu'Aurore continuait à utiliser pendant la belle saison parce qu'elle était plus fraîche que l'autre cuisine. À la fin du repas, elle prévint Bruno.

— Je vais aller chez Gagnon à la fin de l'après-midi. As-tu besoin de quelque chose?

— Non, mais tu ferais mieux de vérifier s'il y a assez d'essence dans la Dodge avant de partir.

L'après-midi sembla interminable à Aurore. Finalement, après avoir préparé le repas du soir, elle fit sa toilette et prit la direction du village. En temps normal, elle serait arrivée avant son rendez-vous pour s'arrêter quelques minutes chez son oncle Louis ou chez son oncle Bernard au Petit Foyer, mais aujourd'hui, elle n'avait vraiment pas la tête à ça.

À son arrivée chez le docteur Babin, il n'y avait qu'une mère avec son jeune fils de trois ou quatre ans dans la salle d'attente. Lise Babin la reçut avec un sourire chaleureux, ce qu'Aurore interpréta comme un très mauvais présage. Selon elle, la femme du médecin était au courant des résultats de sa biopsie et elle lui manifestait sa pitié.

À 16 heures pile, Yves Babin fit entrer sa patiente dans son bureau et l'invita à s'asseoir. Aurore, que ses jambes avaient du mal à supporter, se laissa tomber sur la chaise.

— J'ai reçu les résultats de votre biopsie, madame Lequerré, fit le médecin. Comme prévu, ils ont mis quinze jours pour nous envoyer les résultats.

— Puis? demanda Aurore, la voix un peu tremblante.

— C'est bien.

— Qu'est-ce que vous voulez dire par: « C'est bien. »

— Ça veut dire que les nouvelles sont excellentes, madame, fit le médecin avec un large sourire. Les analyses n'ont découvert aucune cellule cancéreuse dans la masse que vous avez au sein.

En entendant ces paroles, Aurore se sentit revivre. Une énergie extraordinaire l'envahit brusquement.

— Et qu'est-ce qui va se passer avec ma bosse?

— Rien, madame. On va la surveiller chaque année avec une mammographie, rien de plus. Je ne vois pas l'utilité de vous référer à un chirurgien pour l'enlever... du moins, pour l'instant.

Quelques minutes plus tard, Aurore Lequerré sortit du bureau du docteur Babin, soulagée au-delà de toute expression. Après deux semaines d'attente insoutenable, elle allait enfin pouvoir dormir une nuit complète ce soir-là. En attendant, elle décida d'aller chercher sa fille Carole chez Camirand, ce qui lui éviterait d'attendre son frère qui ne finirait pas son travail chez Biron avant 18 heures.

****

Dès qu'elle vit sa mère, la jeune fille fut étonnée par sa bonne humeur.

— Qu'est-ce qui vous est arrivé, m'man, pour être d'aussi bonne humeur?

— Je viens de chez le docteur. Tout est correct. J'ai rien, lui répondit sa mère avec un petit rire, en montant dans la Dodge stationnée devant la boucherie.

Carole se pencha sur sa mère pour l'embrasser sur la joue.

— Je suis contente pour vous, dit-elle, enthousiaste. Ça doit vous soulager.

— Tu peux pas savoir comment.

— Moi, j'ai une nouvelle à vous apprendre qui vous fera peut-être pas tellement plaisir.

— Laquelle?

— Le maire est passé chez Camirand au commencement de l'après-midi et il était pas content, je vous le garantis.

— Pourquoi?

— Il paraît qu'il vient de recevoir une demande pour municipaliser le petit chemin au bout de la terre d'André Marcotte.

— Le petit chemin qui conduit à l'île?

— Oui, c'est ça.

— On peut dire qu'André Marcotte a un front de beu; c'est sur sa terre et en plus, l'île est même plus à lui. Je comprends pas pourquoi tu dis que ça me fera pas plaisir, fit remarquer Aurore à sa fille.

— Attendez, m'man. Qu'est-ce que vous diriez si je vous apprenais que les Marcotte ont vendu l'île Ouellet en cachette à un club «gay». Le maire vient juste de l'apprendre et il en mangerait ses bas...

— Un club «gay»?

— Ben oui, m'man, un club d'homosexuels.

— Es-tu en train de me dire que c'est pas des nudistes, mais des homosexuels qui s'en viennent s'installer dans le rang Sainte-Anne?

— En plein ça. André Marcotte et son père ont vendu l'île à un club «gay». D'après le maire, il paraît qu'un nommé Baril va faire construire sur l'île des petits chalets juste pour eux autres. C'est lui, Baril, qui a demandé que le chemin qui mène à l'île soit municipalisé.

— Et qu'est-ce que le maire a répondu?

— Il veut rien savoir. Il est enragé parce que les Marcotte lui ont fait croire que ce serait un club pour protéger l'environnement qui voulait acheter l'île. Ils avaient déjà fait toutes les démarches pour avoir le dézonage et ils lui avaient juste demandé de ne pas nuire à leur demande. Ce pauvre maire, il pensait que club naturiste voulait dire un club pour protéger l'environnement, conclut en riant la jeune fille.

— Il y a pas de quoi rire, Carole. C'est pas de la faute de ce pauvre Adrien s'il est pas allé à l'école longtemps. Mais par exemple, c'est ben dans la façon de faire d'André Marcotte et de son père. Pour eux autres, il y a pas d'argent sale, conclut Aurore.

Durant les explications de sa fille, Aurore avait eu le temps de les ramener à la maison. Les deux femmes descendirent de voiture et entrèrent dans la maison.

— Je vais aller donner un coup de main à ton père pour faire le train, dit Aurore à sa fille. Le souper est déjà prêt dans le frigidaire. Mets donc la table, après avoir téléphoné à Julien de ne pas aller te chercher pour rien chez Camirand après l'ouvrage. Je vais me changer.

****

Quelques instants plus tard, Aurore sortit de la maison et alla rejoindre Bruno et Momon qui commençaient à peine à traire les vaches.

— T'as trouvé ce que tu voulais chez Gagnon? demanda Bruno en voyant sa femme commencer à préparer le lait qui servirait à nourrir les veaux.

— J'y suis pas allée. Je suis passée chez le docteur Babin pour avoir les résultats.

Bruno se rapprocha de sa femme et la regarda.

— À te voir la figure, je me doute que les nouvelles sont bonnes, hasarda-t-il.

— Très bonnes. J'ai rien.

— Ouf! Je me sens soulagé, dit Bruno en serrant le bras de sa femme. Je sens que nous allons mieux dormir tous les deux, non?

— Tu peux le dire. Bon! C'est ben beau tout ça, mais il va falloir se grouiller si on veut aller souper avant la noirceur. On dirait qu'il y a juste Momon qui travaille ici.

Lorsque Julien arriva pour souper, toute la famille se réjouit de la bonne nouvelle et Aurore tira un grand réconfort de constater à quel point sa famille était unie.

Durant le repas, on parla abondamment de l'arrivée du club «gay» dans le rang et des conséquences que cela pouvait avoir sur la vie paisible de ses habitants.

— En tout cas, conclut Bruno, la route va devenir pas mal plus passante. Après le souper, je pense que je vais aller apprendre la nouvelle à Cyrille.

— Attends que je finisse la vaisselle, fit Aurore. Je vais y aller avec toi. Ça fait une semaine que j'ai pas vu maman et Brigitte.

Si Bruno s'attendait à apprendre la nouvelle à son beau-frère, il en fut pour ses frais. Pierre Bergeron la lui avait apprise à la fin de l'avant-midi.

Son fils Frédéric et lui avaient aperçu deux hommes en train d'installer une grande pancarte au bout du rang, à l'entrée du chemin de terre qui longeait le champ de son cousin André. Comme il n'avait jamais entendu parler du club privé Les Gais Amis annoncé sur le panneau, il avait demandé des explications aux inconnus. L'un d'eux lui avait dit que l'île au bout du chemin appartenait maintenant à un club privé de Montréal qui n'acceptait que des homosexuels. À partir de la semaine suivante, on commencerait à y construire des chalets et des quais pour les membres.

— Qu'est-ce que tu penses de la demande de munici-paliser le chemin d'André Marcotte? demanda Bruno.

— Tu sais ben que le nouveau propriétaire a dû s'in-former avant de demander ça. Un avocat lui a probablement dit que Saint-Anselme aurait pas le choix d'entretenir le chemin si la municipalité voulait tirer des taxes de l'île.

— De toute façon, on verra ben à la prochaine réunion du conseil au mois d'août.

— En tout cas, on sait maintenant d'où vient la Cadillac du beau André, dit Bruno en riant.

Chapitre 15

Une fin de juillet mouvementée

La dernière semaine du mois de juillet fut gâchée par la pluie. Le soleil demeurait caché derrière une épaisse couche de nuages et les averses se succédaient toute la journée.

Au presbytère, le curé Lanctôt était debout devant la fenêtre de son bureau et il regardait la petite pluie battante qui tombait sur la rue Principale, chassant les rares enfants qui s'amusaient quelques instants plus tôt sur leur bicyclette. Le prêtre pestait contre les caprices de la température qui venaient bouleverser les plans de ses vacances estivales déjà sérieusement entamées.

Le quinquagénaire retourna s'asseoir derrière son bureau et il regarda sans le voir le plan qui y était étalé. C'était le plan du Carrefour des jeunes.

Depuis la fin de mai, tout s'était passé très vite. Aussitôt qu'il avait mis en vente les lots de son Carrefour des jeunes, les acheteurs s'étaient précipités. Avant la fin du mois de juin, dix contrats de vente avaient déjà été signés et grâce au bouche à oreille, six autres le seraient avant la mi-août, s'il se fiait aux informations transmises par le notaire Provost. Ce dernier lui avait même conseillé d'augmenter ses prix, ce à quoi l'ecclésiastique s'était refusé.

Charles Lanctôt voulait créer un milieu favorable à des vacances familiales et non faire de l'argent sur le dos des gens. Il n'empêche qu'à ce rythme-là, il ne lui resterait plus aucun lot à vendre sur le bord de l'eau au début de l'automne. Depuis qu'il avait appris l'installation du club Les Gais Amis, son projet lui semblait encore plus important.

On frappa à la porte du bureau et avant même que le prêtre ne réponde, Laure Dubé entrouvrit la porte.

— Monsieur le curé, mon mari est arrivé. Il m'a dit que vous vouliez le voir.

— Oui, madame Dubé. Dites-lui de venir.

— Pas avant qu'il ait enlevé ses souliers, dit la ménagère en affichant un air revêche. Je sais pas si vous avez remarqué, mais je viens de laver les planchers.

— O.K., madame Dubé, faites-le déchausser et entrer, soupira le prêtre, agacé.

La porte se referma et se rouvrit deux minutes plus tard sur Étienne Dubé, le mari de la ménagère.

Le sexagénaire était un grand homme maigre à la figure allongée et glabre. Ses yeux d'épagneul triste étaient trompeurs. Étienne Dubé était un joyeux luron qui étalait sur son crâne chauve les trois ou quatre cheveux qui lui restaient avec un savoir-faire étonnant. Avec le temps, l'ouvrier s'était découvert de nombreux points communs avec son curé, dont le moindre n'était pas leur égale habileté à fuir les sautes d'humeur de sa femme Laure. En d'autres mots, ils étaient devenus une paire d'amis.

Lorsque Charles Lanctôt avait parlé au mari de sa cuisinière de son intention de se construire lui-même un chalet et une salle communautaire qui servirait aux éventuels campeurs du Carrefour des jeunes, Étienne avait sauté sur l'occasion pour proposer ses talents de charpentier et de menuisier.

— Monsieur le curé, on va commencer par votre chalet, avait suggéré son ami, enthousiaste.

— Je veux bien, avait répondu le curé, mais il va falloir attendre que j'aie de l'argent pour payer les matériaux. Pour ça, il va falloir que je vende plusieurs lots. Pour moi, ça va aller au printemps prochain, si je suis chanceux.

Mais les lots s'étaient si rapidement vendus qu'il avait fallu faire aménager un chemin le long de la rivière pour les nouveaux venus, faire creuser un puits artésien et une fosse septique pour les quelques campeurs qui se présentaient déjà sur le nouveau terrain de camping et surtout, voir à ce que Hydro-Québec installe une ligne électrique.

Pour la plus grande joie du curé Lanctôt, le temps de passer aux actes et de réaliser une partie de son rêve était venu beaucoup plus tôt qu'il ne l'avait prévu. Il annula ses vacances estivales prises traditionnellement chez son frère aîné, à Hull. Il avait planifié d'occuper ces trois semaines à monter la charpente de son chalet avec Étienne à qui il servirait, en quelque sorte, d'auxiliaire.

Durant plusieurs soirées, les deux hommes avaient fait les plans d'une habitation pourtant assez simple, mais confortable que le prêtre voulait ériger sur le lot numéro 2, face à la rivière, sur le terrain voisin du camping. Finalement, le mari de la cuisinière était parvenu à convaincre Charles Lanctôt qu'il serait beaucoup plus intelligent et à peine plus coûteux d'ériger une véritable maison plutôt qu'un chalet.

Les deux hommes se mirent aisément d'accord sur les dimensions de l'habitation et les matériaux à utiliser. Il ne resta plus à Charles Lanctôt qu'à aller négocier avec Paul Biron l'achat de tout le matériel dont il avait besoin.

Le prêtre parvint à obtenir des rabais importants en arguant du fait qu'il procurerait au marchand du rang Saint-Édouard de nombreux clients durant les années à venir avec son Carrefour des jeunes et qu'il serait malheureux qu'on leur conseille d'acheter chez Paquet, à Sainte-Monique. Biron comprit le chantage et il consentit les rabais demandés un peu à contrecœur. Mais il ne perdit pas une occasion pour clamer partout que le curé était devenu un homme dur en affaires.

Ce genre de ragot fit rapidement le tour de la paroisse. Beaucoup de paroissiens de Saint-Anselme ne se gênèrent pas pour critiquer son projet et dire à mots couverts que le curé Lanctôt avait profité de l'inexpérience du jeune Girouard pour faire un coup d'argent quand il avait acheté sa terre. Certains allèrent même jusqu'à regretter d'avoir donné autant lors de la répartition annuelle. Selon eux, le prêtre faisait maintenant assez d'argent pour pourvoir seul à son entretien.

Deux jours plus tard, c'est une Laure Dubé outrée qui rapporta à son curé ce qui lui était arrivé à la sortie de l'église, quelques minutes plus tôt, sur le parvis de l'église, après la messe. Pierrette Marcotte avait osé dire à haute voix à ses belles-sœurs, Marie et Mariette ainsi qu'à quelques voisines :

— Quand j'entends le curé se plaindre que les collectes rapportent pas assez, j'ai envie de lui dire de donner lui aussi. C'est pas normal qu'il fasse de l'argent sur le dos des pauvres cultivateurs.

Selon ses dires, la ménagère n'avait pas perdu une seconde pour répliquer.

— Madame Marcotte, avait-elle dit de façon à ce que tout le monde l'entende bien, vous devriez avoir honte de ce que vous venez de dire. Notre curé vend des lots pas cher pour que les gens qui sont pas riches puissent profiter de la campagne. C'est pas lui qui aurait vendu des terres à n'importe qui juste pour se faire une piastre de plus.

— Mais madame... avait voulu répliquer Pierrette, offusquée d'être prise à partie.

— C'est pas notre curé qui risque de se promener en grosse Cadillac demain matin, avait conclu la servante du curé en lui tournant carrément le dos.

Il y eut quelques ricanements chez les spectateurs et Laure Dubé, heureuse d'avoir rivé le clou à cette prétentieuse, s'était dirigée dignement vers la vieille Chevrolet où l'attendait Étienne.

Tous ces bruits et ces ragots n'étaient le fait que d'envieux et le curé Lanctôt était bien décidé à aller de l'avant... si la température voulait bien coopérer.

La semaine précédente, tout avait fonctionné comme sur des roulettes. Il faisait beau et rien n'était venu retarder le travail. Comme le solage de sa future maison avait été coulé quelques jours auparavant, Étienne et lui avaient passé toute sa première semaine de vacances à clouer le plancher et à dresser la charpente du bâtiment.

Charles Lanctôt adorait cela. Chaque matin, il partait avec le mari de la ménagère, lesté de deux repas copieux, et les deux hommes passaient la journée au grand air. Le prêtre apprenait à manier convenablement le marteau et la scie, sous la direction d'Étienne Dubé.

Mais depuis lundi avant-midi, le curé n'avait pu mettre les pieds sur le chantier à cause de la pluie qui ne cessait de tomber. Seul, Étienne était allé recouvrir de grandes feuilles de plastique le bois empilé sur son terrain. Il n'y avait rien à faire. Il fallait attendre l'embellie.

— On perd rien, monsieur le curé, avait dit le sexagénaire en revenant du lot, le chemin est tellement détrempé que Biron refuserait de toute façon de livrer les matériaux. Son truck resterait pris.

****

Cependant, dans le rang Sainte-Anne, ces jours pluvieux eurent un effet salutaire sur Richard Bergeron qui s'était entêté jusqu'alors à ne pas apporter les transformations exigées par l'inspecteur Tardif à sa laiterie.

— Richard, il faut que tu te grouilles, lui répétait Jocelyne depuis le début juillet.

— Ça peut attendre, se contentait de répondre son ami.

Quand la mi-juillet fut passée sans qu'aucune sanction ne soit prise, Richard s'ancra dans sa mauvaise volonté.

— Tu vois ben qu'il disait ça juste pour me faire peur, disait-il à Jocelyne quand elle cherchait à lui faire comprendre l'urgence de la situation. Ils oseront pas m'ôter mon quota de lait pour une niaiserie pareille.

— Moi, je pense que tu gagneras pas, Richard Bergeron, s'énervait Jocelyne. Tu vas perdre ton quota, si tu le fais pas. T'as pas le choix. Allonger la laiterie, changer la tuyauterie et déplacer ton lavabo, c'est tout de même pas la fin du monde!

— Je te dis qu'ils gagneront pas, éclatait Richard. Si Tardif essaie de remettre les pieds ici, je le sacre dehors à coup de pied dans le cul. C'est clair?

— C'est peut-être clair, mais c'est pas brillant, disait sa compagne. On a deux enfants à nourrir et tu risques de tout perdre juste pour ça.

Jocelyne s'était ouverte de son inquiétude grandissante à sa voisine Brigitte qui en avait parlé à Cyrille. Finalement, ce dernier avait contacté son beau-frère Bruno et Pierre Bergeron, le cousin et voisin de Richard, et les trois hommes étaient arrivés dès la première journée de pluie chez Richard.

Il n'avait fallu que cinq minutes à Pierre pour convaincre son cousin qu'il valait mieux procéder aux changements demandés par Tardif et qu'à quatre hommes, ces transformations se feraient en deux ou trois jours. Richard livra un dernier combat pour la forme, mais il dut reconnaître qu'il ne gagnerait rien à s'entêter. En plus, Pierre lui proposa de commander lui-même les matériaux nécessaires chez Biron parce qu'il avait droit à d'importants rabais à titre de beau-frère de Paul Biron. Sa sœur Suzanne y voyait personnellement.

Dès le début de l'après-midi, on s'était mis résolument au travail. On avait jeté par terre un mur de la laiterie, construit une forme avant de couler le ciment du plancher qu'on gâcha à la main. Le jeudi midi, il ne restait plus qu'à blanchir le nouveau mur et la partie du plafond qu'on avait ajoutée. La laiterie avait dorénavant les dimensions exigées et l'inspecteur ne pourrait rien reprocher à la tuyauterie.

Après le dîner préparé par Jocelyne tant pour les siens que pour les trois ouvriers bénévoles, Richard dit:

— Je pense qu'on a presque fini. J'en ai à peu près pour une heure ou deux à peinturer le mur et le plafond. Combien je vous dois?

— Rien, fit Bruno.

— Si c'est comme ça, dit Richard avec un grand sourire, je pense que je vais vous sacrer dehors tout de suite. Vous avez trop mauvais caractère pour que je vous garde. Sérieusement, je vous remercie. Voilà une bonne chose de faite. Si jamais vous avez besoin d'un coup de main, je serai content de vous remettre ça.

Il serra la main des trois hommes qui rentrèrent chez eux en apportant leurs outils. Sans le dire ouvertement, il était bien évident que le cultivateur était soulagé.

****

Un ange devait veiller en secret sur Richard parce que dès le lendemain, Louis Tardif se présenta à sa ferme.

Le vendredi avant-midi, un peu après 9 heures, le fonctionnaire arriva chez Richard Bergeron. L'homme se souvenait encore du caractère explosif du cultivateur et il ne semblait guère pressé de l'affronter de nouveau. Il demeura un long moment assis au volant de sa voiture, à l'entrée de la cour. On aurait juré qu'il essayait de voir à cette distance si on avait fait les changements exigés.

Assis près d'une des fenêtres de la cuisine d'été, Richard regardait la voiture dont le moteur tournait au ralenti. Il devinait la figure inquiète de Tardif à travers le pare-brise balayé par les essuie-glaces.

Ce dernier finit par descendre de son véhicule en boutonnant son imperméable parce que la pluie redoublait soudainement.

— Tu vas pas voir ce qu'il veut? demanda Jocelyne en train de confectionner des tartes sur la table de cuisine.

— Je sais ce qu'il veut. Il est pas aveugle. Il a juste à aller voir.

— Tu sais ben qu'il entrera pas dans la laiterie sans ta permission, Richard. Vas-y donc! Tu seras débarrassé plus vite de lui.

— Ouais!

— Essaie d'être aimable avec lui. Tu les connais assez pour savoir que s'ils se mettent à chercher la petite bibitte, ils sont capables de la trouver, juste pour nous causer du trouble.

— O.K., j'ai compris, fit Richard avec impatience.

Avec un soupir excédé, il se leva, mit son coupe-vent accroché à la patère placée derrière la porte et il sortit. Jocelyne vit les deux hommes se diriger vers la laiterie. Ils n'y restèrent qu'une dizaine de minutes. Quand la jeune femme revit Richard, il tenait en main une feuille et il serrait rapidement la main que Louis Tardif lui tendait. Ce dernier monta dans sa voiture et partit.

— Puis? demanda Jocelyne lorsque son compagnon rentra dans la maison.

— Tout est correct. Tiens, dit-il en lui tendant la feuille, voilà le papier qui dit que tout est conforme.

— Bon, tu vois, c'était facile.

— Ce qui va être facile, fit Richard, c'est de plus lui revoir la face avant un bon bout de temps.

****

Le surlendemain, la pluie cessa et les gens se mirent à espérer que la légère brise qui soufflait depuis le début de la matinée finirait par chasser les nuages.

En ce dernier dimanche de juillet, le curé Lanctôt était absent. Il profitait de ses derniers jours de vacances. La veille, il avait abandonné l'idée de travailler à l'érection de sa maison à cause de la pluie et il était parti passer son dernier week-end de repos chez son frère aîné, à Hull. Pour le remplacer, l'évêché n'avait trouvé personne d'autre que l'abbé Réjean Lemire, aumônier des sœurs de la Providence de Nicolet.

À 9 heures et demie, au moment où l'unique messe dominicale débuta, la grande église en pierre grise de Saint-Anselme était plus qu'à moitié vide. L'abbé Lemire, qui s'était tenu une dizaine de minutes à l'arrière du temple pour accueillir les fidèles, mit un certain temps à se rendre à l'autel. Le célébrant, un vieillard voûté et tremblant, avait une démarche lente et une voix chevrotante.

— Mon Dieu, chuchota Aurore à Bruno, le pauvre homme finira jamais de dire sa messe.

— Tais-toi, répliqua son mari à voix basse, ils l'ont déterré ce matin pour qu'il serve une dernière fois.

— Ça a pas d'allure de faire travailler un homme aussi vieux. Il a juste le tic-tac et le branlant.

— Il est tellement lent qu'il va être obligé de nous réveiller à la fin de la messe. Je sens que ça va être long. Cette messe-là va compter pour plusieurs. Elle va être la seule à laquelle je vais venir durant tout le reste de l'été.

— Mécréant! dit Aurore en lui donnant un coup de coude. N'importe quelle raison est bonne pour pas venir à la messe. Tout un exemple pour les jeunes.

— Quels jeunes ? Je te ferai remarquer que ta fille et ton garçon ne pratiquent plus depuis longtemps.

— Je le sais, mais ils pourront jamais dire qu'on leur a pas donné le bon exemple.

Le vieux prêtre se sentit obligé, en outre, de prononcer une longue homélie, ce qui mit à rude épreuve la résistance des fidèles. Au début de sa prédication, il ne put s'empêcher de faire une remarque.

— Ce matin, nous formons une sorte de club sélect. Nous sommes peu nombreux, mais par contre, à voir vos têtes blanches, je me rends compte que nous avons tous à peu près le même âge...

— Merde, fit Bruno à voix basse, ne me dis pas qu'en plus, il va falloir que je lui achète des lunettes. Le même âge ! Il est encore trop vieux pour être mon père !

— Chut ! fit Aurore, prête à succomber à une crise de fou rire.

****

À 11 heures, les paroissiens purent enfin sortir de l'église.

— Il était temps, fit Marie Marcotte, en s'épongeant le front. Il faisait tellement chaud que je commençais à avoir mal au cœur.

— Si tu te grouilles pas au plus vite, tu vas avoir encore plus chaud, voilà encore ton notaire qui arrive, dit Mariette en se penchant vers l'oreille de sa sœur.

En tournant légèrement la tête, Marie put voir Émile Deschamps se diriger lentement vers elle. Le notaire de soixante-sept ans avait son allure soignée habituelle. Le vieux célibataire avait boutonné son veston gris et tout en avançant, il vérifiait la position de son nœud papillon. Ses cheveux gris étaient soigneusement répartis de chaque côté d'une raie à gauche. Depuis quelques années, il s'enorgueillissait d'une petite moustache qui avait maintenant la même couleur que son épaisse chevelure.

— Bonjour, mesdames, fit-il, cérémonieux.

— Bonjour, Émile, lui répondit Marie, beaucoup plus à l'aise que son ancien amoureux.

— J'espère que nous allons finir par avoir un peu de soleil. Après une semaine de pluie, ce ne serait pas un luxe.

— Ça nous ferait du bien, dit Mariette pour être polie.

Puis, la sexagénaire se tourna vers sa sœur.

— Es-tu capable de m'attendre une minute, j'ai besoin de quelque chose chez Gagnon. Je traverse et je reviens, fit-elle, en saluant d'un brusque signe de tête Émile Deschamps.

Quand elle monta à bord de la Datsun de sa sœur quelques minutes plus tard, Marie lui dit :

— On va avoir de la visite cet après-midi.

— Pas Émile Deschamps, j'espère ?

— Ben oui. Ça fait plusieurs fois qu'il insiste pour venir faire un tour ; j'ai fini par dire oui... Au fond, j'ai eu pitié de lui. C'est juste un vieux garçon qui a plus à s'occuper de sa vieille mère. Il s'ennuie.

— Il s'ennuie et il ennuie les autres, dit Mariette, en désaccord avec sa sœur. Qu'est-ce qu'il veut exactement ?

— Je sais pas ce qu'il veut exactement, mais c'est vrai qu'il est ennuyant. En tout cas, on pourra toujours jouer aux cartes.

— Je t'avertis, je joue pas aux cartes avec vous autres cet après-midi. Moi, m'enfermer dans la maison quand il fait chaud, avec le beau Émile à part ça, c'est trop me demander.

— Il est peut-être moins pire qu'il était, maintenant que sa mère est plus là, dit Marie.

Marie eut une grimace en se souvenant de la mère d'Émile qui s'entêtait à la regarder de haut et à espérer que son fils unique fasse un mariage plus reluisant que celui qu'il envisageait avec Marie Marcotte, la fille d'un cultivateur.

— Énerve-toi pas avec ça. C'est pas parce que je lui ai dit qu'il pouvait venir boire une tasse de café cet après-midi que nous allons reprendre nos fréquentations. Il y a pas mal d'eau qui a coulé sous les ponts depuis qu'il venait passer ses dimanches après-midi dans la balançoire avec moi. Je me souviens encore comment il était plate, le pauvre Émile. En plus, tu oublies que je suis une veuve de soixante-sept ans, plus une jeune fille.

— Bon! Comme tu voudras! Mais j'espère que tu comptes pas sur moi pour te chaperonner, fit Mariette avec mauvaise humeur.

— Aïe! Mariette! on est en 1980. C'est fini ce temps-là.

— Si je comprends ben, ta réputation t'inquiète pas.

— Non! Tous ceux qui connaissent Émile Deschamps savent comment il est collet monté et ils penseraient jamais qu'il puisse faire quelque chose de pas correct avec une femme.

— Mais veux-tu ben me dire pourquoi tu l'as invité?

— Au fond, je pense que c'est parce que je commence à m'ennuyer un peu toute seule. Avec Jos, j'ai pas eu les mauvaises expériences que tu as eues avec ton Jérôme. J'ai été heureuse. Se sentir aimée par un homme, même un homme comme Émile, ça fait du bien au moral.

****

Vers 13 heures ce dimanche après-midi-là, Émile Deschamps se présenta chez les deux sœurs. Il stationna sa voiture là où il la stationnait près de vingt-cinq ans plus tôt, à l'époque où il faisait une cour hésitante à Marie Marcotte.

En voyant une voiture s'arrêter chez ses belles-sœurs, Pierrette, assise dans sa chaise berçante, sur le balcon de la grande maison, s'empressa de chausser ses lunettes pour identifier les visiteurs.

— Ah ben! j'aurai tout vu! s'exclama la sexagénaire.

— Quoi? Qu'est-ce qu'il y a? demanda Jocelyn réveillé en sursaut par l'exclamation de sa femme.

— Regarde donc qui arrive chez tes sœurs, lui suggéra Pierrette.

Jocelyn plissa les yeux pour mieux voir.

— On dirait ben que c'est le notaire Deschamps, non?

— En plein ça. Viens pas me dire que le vieux notaire a le goût de reprendre ses amours avec Marie. Si c'est ça, je te dis que ça va faire jaser au village, dit Pierrette en se levant.

Quand elle répéta les mêmes observations à André et à Louise quelques instants plus tard, sa bru se contenta de soulever les épaules.

— M'man, dit André, je sais pas s'il va avoir encore le goût de venir veiller avec ma tante quand il va s'apercevoir que les Marcotte veulent plus faire affaire avec lui.

— Comment ça, plus faire affaire avec lui? demanda Louise.

— J'ai trouvé que la dernière fois, le père Deschamps avait pas mal exagéré. On va lui montrer la prochaine fois que des notaires, on en trouve partout.

****

Ce dimanche-là, à leur retour de la messe, Aurore et Bruno Lequerré eurent la surprise de découvrir une vieille Chrysler verte, bosselée et couverte de rouille stationnée près de leur maison.

Intrigué, le couple entra dans la maison et aperçut Momon Patenaude installé à la table de cuisine en train de regarder avec le plus grand sérieux un album de bandes dessinées qui appartenait à Julien.

— À qui est la vieille auto dans la cour? demanda Bruno à son employé.

— À un gars, répondit l'autre, sans lever la tête.

— Où est-il?

Momon quitta son album un instant des yeux et indiqua l'étage supérieur d'un gros doigt boudiné. Bruno regarda sa femme.

— Un gars avec Julien? interrogea Bruno. Mais Julien est encore au village. La Plymouth n'est pas dans la cour. Va donc voir ce qui se passe. Pendant ce temps-là, il faut que j'aille jeter un coup d'œil sur l'électricité dans la remise. J'ai peur que ça finisse par mettre le feu.

Aurore ne perdit pas une minute de plus à se questionner sur ce mystère. Elle monta à l'étage et ouvrit brusquement la porte de la chambre de sa fille. Le spectacle qu'elle découvrit lui coupa le souffle.

Un grand type dégingandé, une casquette rouge enfoncée sur la tête et vêtu d'un jeans et d'une chemisette bleue, était allongé sur le lit de Carole pendant que cette dernière, à genoux sur le sol, fouillait dans sa bibliothèque, à la recherche d'un livre. Un air des Beatles jouait sur son lecteur de cassettes.

Instantanément, la mère prit son air le plus sévère quand sa fille la découvrit dans l'encadrement de la porte.

— Carole, est-ce que je peux te voir une minute? demanda Aurore d'un ton sec, sans saluer le garçon qui, d'ailleurs, souleva à peine la tête pour voir qui parlait à Carole.

Aurore n'attendit pas la réponse de sa fille. Elle descendit l'escalier et retourna dans la cuisine.

Quelques secondes plus tard, Aurore entendit sa fille dévaler l'escalier.

— Oui, m'man? demanda la jeune fille d'un air ingénu en entrant dans la pièce.

Aurore déposa le plat qu'elle venait de prendre au réfrigérateur et elle se tourna vers sa fille.

— Veux-tu ben me dire ce qu'un garçon fait étendu sur ton lit?

— Ben, m'man, on faisait rien de mal. Je lui ai montré ma chambre et je lui fais écouter ma dernière cassette des Beatles.

— Carole! Ça se fait pas des choses comme ça! La porte fermée, à part ça !

— Mais m'man, tout le monde fait ça maintenant. C'est fini le temps où les garçons venaient passer la soirée au salon, surveillés par les parents.

— Ça se fait peut-être plus ailleurs, mais ici, c'est encore comme ça, ma fille, que tu le veuilles ou pas. T'es chanceuse que ce soit pas ton père qui soit monté plutôt que moi parce que je te dis que ton petit ami serait sorti par la fenêtre. Tu devrais le connaître assez pour savoir qu'il acceptera jamais une affaire pareille, moi non plus, d'ailleurs.

— Je pense que j'ai les parents les plus anciens de Saint-Anselme, dit la jeune fille d'un air dégoûté.

— T'as raison. Ton père et moi, on est anciens et on changera pas. En attendant, dépêche-toi de le faire descendre avant que ton père revienne de la remise et invente-toi une bonne place quand il te demandera où vous étiez. Déjà que Momon lui a mis la puce à l'oreille sans le vouloir.

— O.K., O.K., fit Carole d'un air exaspéré. Je vais aller le chercher avant que ça fasse un drame.

Une minute plus tard, Aurore entendit la porte avant de la maison s'ouvrir et elle vit par la fenêtre de la cuisine le jeune couple s'installer dans la balançoire. La quadragénaire eut un sursaut en voyant la tête frisottée de l'ami de sa fille.

Quand Bruno revint de la remise, Carole entraîna son ami à sa suite et vint le présenter à ses parents. Bruno jeta un regard soupçonneux à ce grand type maigre qui le dépassait de plus d'une tête. Le cultivateur était surtout surpris par la tête blonde et frisée du jeune homme qui avait enlevé sa casquette.

— Je vous présente Clément Leroux, fit Carole, mal à l'aise parce que consciente de l'effet que son camarade faisait sur ses parents. Il suit des cours en sciences à l'université. Il est surtout bon en électronique. On se connaît depuis un an.

— Enchanté de vous connaître, fit le jeune homme. Vous m'excuserez de m'être arrêté sans prévenir, mais j'arrivais de Québec quand je me suis souvenu que Carole demeurait à Saint-Anselme. Je ne voulais pas vous déranger. Je ne voulais que la saluer en passant.

Amadouée par la politesse de l'étudiant, Aurore insista pour qu'il partage le dîner familial. Le début du repas fut assez guindé. L'atmosphère ne changea que lorsque Julien arriva.

En apercevant Clément Leroux, le jeune homme eut un moment d'hésitation avant de s'exclamer :

— Mais c'est Leroux ! Qu'est-ce qui est arrivé à tes cheveux ? Je t'ai pas reconnu tout de suite à cause de ta tête.

— Une gageure, répondit Leroux, un peu gêné. Je reste avec trois gars à Montréal, dit-il à ses hôtes, et on travaille à la même place. Tous les trois se sont fait teindre et friser les cheveux au début de l'été en disant que c'était la dernière mode. Ils ont gagé que j'oserais pas le faire. Vous voyez le résultat : c'est pas fameux. Mon père m'a dit que si j'étais pas si grand, il me tondrait la tête après m'avoir donné une volée.

Tout le monde se mit à rire autour de la table, même Momon qui n'avait pas compris la moitié de ce qui s'était dit.

— Est-ce qu'on peut savoir à quoi ressemble ta tête en temps normal ? demanda Bruno d'un ton narquois.

— Elle est à peu près normale, monsieur Lequerré. J'ai les cheveux châtain clair et ils sont raides.

— C'est sûr que tu dois te faire remarquer un peu moins qu'avec tes cheveux frisés et teints, ajouta Aurore en souriant.

— C'est pourquoi je porte presque toujours une casquette, madame, avoua le jeune homme.

— Qu'est-ce que ton père fait ? demanda Bruno.

— Il est cultivateur à Saint-Cuthbert.

— T'as des frères et des sœurs ?

— Non, je suis tout seul. Probablement qu'après m'avoir ben regardé, mes parents se sont dit qu'un seul suffisait.

— Si tu travailles à Montréal durant l'été, ça veut dire que ton père a pas d'aide, conclut Aurore.

— C'est pas ben important, madame. La terre appartient pas à mon père. Il la cultive pour un autre. Quand il a besoin d'aide, le propriétaire lui trouve quelqu'un.

Après le repas, le grand Clément Leroux donna un aperçu rapide de ses talents aux Lequerré en réparant en quelques minutes le téléviseur du salon dont l'image ne cessait de sauter. Il régla en un tour de main les baisses de tension électrique qui mystifiaient tant Bruno depuis quelques jours dans la remise.

Avant de partir pour Montréal où il travaillait le lendemain, Carole entraîna son ami dans une courte promenade dans le rang Sainte-Anne pour lui montrer où était en train de s'installer le club Les Gais Amis. Ce dernier était en passe de devenir l'attraction numéro un de Saint-Anselme, même s'il n'y avait à voir encore que le panneau publicitaire placé à l'entrée de la route privée, au bout de la terre d'André Marcotte.

Lorsque le jeune couple passa devant chez Cyrille Riopel, Éric et Marc sortaient de la cour, juchés sur leurs scooters. À la vue de leur cousine et d'un inconnu, ils s'arrêtèrent tous les deux pour leur parler durant quelques minutes avant de se diriger vers le village où les attendaient des amis.

Chapitre 16

Une belle tête

La première semaine du mois d'août ressembla étrangement à la dernière semaine de juillet. Le soleil ne parvenait pas à s'imposer plus que quelques heures. En plus, la région de Saint-Anselme fut soumise à de forts vents qui causèrent bien des soucis. Les gens étaient moroses et la joie de vivre qui marquait habituellement la belle saison attendait le retour du soleil et de la chaleur pour se manifester.

Le curé Lanctôt avait définitivement renoncé à faire progresser la construction de sa maison durant ses vacances. Il n'y avait rien à faire sous de pareilles averses. Étienne Dubé l'avait consolé en lui disant qu'ils pourraient toujours y travailler un ou deux jours par semaine, même quand les vacances du prêtre seraient terminées. En attendant, Charles Lanctôt rongeait son frein, seul dans son presbytère humide, à relire une biographie de Don Bosco qu'il avait déjà lue deux ou trois fois les années passées.

Dans le rang Sainte-Anne, les cultivateurs étaient inquiets parce que les coups de vent des derniers jours avaient couché une bonne partie de l'orge et de l'avoine dans leurs champs. En outre, par manque de soleil, la seconde coupe de foin serait retardée et le maïs poussait mal. Si les conditions ne changeaient pas rapidement, l'ensilage de l'automne serait pauvre.

****

Le premier mardi du mois, Pierre Bergeron et Diane connurent une journée très difficile. Le matin, en se levant, ils avaient eu la mauvaise surprise de découvrir qu'une bonne partie de la tôle qui recouvrait le toit de leur grange avait été arrachée par un coup de vent durant la nuit, laissant à découvert le foin de la première coupe. Avec l'aide de leur fils Frédéric, ils s'étaient précipités dans les champs pour ramasser les vieilles tôles avant qu'une de leurs vaches se blesse sur elles.

Ils venaient à peine de rentrer à la maison que leur fille aînée, Anne-Marie, téléphonait à Diane pour lui apprendre, en larmes, qu'elle venait de faire une fausse couche. Elle n'avait pas encore communiqué la mauvaise nouvelle à Claude, parti travailler au magasin. Diane offrit à sa grande fille de vingt-quatre ans d'aller passer la journée avec elle, mais cette dernière préféra être seule pour apprendre à son mari qu'il ne serait pas père une seconde fois dans quelques mois. Évidemment, Diane n'osa pas lui dire qu'ils avaient trouvé leur grange sans toit ce matin-là. Un drame à la fois...

Après le déjeuner, Paul Biron, le beau-frère de Pierre et le propriétaire de la quincaillerie, vint examiner l'étendue des dégâts avec sa femme Suzanne et il s'empressa de faire livrer toute la tôle nécessaire à son beau-frère avant la fin de l'avant-midi.

Une heure plus tard, la nouvelle avait fait le tour du rang et tous les voisins se présentèrent un à un chez Pierre et on organisa une corvée. Durant les deux jours suivants, plusieurs hommes clouèrent de la nouvelle tôle sur le toit, malgré les averses incessantes.

Mais cette dépense imprévue avait mis à mal les finances du cultivateur qui se demandait comment il allait boucler son budget.

— On va y arriver, tenta de le rassurer sa femme.

— Paul Biron a beau être un beau-frère ben accommodant, fit Pierre, il faut qu'il fasse marcher sa quincaillerie. Je veux pas qu'il me fasse la charité. On n'est pas des quêteux. Il y a ben assez des voisins qui ont rien voulu avoir pour l'ouvrage qu'ils ont fait.

— Inquiète-toi donc pas pour Paul. Tu le connais. Il cherchera pas à te faire la charité. Il va juste te laisser tout le temps de te retourner pour le payer. Il sait ben que tu finis toujours par payer tes comptes, dit Diane en posant la main sur le bras de son mari qui venait de s'asseoir dans sa chaise berçante préférée. Pour les voisins, c'est normal qu'ils veuillent pas se faire payer.

On aurait fait la même chose pour eux. Le mois passé, tu t'es pas fait payer pour aider à la laiterie de Richard.

Ces paroles calmèrent les appréhensions du quadragénaire.

— En tout cas, on a un nouveau toit sur la grange, dit-il, l'air satisfait. C'était pas prévu, mais c'est comme ça. Celui-là, on l'a tellement cloué solide qu'il va falloir un maudit bon vent pour qu'il lève.

La nuit suivante, le vent changea de direction et au matin, le ciel était complètement dégagé de tous les nuages. Pour la première fois depuis presque deux semaines, le soleil était au rendez-vous. Tout était encore détrempé, mais la situation allait changer rapidement avec la belle température.

****

Le samedi après-midi, Brigitte et Cyrille partirent faire des achats à Drummondville en compagnie d'Isabelle qui avait besoin de faire renouveler quelques prescriptions chez le pharmacien. Ils laissèrent Sylvie et ses deux frères derrière eux.

Désœuvrés, ces derniers décidèrent de prendre leur scooter et d'aller jeter un coup d'œil à l'île Ouellet dans l'espoir de voir quelque chose. Ils en furent pour leurs frais. La pluie des derniers jours avait rendu la route privée impraticable et personne ne semblait travailler sur l'île où on pouvait déjà apercevoir entre les arbres la charpente de trois petits chalets. Déçus, les deux adolescents revinrent avec l'intention d'aller au restaurant Gadbois, au village.

En passant devant la ferme de Pierre Bergeron, Marc aperçut Paule, la fille du voisin, assise sur une chaise de jardin sous un des trois grands érables plantés devant la maison. Elle regardait une revue. Il fit signe à son frère de tourner dans la cour où il engagea lui-même son scooter avant de freiner à courte distance de la jeune fille.

Le garçon de seize ans trouvait irrésistible la petite coiffeuse blonde de dix-neuf ans qui gagnait déjà sa vie et conduisait sa propre voiture. Il lui avait parlé à plusieurs reprises les jours précédents quand il avait travaillé à la réparation de la toiture de la grange de son père en compagnie d'autres adultes du rang. Avec lui, elle était gentille, mais sans plus. Marc aurait tellement désiré attirer l'attention de la jeune fille, mais cette dernière le remarquait à peine.

À l'arrivée des deux adolescents, Paule leva la tête de sa revue et elle attendit qu'ils arrêtent le moteur de leurs scooters pour leur parler.

— Vous avez l'air de deux gars qui s'ennuient, fit-elle avec le sourire.

— Ben, mon père et ma mère sont partis en ville faire des commissions, répondit Marc qui mit sa moto sur sa béquille.

— Les miens sont à Saint-Zéphirin pour aller voir ma sœur Anne-Marie qui vient de perdre son petit.

— Le petit garçon? demanda Éric qui se souvenait avoir vu Anne-Marie promener un bébé en landau.

— Non, pas celui-là. Elle était enceinte d'un deuxième. Elle a fait une fausse couche.

Il y eut un silence embarrassant que Paule finit par rompre.

— Dites donc, je vous regarde la tête à tous les deux. Il me semble que vous avez les cheveux pas mal longs.

— Ouais! c'est ce que ma mère nous répète chaque jour depuis quinze jours, mais mon père a pas eu le temps de nous amener chez le barbier en ville et on veut pas aller chez Parenteau, au village. Quand tu sors de là, t'as toujours l'air d'un vrai fou.

— C'est vrai que le pauvre Gustave voit plus ben clair, dit en riant Paule. Pour lui, la mode, c'est couper les cheveux le plus court possible.

— C'est quoi la mode cet été? lui demanda Marc, tout fier d'avoir trouvé un sujet de conversation qui intéresserait sa voisine.

— Tu peux porter les cheveux très longs derrière avec des favoris épais ou encore, tu te fais friser les cheveux. Ceux qui sont vraiment à la mode, ont les cheveux frisés serré et certains se les font même teindre. Ça, c'est beau pour un homme.

— C'est drôle que tu dises ça, dit Éric pour prendre part à la conversation. Dimanche passé, on a vu notre cousine Carole avec un ami et le gars avait les cheveux exactement comme tu le dis.

— Moi, je trouvais que ça faisait un peu moumoune sur les bords, dit Marc, l'air dégoûté.

— Quand tu dis ça, tu prouves que tu connais rien à la mode pour les hommes, déclara Paule d'un ton assuré. Ça a pas l'air moumoune; ça a l'air «dans le vent». Les cheveux plats et frais rasés sur la tête, c'est bon pour les gars qui vivent au fond de la campagne. Il y a pas un gars à la mode qui accepterait de se promener arrangé de cette façon-là.

Il y eut un long moment de silence, moment mis à profit par la jeune coiffeuse pour feuilleter sa revue et montrer triomphalement à ses deux jeunes voisins quelques photos de têtes frisées masculines reproduites dans sa revue.

Soudain, une idée sembla frapper Marc.

— Combien ça me coûterait de me faire coiffer à la mode?

— Es-tu sérieux? demanda Paule en réprimant un sourire. Est-ce que ta mère le voudrait?

— Ben oui! Qu'est-ce que tu veux que ma coupe de cheveux fasse à ma mère? Tu m'as pas dit combien.

— Comme t'as été fin avec nous autres cette semaine, je vais te faire ça pour rien.

— Non, non, je suis capable de payer, fanfaronna Marc.

— Pour rien, dit Paule. Veux-tu que je te fasse ça cet après-midi ? J'ai le temps. Je travaille pas au salon aujourd'hui et j'ai pas de cliente privée à aller voir.

— Et moi ? demanda Éric.

— Quoi, toi ?

— Moi aussi, j'aimerais avoir la même coupe que mon frère.

— O.K., toi aussi, si tu veux. Je peux vous couper les cheveux et vous les friser. On va laisser faire pour la teinture. On y va ? demanda la jeune fille en se levant.

— Pas de problème, répondit Marc.

— On va s'installer dans la cuisine. J'ai ici tout ce qu'il faut. Les compagnies nous envoient au salon toutes sortes d'échantillons et j'en apporte ici. Des «permanentes», j'en ai plein ma chambre.

— Et Frédéric ? demanda Éric en pensant au frère de Paule.

— Quoi, Frédéric ? Il viendra pas nous déranger. Il est parti voir sa blonde et il reviendra pas avant l'heure du train.

Paule installa les deux frères dos à dos dans la cuisine en leur disant de ne pas se retourner. Elle ne voulait pas entendre leurs commentaires tant et aussi longtemps que son travail ne serait pas complété.

La coiffeuse ne ménagea pas ses efforts pour satisfaire ses jeunes clients. Après leur avoir lavé soigneusement la tête, elle leur coupa les cheveux et leur donna une «indéfrisable», comme elle disait. Elle mit leurs cheveux sur des rouleaux et elle posa sur leur tête des casques chauffants, le sien et celui de sa mère.

Sous leur casque, les deux adolescents évitaient de se regarder pour ne pas se sentir ridicules. Ils n'avaient qu'une hâte, celle de voir l'allure qu'ils auraient quand leur coiffeuse leur enlèverait ce casque inconfortable. Tout ce qu'ils savaient, c'était que leurs cheveux avaient conservé leur teinte brun foncé d'origine.

Quand le moment vint, Paule leur enleva leur casque, défit les rouleaux et les peigna longuement en faisant bouffer leurs cheveux. Finalement, toute fière de son œuvre, elle tendit à chacun un miroir pour qu'ils puissent s'admirer.

Marc considéra sa tête avec stupeur. Son cœur avait eu un raté. Il avait la nette impression de regarder quelqu'un d'autre dans le miroir qu'il tenait. Il se tourna immédiatement vers son frère pour voir sa tête : elle ressemblait à la sienne.

— Puis, qu'est-ce que vous en pensez? demanda Paule, cherchant avidement des compliments.

— Extra! dit Marc, en se forçant à mettre de l'enthousiasme dans sa voix.

— Et toi, Éric?

— Ben, je pense que je vais m'habituer, dit l'adolescent avec beaucoup moins d'enthousiasme que son frère aîné. Ça fait nouveau en maudit !

— En tout cas, on te remercie ben gros, Paule, dit Marc en se levant de la chaise sur laquelle il était assis. Es-tu sûre que tu veux pas être payée ? Faire tout ça, c'était ben de l'ouvrage.

— Il en est pas question. J'espère que votre mère va être contente de votre tête.

— Ça prendra pas de temps qu'on va le savoir, avoua Éric avec un soupçon de crainte dans la voix.

La jeune fille donna quelques conseils à ses deux voisins pour conserver le plus longtemps possible leur belle tête bouclée avant que ces derniers enfourchent leur moto pour rentrer à la maison.

****

Ils garèrent leur moto près de la remise et enlevèrent leur casque.

— C'est de valeur qu'on puisse pas le garder sur la tête tout le temps, dit Éric avec une nuance de regret en posant son casque sur son siège.

— Pourquoi tu dis ça ? demanda son frère aîné.

— Aïe! T'as vu notre tête! On a l'air de deux vrais fous! Frisés comme des moutons, on est cute à mort. Toi et tes idées!

— T'étais pas obligé de me suivre. De toute façon, c'est plus le temps de se lamenter, fit Marc. C'est fait. On va l'endurer comme ça.

— C'est ben clair, si je m'écoutais, je me raserais toute la tête, fit Éric en se regardant dans le rétroviseur de son scooter tout en tentant d'aplatir ses cheveux.

— C'est pas si grave que ça! Arrête donc de t'énerver pour rien, le consola Marc.

Tout en parlant, les deux frères se dirigèrent vers la maison et entrèrent. Sylvie, occupée à préparer un dessert pour le souper, ne les avait pas entendus entrer. Lorsqu'elle les aperçut, ses yeux s'arrondirent et elle se mit à rire aux éclats, sans pouvoir s'arrêter.

— Qu'est-ce que t'as à rire comme ça, la niaiseuse? demanda Marc, rouge de colère.

Sylvie trouva l'air courroucé de son frère irrésistible et elle rit de plus belle. À bout de souffle, elle finit par se calmer.

— Avez-vous vu vos têtes? On dirait que vous vous êtes mis les doigts dans une prise électrique!

— T'es ben drôle! s'exclama son frère Éric. Tu sauras que c'est la dernière mode.

— Ah! Je veux ben te croire, mais où? J'ai jamais vu des têtes comme les vôtres.

— T'as juste à sortir! répliqua Marc que la colère gagnait. Les gars à la mode se font arranger les cheveux comme ça.

— À votre place, je prendrais pas de chance. J'irais pas traîner dans le coin du club Les Gais Amis parce que vous allez faire un malheur.

L'échange fut interrompu par l'arrivée de la Caprice blanche familiale qui vint s'immobiliser près du balcon. En descendant du véhicule, Brigitte aperçut les deux scooters rangés près de la remise et elle cria à ses fils de venir aider à vider le coffre arrière de l'auto.

La porte moustiquaire claqua et les deux adolescents s'empressèrent d'aller s'occuper des sacs placés dans le coffre pendant que leur mère et leur grand-mère leur tournaient le dos pour pénétrer dans la cuisine d'été.

Cyrille rangea quelque chose dans le vide-poches de la portière et leva la tête. Il aperçut alors la chevelure frisée de ses deux fils qui cherchaient à s'esquiver, les bras chargés de plusieurs sacs. Il sortit précipitamment de la Caprice et se planta devant Marc et Éric.

— Ah ben! baptême! jura-t-il. Qu'est-ce que c'est ça? Qu'est-ce qui vous est arrivé?

La mine déconfite des deux jeunes l'empêcha de se fâcher et le quadragénaire détourna brusquement la tête pour cacher le fait qu'il avait tout le mal du monde à ne pas éclater de rire.

— Attendez que votre mère voie ça! prophétisa le père. Elle va en faire une maladie. Restez pas plantés là comme des piquets, commanda-t-il. Entrez.

Si les deux frères s'étaient imaginé être passés inaperçus, ils se trompaient. Leur grand-mère Isabelle avait bien vu leur tête et leur air inquiet avant d'entrer dans la maison. Elle n'avait pas soufflé mot. Une fois dans la maison, elle fit signe à Sylvie de ne pas parler et elle dit tout bas à sa bru:

— Brigitte, regarde tes deux garçons par la fenêtre.

— Qu'est-ce qu'ils ont? demanda la mère, intriguée, en s'étirant le cou pour voir.

— Regarde.

— Mon Dieu! s'exclama Brigitte. Qu'est-ce qui leur est arrivé?

— Pas si fort! lui conseilla Isabelle en posant une main sur son bras. Ça doit être encore une idée de jeunes. Fais semblant de ne rien remarquer quand ils vont entrer.

— Qu'est-ce qui leur est encore passé entre les deux oreilles à mes deux grands insignifiants? demanda à mi-voix Brigitte en serrant les dents. On peut pas les laisser tout seuls une heure sans qu'ils fassent un mauvais coup.

— Chut! Ils entrent, fit Isabelle. Posez les sacs sur la table, dit-elle aux deux adolescents. Voulez-vous un verre d'orangeade? Je suis en train d'en servir.

— Merci, grand-mère.

— Merci, oui ou merci, non? demanda Isabelle, taquine.

— Merci, oui.

Sylvie feignait d'ignorer la présence de ses frères et Brigitte s'était mise à ranger le contenu des sacs déposés sur la table dans le réfrigérateur. Finalement, n'y tenant plus, Marc décida de passer à l'offensive.

— M'man, as-tu vu notre nouvelle coupe de cheveux? demanda-t-il à sa mère.

Brigitte leva la tête, regarda ses deux fils durant un long moment, le visage impénétrable.

— Trouves-tu que ça nous fait ben? insista Éric, réconforté de constater que sa mère ne se mettait pas en colère.

— J'espère que votre permanente tiendra pas trop longtemps, finit par dire Brigitte, parce que je trouve que vous avez l'air de deux beaux tatas arrangés comme ça.

— Mais m'man, c'est la mode.

— La mode! La mode! s'exclama la mère. Si c'était la mode de se promener le derrière à l'air, je suppose que vous seriez assez bêtes pour le faire. Bon, laissez-moi tranquille avec vos niaiseries et allez aider votre père. C'est l'heure du train.

Quand Marc et Éric sortirent pour aller à l'étable, Brigitte, Isabelle et Sylvie se précipitèrent à la fenêtre de la cuisine pour admirer en silence la tête des deux garçons.

En fin de compte, on se montra tout de même assez charitable à la maison en ne se moquant pas trop ouvertement de leur apparence... mais il en fut tout autrement à l'extérieur.

Les deux adolescents comprirent rapidement la signification de certains sourires qui s'épanouissaient sur les figures à leur passage. Au village, particulièrement au restaurant Gadbois où ils aimaient aller traîner le soir, ils étaient l'objet des moqueries des jeunes de leur âge. Les deux frères en eurent vite assez d'attirer l'attention et les sarcasmes. Ils cherchèrent désespérément un moyen de se débarrasser des maudites bouclettes.

Une semaine ne s'était pas écoulée quand Marc vit Paule en train de tondre la pelouse devant la maison de ses parents, un soir. En le voyant s'approcher, la jeune coiffeuse arrêta sa tondeuse.

— Puis, Marc, toujours aussi content de ta nouvelle coupe?

— Ouais! fit l'autre, sans enthousiasme.

Son frère Frédéric lui avait rapporté le harcèlement dont étaient victimes leurs deux voisins à cause de leur tête bouclée. Elle insista donc.

— Ça te cause pas de problème?

— Non. Pourquoi tu me demandes ça?

— Ben, on sait jamais. Il peut y avoir des jaloux.

— Oui, il y en a, il y en a, reconnut l'adolescent, mais ça me fatigue pas. Dis donc. Je voulais juste te demander combien de temps ça va rester frisé de même, demanda Marc en tirant sur une de ses boucles.

— Ben, le temps que tes cheveux allongent. Quand le coiffeur va couper ce qui frise, il y aura plus de permanente.

Marc prit un instant pour digérer la nouvelle.

— Tu veux dire que je vais garder ma tête comme ça jusqu'à l'automne? demanda-t-il, au bord de la panique.

— Au moins, répondit la jeune fille en dissimulant mal un sourire.

Chapitre 17

Les indésirables

On oublia très rapidement les premiers jours maussades du mois d'août quand le soleil et la chaleur revinrent. Le sol gorgé d'eau et les chauds rayons du soleil combinèrent leurs efforts pour faire lever des récoltes pleines de promesses. Les jardins produisaient des légumes savoureux. À la mi-août, on put procéder à une seconde coupe de foin et le maïs à ensiler sembla avoir repris sa croissance un instant retardée par le mauvais temps et tout laissait présager qu'il atteindrait une belle taille.

Chaque jour, dans le rang Sainte-Anne, on pouvait voir des gens au travail, un peu partout dans les champs. Les vaches en train de brouter paisiblement et l'absence de bruit donnaient une fausse impression d'indolence. Les apparences étaient trompeuses. La terre ne cessera jamais d'être une maîtresse exigeante. Tous les instruments aratoires modernes n'empêcheront jamais ses maîtres de devoir lui consacrer toutes leurs énergies de l'aube au crépuscule, particulièrement durant l'été.

Chez André Marcotte, le travail était mené rondement et on profitait au maximum de la belle température. Louise et Pierrette ne se contentaient pas des confitures de fraises et de framboises confectionnées en juillet. Comme les femmes des générations passées, elles congelaient des bleuets, elles mettaient en conserve des tomates et des fèves et elles préparaient des pots de ketchup vert et rouge ainsi que d'autres marinades. La maison embaumait du matin au soir. Les pots scellés s'alignaient de plus en plus nombreux sur les tablettes du garde-manger.

Pendant ce temps, André dirigeait le travail sur la ferme. Il y en avait assez pour tenir occupés son fils Pascal, Daniel Lacoste, le jeune Gagnon et parfois, Paul Joly de Sainte-Monique quand le jeune homme était disponible. Tout avait l'air d'aller pour le mieux.

Mais il ne fallait pas s'y tromper : l'atmosphère dans la maison s'était progressivement dégradée durant les dernières semaines sans que personne sente le besoin de redresser la situation. Tout semblait venir du changement étrange de comportement d'André Marcotte.

On aurait dit que la vente de l'île et l'achat de la Cadillac lui avaient soudain fait prendre conscience de l'importance de son compte en banque. Le rapport de force dans son foyer en avait été bouleversé. On aurait juré que ces deux transactions avaient soudainement libéré André Marcotte de la tutelle de ses parents.

Son nouveau comportement un peu condescendant laissait croire qu'il se sentait maintenant en mesure, à tort ou à raison, de mener seul et avec succès ses affaires. Du jour au lendemain, le quadragénaire s'était mis à jouer à l'homme d'affaires averti qui sait instinctivement comment faire fructifier son argent. Il en devenait poseur et un peu ridicule. Sans s'en rendre compte, le grand cultivateur un peu chauve ressemblait de plus en plus à sa mère à qui il reprochait, dans sa jeunesse, sa sécheresse et son avarice. Il possédait l'ambition de son père sans avoir la petite touche d'humanité que ce dernier avait toujours su conserver.

Louise observait les changements qui survenaient chez son mari et ils lui déplaisaient profondément. Elle le sentait de plus en plus étranger aux préoccupations des siens et cela la bouleversait. Rien ne semblait plus le toucher.

Pour sa part, Pierrette avait été la première à réagir au nouveau comportement de son fils.

Un soir, après le souper, André maugréa contre la façon de sa mère de tenir les comptes de la ferme. Il disait ne plus s'y retrouver. Pierrette sauta sur l'occasion. Celle qui faisait la comptabilité de l'entreprise familiale depuis près de 40 ans s'empressa d'aller chercher tous les livres de comptabilité enfermés dans un classeur de sa chambre et elle les déposa avec fracas sur la table de cuisine.

— Puisque t'es rendu si fin que ça, mon gars, tiens tes comptes toi-même. Ça fait assez longtemps que je m'en occupe, lui avait-elle dit d'un ton cassant. Comme ton père et moi, on est tes associés, tu te contenteras de nous montrer les chiffres à la fin de chaque mois.

— Comme vous voudrez, m'man, avait laissé tomber André. Louise va s'en occuper à partir d'aujourd'hui.

— Il en est pas question, affirma sa femme à qui il avait toujours préféré sa mère pour ce travail de confiance. J'ai déjà ben assez d'ouvrage à faire. Fais faire ça par un comptable ou fais-le toi-même; moi, je touche pas à ça.

— Aïe! Ça va nous coûter un bras si on donne le job à un comptable.

— C'était à toi d'y penser avant de critiquer ta mère, dit Jocelyn, mécontent de la conduite de son fils.

André s'était alors enfermé dans un silence boudeur et il en voulait manifestement autant à sa mère qu'à sa femme.

Les jours suivants, Pierrette cessa de s'occuper des choses de la ferme, se contentant d'aider à la cuisine quand c'était nécessaire. On aurait dit qu'elle venait de découvrir subitement qu'elle avait soixante-sept ans et qu'elle avait largement gagné le droit de se reposer. Progressivement, son mari se mit à l'imiter. Il lui arrivait de plus en plus souvent d'aller passer l'après-midi au village, d'aller s'asseoir une heure ou deux avec ses sœurs, ses voisines, ou tout simplement de se découvrir des achats à faire à Drummondville. Bref, André pouvait de moins en moins compter sur la participation de ses parents et leurs suggestions profitables.

Sa famille commençait à échapper à son contrôle sans qu'il s'en rende compte. Ainsi, sa fille Nicole n'avait fait à la maison qu'une brève apparition d'une heure depuis la fin de ses cours. Elle adorait Montréal et parlait de s'y installer à temps plein à l'automne pour y poursuivre ses études.

Par un reste de fidélité et un peu par compassion, Louise avait tenté de se rapprocher de lui, mais il l'avait repoussée sans ménagement. Sa femme l'avait incité à sortir de la maison une fois par semaine, à voir du monde, à oublier la ferme durant quelques heures. Il s'était alors mis en colère, affirmant qu'il fallait être une tête folle pour croire qu'on pouvait s'amuser tout le temps.

À force de se faire rabrouer, Louise avait fini par renoncer. Une ou deux fois par semaine, elle se pomponnait et allait au cinéma à Drummondville, la plupart du temps en compagnie de sa belle-sœur Émilie.

La sœur d'André avait épousé un employé de la ville de Drummondville une dizaine d'années plus tôt et le couple sans enfant vivait une existence sans histoire. Émilie avait toujours apprécié la douceur de Louise et elle était heureuse de sa compagnie.

Cette conduite indépendante n'avait pas été sans susciter une certaine jalousie chez André. À une ou deux reprises, il avait quitté Saint-Anselme derrière elle pour vérifier ce qu'elle faisait. Quand il avait découvert qu'elle ne sortait qu'avec sa sœur, il avait été rassuré.

Il restait Pascal. Ce fils de 16 ans était particulièrement obéissant et attachant. Rien ne le rebutait pour plaire à son père. Cependant, il avait noué une sorte de relation père-fils avec Daniel Lacoste qui n'avait pas eu la chance d'avoir des enfants. Tous les deux allaient souvent à la pêche ou assister à une partie de baseball d'une équipe semi-professionnelle de la région le dimanche après-midi. Contrairement à André, Daniel Lacoste faisait en sorte de gagner la confiance de l'adolescent et s'attachait à lui donner de vraies valeurs. Quand l'employé et Louise avaient une conversation en dehors de la présence d'André, ils discutaient de livres ou ils parlaient de Pascal.

Insensiblement, il se développait une étrange relation entre Daniel Lacoste et l'épouse incomprise, sans que leur volonté y soit pour quelque chose. Le Gaspésien aimait la mise soignée, le désintéressement et le dévouement de Louise. Elle, de son côté, appréciait sa solidité, sa bonne influence sur Pascal et sa capacité d'écoute. Daniel n'était pas bavard, mais elle le sentait attentif au moindre détail et désireux de lui plaire.

Un samedi soir, Lacoste aperçut la femme de son patron dans l'entrée du cinéma Capitol où il venait voir un film. Elle était exceptionnellement seule parce qu'Émilie avait des visiteurs inattendus à la maison. Après un moment de gêne, il l'aborda et ils entrèrent tous les deux dans la salle où ils s'assirent l'un près de l'autre. Sans qu'aucun geste déplacé ne soit échangé, Louise se sentit étrangement troublée par cette promiscuité dans l'obscurité.

À la fin de la projection, ils allèrent boire une tasse de café au restaurant voisin. Lacoste parla avec beaucoup de tendresse de sa femme décédée et Louise, de ses aspirations à une vie paisible. La quadragénaire n'était pas sans remarquer avec une satisfaction grandissante que son charme opérait encore auprès des hommes. Il n'y avait qu'à regarder Daniel Lacoste pour s'en rendre compte. Vers 23 heures, ils décidèrent de rentrer. Pour éviter à Louise d'avoir à répondre à des questions embarrassantes de la part de son mari, l'ouvrier retarda son retour d'une heure.

****

Pour sa part, en cette seconde semaine du mois d'août, toute la famille Riopel attendait avec impatience de savourer leurs premiers épis de maïs de la saison. On déplorait que les pluies de juillet aient tant retardé la récolte.

Brigitte n'avait jamais cessé d'agrandir son jardin situé à l'arrière de la maison. D'une année à l'autre, elle ajoutait des rangs de maïs dans le but de semer différentes variétés. Elle était parvenue, sans trop de mal, à communiquer à toute sa famille sa passion pour le «blé d'Inde». Elle aimait les autres légumes, mais aucun ne lui plaisait autant que le maïs. À ses yeux, rien ne valait un bel épi doré largement tartiné de beurre et généreusement salé. Bref, c'était son péché mignon et elle ne s'en cachait pas.

Dès le début d'août, elle allait chaque jour dans son jardin pour vérifier si les grains des épis étaient jaunes. Plus les jours passaient, plus elle manifestait de l'impatience. Finalement, le dimanche soir, elle annonça fièrement aux siens que le lendemain midi, elle serait en mesure de faire bouillir les premiers épis de l'année. Elle avait l'intention de cueillir les plus mûrs le lendemain avant-midi.

Le lendemain matin, après le train, Éric entra dans la cuisine d'été en coup de vent.

— Mémère, savez-vous où est m'man?

— Je t'ai dit cent fois de pas m'appeler comme ça, répliqua Isabelle en menaçant l'adolescent avec la louche qu'elle utilisait pour brasser le gruau.

— O.K., grand-mère, savez-vous où elle est?

— Elle est en train de faire les chambres en haut.

Éric se précipita au pied de l'escalier et appela sa mère.

— M'man, venez voir dans le jardin. Je sais pas ce qui s'est passé, mais il y a deux rangs de blé d'Inde couchés.

— Ah non! C'est pas vrai! Viens pas me dire que les maudits ratons laveurs sont venus manger mon blé d'Inde! s'écria Brigitte.

Elle descendit lourdement l'escalier en maugréant et elle se précipita vers la porte, suivie de près par son fils.

Dès son entrée dans le jardin, Brigitte aperçut immédiatement une trentaine d'épis de maïs coupés à la base et dont on n'avait rongé que les grains qui n'étaient pas en contact avec le sol. Elle en avait des larmes de rage aux yeux. Tant de soins à son jardin pour en arriver là.

— Ramasse-les et va les jeter sur le tas de fumier, commanda-t-elle à son fils avant de rentrer dans la maison en laissant claquer la porte moustiquaire derrière elle. Je vous jure qu'ils l'emporteront pas au paradis, promit-elle à sa belle-mère.

Quand Cyrille rentra de l'étable quelques minutes plus tard, elle s'empressa de lui raconter ce que les ratons laveurs avaient fait dans son jardin.

— Pourquoi dis-tu que c'est des ratons laveurs qui ont fait ça? demanda Cyrille.

— Ta mère en est sûre, et moi aussi. Il y a juste eux autres pour couper le blé d'Inde comme ça et manger juste les rangées du dessus. Tu vas faire quelque chose, hein? J'ai pas travaillé comme une folle avec ta mère pour rien. Si on fait rien, ils vont revenir la nuit prochaine et faire autant de dégâts.

— Inquiète-toi pas. Je vais m'en occuper, promit Cyrille.

Après le souper, Cyrille monta avec Marc dans le grenier de la grange, là où il rangeait ses «cossins», comme il disait. Il trouva assez facilement huit vieux fanaux que la voirie utilisait autrefois pour signaler aux automobilistes les trous dans la chaussée. Lui et son fils les descendirent et les remplirent d'huile avant de les apporter dans le jardin et de les placer autour des rangs de maïs.

Aussitôt que l'obscurité descendit, Cyrille demanda à ses deux fils de transporter au fond du jardin un vieux fauteuil rangé dans la remise. Pendant ce temps, il alluma les fanaux. Ensuite, le cultivateur entra dans la maison, se prépara un thermos de café et prit sa carabine et une boîte de cartouches.

— Venez pas rôder autour du jardin, prévint-il les siens. Je vais passer la nuit dehors, au bout du jardin. S'il y a un seul raton laveur qui vient toucher au blé d'Inde, je vais le descendre. Ça va faire peur aux autres, je vous le garantis.

— T'es ben fin, Cyrille, de t'occuper comme ça du blé d'Inde, dit Brigitte, reconnaissante; mais je veux que tu t'apportes une couverte chaude et un gros chandail. Au milieu de la nuit, c'est pas mal cru.

Cyrille prit la grosse couverture que sa mère était allée lui chercher et il partit s'installer dans le jardin.

Vers 23 heures, quand Brigitte décida de se mettre au lit, elle jeta un coup d'œil au jardin par la fenêtre de sa chambre. Les fanaux éclairaient assez bien une large portion du jardin et elle devina la présence de son mari, assis dans son fauteuil à l'autre extrémité, près de la clôture.

Cyrille vit toutes les lumières de la maison s'éteindre une à une. Bientôt, il n'aperçut plus que le halo de la sentinelle qui éclairait surtout l'étable et la grange. La route était obscure. Les seules autres sources de lumière étaient les sentinelles de ses voisins, celle de Richard

Bergeron à sa droite et celle de Pierre Bergeron à sa gauche. Le quadragénaire aurait aimé allumer une cigarette, mais il craignait que l'odeur du tabac ne soit repérée par les ratons laveurs. Il se contenta de boire le contenu de son thermos de café. Il avait une vue dégagée de la portion du jardin réservée au maïs, portion qu'il jugeait assez éclairée par les fanaux.

La fraîcheur de la nuit finit par faire grelotter le gardien et il remonta l'épaisse couverture de laine posée sur ses genoux jusqu'à son menton. Il se décida alors à appuyer sa carabine sur le bras de son fauteuil pour être plus à l'aise. Les heures s'étiraient et pas l'ombre d'une bête. Il avait beau scruter le jardin, rien ne bougeait.

Au milieu de la nuit, Cyrille Riopel ferma les yeux quelques instants «pour les reposer», se dit-il. Il les rouvrit en sursaut, certain d'avoir perçu un mouvement dans le jardin. Il regarda attentivement les rangées d'épis devant lui pendant de longues secondes, la main déjà posée sur sa carabine : rien ne se produisit. Il savait qu'il aurait dû se lever, faire quelques pas pour chasser le sommeil, toutefois, à la seule idée d'enlever la couverture sous laquelle il était si bien, il renonça.

L'homme s'efforça de garder les yeux ouverts durant de longues minutes, mais la fatigue finit par l'emporter et il ferma de nouveau les yeux en se disant qu'il entendrait sûrement les ratons laveurs s'ils avaient le culot de venir malgré les lanternes allumées.

****

À l'aube, Brigitte allongea un bras pour secouer son mari. Ne rencontrant que le vide, elle s'assit brusquement dans son lit et mit quelques secondes à réaliser pourquoi Cyrille n'était pas à ses côtés. Elle s'empressa d'aller dans la cuisine lui préparer une tasse de café et elle sortit le rejoindre dans le jardin. Le pauvre homme devait être mort de fatigue. Elle allait lui offrir d'aller se mettre au lit pendant qu'elle se chargerait du train avec l'aide des enfants.

Brigitte contourna le coin de la maison en faisant attention de ne pas renverser trop de café. Elle aperçut tout de suite Cyrille, la tête appuyée sur le dossier de son fauteuil, les jambes étendues devant lui, ronflant comme un bienheureux sous sa couverture. Sa carabine avait même glissé dans l'herbe. Plus loin, il y avait une vingtaine d'épis de maïs grugés par les ratons laveurs.

— Cyrille ! hurla Brigitte.

Son mari fit un saut de carpe qui faillit le faire tomber de son fauteuil.

— Quoi ? Quoi ? demanda-t-il, mal réveillé, essayant de toute évidence de savoir où il était et ce qu'il faisait là.

— Les ratons laveurs sont encore venus ! lui cria sa femme en colère en lui montrant d'un bras vengeur les épis éparpillés sur le sol. À quoi tu servais, là ? T'as rien vu ? Ils m'ont mangé encore une partie de mon jardin en dessous de ton nez et tu t'es pas aperçu de rien !

Tout penaud, Cyrille se leva en se frictionnant le bas du dos. Passer tant d'heures assis dans un fauteuil finissait par donner de sérieuses courbatures. Il s'avança, les jambes raides, pour constater de plus près l'étendue des dégâts. Les ratons laveurs étaient bien venus se régaler du maïs de Brigitte sous son nez.

— Qu'est-ce que tu veux que j'y fasse? demanda-t-il avec humeur à sa femme. C'est ben beau vouloir les tirer, mais quand t'es pris pour rester assis durant des heures sans pouvoir bouger, tu finis par t'endormir. On peut même pas fumer ou écouter la radio... Ça a l'air facile comme ça, mais j'aurais ben voulu te voir à ma place.

— O.K., mais ils ont dû faire du bruit. Comment ça se fait que t'as rien entendu?

Isabelle, qui venait d'arriver sur les lieux, enveloppée dans un châle, se permit de répondre à la place de son fils.

— Il aurait peut-être entendu s'il avait pas ronflé si fort.

Cyrille fit une grimace et ramassa la couverture qu'il tendit à sa mère.

— Bon, je pense que t'es aussi ben d'aller faire ton train maintenant que t'es réveillé, fit Brigitte. Je pensais y aller à ta place, mais on dirait ben que t'as passé une aussi bonne nuit que nous autres, même si tu l'as passée dehors. Ta mère et moi, on va rentrer et on va t'envoyer les garçons pour t'aider. Tiens, prends cette tasse de café-là, c'était pour toi, fit Brigitte en lui tendant la tasse qu'elle tenait encore.

Un peu plus tard, durant le déjeuner, Isabelle et Brigitte ne se gênèrent pas pour railler les qualités de guetteur du pauvre Cyrille.

— En tout cas, les garçons, votre père est bon pour les petites bêtes, fit Isabelle avec malice. Il prend même la peine d'éclairer les ratons laveurs pour qu'ils puissent voir où ils vont la nuit, même si la lumière l'empêche de dormir à son aise.

— Voyons, m'man, dit Cyrille en lui faisant les gros yeux.

— Je pensais t'envoyer te coucher cet avant-midi pendant qu'on ferait le ménage de la tasserie, dit Brigitte à son tour. Mais tu m'as l'air pas mal reposé et je voudrais pas que tu fasses des plaies de lit. Je pense que tu peux faire ta journée d'ouvrage sans en arracher trop, pas vrai Cyrille?

— Ça va faire. O.K., je me suis endormi et après? On peut se servir d'autre chose que d'une carabine pour se débarrasser des maudits ratons laveurs.

— Laporte m'a déjà dit que son père les poigne avec des cages quand ils entrent dans sa grange, dit son fils Marc.

— Je pense que je vais appeler mon oncle Louis au village. Il me semble qu'il avait trouvé un truc pour s'en débarrasser, dit Cyrille.

Pendant que Cyrille appelait Louis Bergeron au Petit Foyer, Isabelle se pencha à l'oreille de sa bru pour lui chuchoter:

— Si mon frère a trouvé un truc, ça m'étonne que tout le monde le connaisse pas. Tu le connais. Il a jamais haï ça se vanter.

Quand Cyrille raccrocha, les deux femmes se tournèrent vers lui.

— Puis? demanda Brigitte.

— C'est plein de bon sens ce que mon oncle m'a conseillé. On va l'essayer.

****

Sur ces mots, sans autre explication, le cultivateur sortit de la maison et prit la direction de la remise d'où il ne sortit que près d'une demi-heure plus tard, en poussant une brouette pleine de matériel.

Avec l'aide de ses deux fils, Cyrille planta une série de piquets autour du maïs du jardin et il installa un fil de plomb à quelques centimètres du sol, tendu d'un piquet à l'autre. Quand il eut fini de ceinturer cette portion du jardin, il brancha le fil au système électrique utilisé pour éloigner les vaches des clôtures.

Avant de s'endormir ce soir-là, Brigitte ne put s'empêcher de dire à son mari.

— J'ai pas une grosse confiance dans cette patente-là... Mais on n'a pas le choix quand on n'a personne dans une maison capable de passer la nuit réveillé.

— Aïe! Tu sais où est la carabine, dit Cyrille. Si le cœur t'en dit, gêne-toi pas. Le fauteuil est encore au bout du jardin. J'irai te réveiller demain matin, avant le train... Et je te promets que je te crierai pas dans les oreilles.

Sur ces paroles bien senties, Cyrille Riopel tourna le dos à sa compagne et s'étira avec délice dans son lit enfin retrouvé.

Il venait à peine de s'endormir – du moins le croyait-il – quand il sentit qu'on le poussait à plusieurs reprises.

— Quoi? demanda-t-il à demi endormi, les yeux fermés.

— Réveille-toi, Cyrille! Viens voir!

Cyrille ouvrit les yeux et il aperçut sa femme debout à ses côtés.

— Grouille! lui ordonna-t-elle.

Il finit par s'asseoir et poser les pieds sur le plancher.

— Écoute! dit Brigitte.

Des couinements et des plaintes venaient du jardin. Le quadragénaire se précipita à la fenêtre. Sous le clair de lune, il aperçut des ombres qui sautaient en tous sens autour du maïs.

Le lendemain matin, Cyrille débrancha son système et il fit le tour du jardin. Il n'y avait pas un épis de maïs auquel les ratons laveurs avaient pu toucher.

— Bon, c'est fini, déclara Brigitte ce midi-là en servant du maïs aux siens. On n'aura plus à faire la course avec les ratons laveurs pour savoir qui en mangera le plus.

Chapitre 18

Pauline

Le lendemain, un drame frappa la famille Marcotte.

Le mardi soir, un peu après minuit, le téléphone sonna chez Pierre Bergeron. Réveillée en sursaut, Diane se précipita dans la cuisine et décrocha l'appareil, le cœur battant la chamade, sachant par expérience que les appels téléphoniques nocturnes n'annonçaient jamais de bonnes nouvelles.

Quand Pierre arriva dans la pièce une minute plus tard, il l'entendit dire :

— Je m'en occupe, monsieur Bergeron. On vous rejoint tout de suite après. Inquiétez-vous pas. Ça va s'arranger.

— Qu'est-ce qui se passe ? demanda son mari en se frottant les yeux.

Diane s'approcha de son mari.

— Ton père a découvert ta mère sans connaissance vers 11 heures. Elle se plaignait, mais elle parlait pas. Il a fait ce qu'il fallait. Il a appelé le docteur Babin qui a fait venir tout de suite une ambulance. Ton père est monté avec elle à l'hôpital Sainte-Croix. C'est de là qu'il appelait. Il paraît que c'est grave. Je lui ai dit que j'appellerais ta sœur et qu'on monterait à l'hôpital tout de suite après.

En apprenant la nouvelle, le visage de Pierre pâlit et ses yeux se remplirent d'eau. Toutefois, il fit un effort méritoire pour se contrôler.

— Appelle Suzanne. Pendant ce temps-là, je vais aller avertir les enfants.

Pendant que Diane donnait quelques explications au téléphone à Suzanne, Pierre réveilla Paule et Frédéric pour leur dire que leur grand-mère était malade et que lui et leur mère partaient pour l'hôpital. Il dissuada ses enfants de venir avec eux en prétextant qu'il était inutile que trop de visiteurs s'entassent dans la salle d'attente. Alors qu'ils s'habillaient rapidement dans leur chambre, Diane dit à son mari qu'elle attendrait le lendemain matin pour prévenir Anne-Marie.

Trois quarts d'heure plus tard, le couple entra à l'urgence de l'hôpital et repéra rapidement Bernard Bergeron, assis dans un coin, l'air totalement perdu. Le septuagénaire eut un sourire reconnaissant en apercevant son fils et sa bru et il leur indiqua des places libres à ses côtés. Peu après, Paul Biron et sa femme entraient dans la pièce quasi déserte et venaient se joindre à eux. La longue attente débuta.

Vers 2 heures, le docteur Babin vint les retrouver pour leur dire qu'un neurologue était en train d'établir son diagnostic et que différents tests étaient en cours. Avant de rentrer chez lui, il tentait, de toute évidence, de leur remonter le moral. Selon lui, ils sauraient l'état réel de la malade dans une heure ou deux.

Les heures passèrent et la distributrice à café fut durement mise à contribution. Consultée toutes les quinze minutes, l'infirmière responsable du poste de garde ne pouvait que les inviter à être patients.

Un peu après 4 heures, le neurologue Germain Nadeau se présenta et invita les membres angoissés de la famille à entrer dans une petite pièce adjacente à la salle d'attente.

Avec beaucoup de ménagement, il leur apprit qu'on venait de découvrir que Pauline avait subi une hémorragie cérébrale. Son état avait encore empiré depuis son entrée à l'urgence. Elle était maintenant paralysée du côté gauche et il était impossible de savoir à quel point son cerveau avait été atteint. Selon le spécialiste, une intervention chirurgicale pour réparer les dommages chez une femme de soixante et onze ans était très risquée. Cependant, il l'avait placée sous observation dans la salle des soins intensifs. Dès que son état serait stabilisé, il l'opérerait. Sur ces mots, il leur conseilla de rentrer chez eux et de prendre quelques heures de repos. De toute manière, les visites aux patients placés aux soins intensifs étaient sévèrement contrôlées.

— Peut-on la voir juste une minute ? implora Suzanne, qui n'avait pas cessé de pleurer durant toutes les explications du médecin.

— Pas plus... et un à la fois, enjoignit le docteur Nadeau, après un instant d'hésitation.

Le neurologue les entraîna au fond d'un couloir fermé par des portes battantes.

À tour de rôle, chacun put rendre une brève visite à Pauline, aussi blanche que le drap qui la recouvrait, entubée et branchée sur des appareils inquiétants. Une infirmière était assise à son chevet et ne quittait pas les appareils des yeux. Cette vision les bouleversa tous, même Diane qui ne s'était pas toujours très bien entendue avec sa belle-mère. Ils avaient sous les yeux la preuve évidente de la fragilité humaine. Quelques heures auparavant, Pauline s'était couchée pleine de vie et maintenant...

Pendant que les visiteurs se dirigeaient lentement vers la sortie, Diane attira le médecin à l'écart.

— Je suis sa bru, docteur, dit Diane à voix basse. Dites-moi franchement, va-t-elle s'en sortir ?

Germain Nadeau se gratta la tête avant de laisser tomber :

— À dire vrai, madame, il faudrait un miracle. Vous l'avez vue comme moi ; elle est entrée dans un profond coma.

— Combien de temps lui donnez-vous ?

— Là, je ne peux vraiment pas vous répondre. Elle peut rester dans cet état un mois ou quelques heures. C'est impossible à prévoir.

— Merci, docteur.

Diane rejoignit les autres à la porte de l'hôpital. Avant de reprendre la route, on s'entendit sur l'identité des gens à prévenir. Suzanne préviendrait ses oncles Maurice et Henri, tandis que Pierre avertirait son oncle Jocelyn ainsi que ses tantes Marie et Mariette qui vivaient tous dans son rang. Pierre proposa de ramener son père à la maison. Bernard ne s'opposa pas à l'idée d'aller dormir quelques heures chez son fils avant de revenir à l'hôpital où il était venu en ambulance, aux côtés de Pauline.

Vers 5 heures et demie, Pierre s'arrêta devant sa porte. Diane entra dans la maison sur la pointe des pieds pour ne pas réveiller les enfants, mais Paule était déjà en train de préparer le café et elle annonça que Frédéric venait de quitter pour l'étable. Après avoir pris des nouvelles de sa grand-mère, la jeune coiffeuse leur servit une tasse de café. Paule s'opposa à ce que ses parents viennent faire le train. Elle ne commençait à travailler qu'à 10 heures et elle avait le temps d'aider son frère. Elle les invita plutôt à déjeuner avant d'aller dormir quelques heures. Frédéric et elle pouvaient se débrouiller sans eux. Après le départ de Paule pour l'étable, Bernard, son fils et sa bru mangèrent un peu.

— Je vais vous installer dans la chambre des invités, monsieur Bergeron, fit Diane. Le lit est confortable et vous allez pouvoir vous reposer un peu.

Bernard se leva péniblement de table pour la suivre.

— Avant d'aller me coucher, dit Pierre, je vais aller prévenir mes tantes et mon oncle. Je vais faire ça vite.

— Veux-tu que j'y aille avec toi ? offrit Diane.

— Non, ça va aller. Couche-toi. Je reviens tout de suite.

Pierre sortit et se remit au volant. Il tourna devant la maison de ses tantes, mais il ne s'y arrêta pas. Il descendit devant la maison de son cousin André qui devait être à l'étable à cette heure-là. Au moment où il allait s'éloigner de la maison, Pierre aperçut Louise à la fenêtre de la cuisine. Elle avait probablement entendu le bruit de sa voiture. Elle vint lui ouvrir.

En quelques mots, Pierre la mit au courant de l'hospitalisation de sa mère en la priant de communiquer l'information à son beau-père quand il se lèverait. Louise lui offrit un café, mais il refusa en disant qu'il devait aussi aller voir les tantes et qu'il voulait dormir quelques heures avant de retourner à l'hôpital.

— Nous allons prier pour elle, affirma Louise. Si t'as besoin de quelque chose, appelle-nous tout de suite.

— Merci, j'y manquerai pas, dit Pierre en remontant à bord de son auto.

Une trentaine de mètres plus loin, il s'arrêta près de la maison de ses tantes, maison qu'il avait habitée avec Diane et ses enfants durant plusieurs années avant d'emménager chez ses parents. Ses tantes étaient réveillées. Pierre leur apprit la mauvaise nouvelle avant de retourner chez lui et se coucher. Diane dormait déjà à poings fermés quand épuisé, il se laissa tomber dans le lit.

Vers 11 heures, le téléphone sonna dans la cuisine et Frédéric s'empressa de répondre avant que la sonnerie ne réveille ses parents ou son grand-père. Le jeune homme écouta le message et remercia avant de déposer l'écouteur sur son support.

Frédéric se glissa dans la chambre de ses parents. Tous les deux dormaient à poings fermés. Il posa doucement la main sur l'épaule de sa mère qui ouvrit immédiatement les yeux. Pendant un instant, elle le regarda, se demandant ce qu'il faisait près d'elle. Son fils se pencha vers son oreille et murmura :

— M'man, quelqu'un de l'hôpital vient d'appeler. Grand-maman vient de mourir.

Diane mit un doigt sur ses lèvres et désigna la porte à son fils. Elle se leva avec précaution pour ne pas réveiller son mari et elle se glissa hors de la chambre pour aller rejoindre Frédéric.

— Qu'est-ce qu'ils t'ont dit exactement ? demanda-t-elle.

— Pas grand-chose. L'infirmière m'a dit que grand-maman avait pas repris conscience et qu'elle était morte vers 10 heures et demie.

— Bon, je vais aller prévenir ton grand-père et ton père.

Diane alla réveiller Pierre et son beau-père et elle leur fit part de la mort de Pauline. Pierre accueillit la nouvelle beaucoup mieux que son père qui se reprochait amèrement de ne pas avoir été là quand sa femme était partie définitivement.

— Voyons, p'pa, tenta de le consoler son fils, elle se serait jamais rendue compte que vous étiez là. Elle était dans le coma. En plus, personne pouvait savoir qu'elle partirait si vite. Le docteur a dit à Diane que son état aurait pu rester de même pendant des semaines. Vous avez pas de reproches à vous faire.

Mais le fils voyait bien que le vieillard n'était pas persuadé par ses arguments. Pendant que Pierre et son père allaient se préparer à aller à l'hôpital pour signer des documents et prendre les dernières dispositions pour le corps, Diane appela sa belle-sœur Suzanne. Par chance, ce fut son beau-frère qui lui répondit. Elle lui annonça la triste nouvelle. Paul affirma qu'il se chargerait de l'apprendre avec ménagement à sa femme et il accepta même de prévenir ensuite certains membres de la famille.

Après le départ de Pierre et de Bernard Bergeron, Diane logea un dernier appel à sa voisine Isabelle Riopel dont Pauline était la belle-sœur. Les deux femmes avaient été voisines durant plus de trente ans.

Quand André Marcotte apprit le décès de sa tante Pauline, il ne formula du bout des lèvres que quelques paroles de réconfort pour consoler son père de la perte de sa sœur préférée.

Jocelyn et Pierrette se dépêchèrent d'aller retrouver Marie et Mariette, seules avec leur chagrin, dans la petite maison au bord du chemin.

— T'as vraiment pas de cœur, lui reprocha Louise.

— Pourquoi tu me dis ça ? demanda André.

— Ta tante Pauline était celle que ton père aimait le mieux. Ils s'entendaient bien tous les deux. Il me semble que t'aurais pu faire un effort pour montrer que tu compatissais à sa peine.

— Qu'est-ce que tu veux que je te dise ? C'est normal que les vieux partent pour laisser de la place aux jeunes.

— C'est tout ce que tu trouves à dire de ta tante ?

— Écoute donc. Ça faisait des années qu'elle ne faisait plus rien et...

— Tais-toi, tu me donnes mal au cœur, se fâcha Louise. Je m'en vais rejoindre tes tantes. Le dîner est prêt, vous aurez juste à vous servir.

À leur arrivée à l'hôpital, Pierre et son père rencontrèrent le curé Lanctôt qui les attendait et qui leur offrit ses condoléances.

— Vous nous attendiez ? s'étonna Pierre.

— Ton oncle Louis m'a prévenu de l'hospitalisation de ta mère. J'ai appelé à l'hôpital et quand on m'a dit que c'était très grave, je suis venu dans l'intention de lui donner l'extrême-onction.

— Êtes-vous arrivé à temps? demanda Bernard.

— Oui. Elle vivait encore. Consolez-vous: elle est partie paisiblement, dit le prêtre en s'adressant aux deux hommes bouleversés.

Pierre confia son père au curé pendant qu'il allait signer différents documents et prendre possession des quelques effets personnels apportés à l'hôpital par son père quelques heures plus tôt.

Après avoir pris congé du curé Lanctôt, le père et le fils se dirigèrent vers le salon funéraire Duchesne et fils de Saint-Cyrille. Albert Duchesne connaissait bien les Bergeron et les Marcotte de Saint-Anselme. Il était le représentant de la troisième génération de Duchesne, entrepreneurs de pompes funèbres. La maison Duchesne était en activité depuis 1922.

En quelques minutes, Bernard choisit un cercueil pour sa femme et il fut décidé que le corps serait exposé durant deux jours, à compter du lendemain après-midi. Avant leur départ, Duchesne suggéra aux deux hommes de s'arrêter au presbytère pour s'entendre sur la date des funérailles et il demanda à Pierre de lui rapporter une toilette de couleur foncée pour sa mère et une photo récente, si possible.

Après un bref arrêt au presbytère, Pierre ramena son père à la maison et Bernard accepta sans faire de difficulté de demeurer chez son fils jusqu'au jour des funérailles.

Durant la soirée, Isabelle, Colette et Louis vinrent rendre visite à leur frère pour le réconforter. Tous les quatre avaient conscience que Pauline était la première de leur génération à disparaître.

Chapitre 19

L'heure des choix

Le lendemain après-midi, les familles Marcotte, Bergeron, Riopel et Lequerré envahirent le salon funéraire dès l'ouverture des portes. Ils étaient tous parents à des degrés divers.

Par discrétion, on laissa Bernard, ses enfants et ses petits-enfants s'approcher les premiers du cercueil dans lequel Pauline reposait, vêtue du costume noir qu'elle s'était achetée pour le Noël précédent. À la plus grande satisfaction de ses proches, on était parvenu à donner à la disparue un air naturel.

Ensuite, les gens s'approchèrent à tour de rôle du catafalque pour réciter une courte prière avant de présenter à Bernard et aux siens leurs condoléances.

Lorsqu'il y eut moins de nouveaux arrivés, Aurore et Brigitte se tinrent près d'Isabelle qui avait toujours entretenu des relations chaleureuses avec sa belle-sœur Pauline. Son frère Louis et sa sœur Colette s'étaient joints à leur groupe après être allés présenter leurs sympathies aux Marcotte.

Plus loin, Marie et Mariette s'entretenaient à voix basse avec Louise, Anne-Marie et Émilie.

À la gauche du cercueil, Jocelyn, Maurice et Henri, les trois frères de Pauline, discutaient avec leurs neveux Laurent et Daniel qui avaient toujours conservé des liens étroits avec Pauline et Bernard depuis l'été 1956, quand leur tante les avait hébergés et disciplinés.

Après la dizaine de chapelet que le curé Lanctôt vint réciter avec les gens, au milieu de ce chaud après-midi d'août, la foule de visiteurs se scinda en trois groupes. Les femmes s'assirent au salon et se regroupèrent selon leurs affinités pour parler de la disparue et de leurs problèmes. Les quelques jeunes présents se rassemblèrent au sous-sol quand ils découvrirent qu'il y avait là deux distributrices de boissons gazeuses. Les hommes, pour la plupart des gens âgés, préférèrent sortir dans le stationnement pour fumer et pour parler des récoltes.

En soirée, il y eut beaucoup plus de visiteurs. Tous les gens qui n'avaient pu quitter leur travail durant l'après-midi se présentèrent au salon après le souper. L'odeur entêtante dégagée par les nombreuses couronnes de fleurs livrées par les fleuristes indisposait sérieusement certaines personnes. Il y avait des petits groupes formés un peu partout à l'intérieur et à l'extérieur du salon.

Dans un coin, Isabelle racontait à quelques neveux et nièces de la disparue comment Pauline et elle en étaient venues à se marier le même jour d'automne de 1931 et quelle voisine et belle-sœur serviable elle avait toujours été.

Plus loin, Mariette et Marie illustraient avec de nombreux exemples le caractère entier et droit de leur sœur aînée pour qui le mot désordre n'existait pas. Pour elle, tout devait obéir à des principes.

Suzanne racontait à Bruno Lequerré, à Aurore et à ses enfants quelle amie elle perdait avec le départ de sa mère. Pierre et Diane, debout à ses côtés, parlaient des préparatifs déjà en cours pour célébrer les noces d'or de la disparue.

Pierre quittait le groupe de temps à autre pour aller dire quelques mots à son père qui avait choisi de s'installer dans un fauteuil placé à faible distance du cercueil de sa femme. Il ne la quittait guère des yeux, répondant machinalement aux condoléances qui lui étaient offertes. À un moment de la soirée, Diane et Paule prirent le vieil homme par le bras et le forcèrent à quitter quelques minutes l'air surchauffé du salon.

Vers 20 heures ce soir-là, le notaire Deschamps fit son apparition au salon, offrit ses sympathies avec un air emprunté aux membres de la famille et il prit place au côté de Marie. Sa présence fit beaucoup jaser, autant que l'étrange comportement d'André Marcotte qui venait d'arriver seul au salon.

L'homme d'une quarantaine d'années ne consacra que quelques minutes à saluer sa famille. Il se tint surtout à l'extérieur avec les hommes, gardant un œil sur sa Cadillac neuve qu'il craignait de voir érafler par les enfants qui s'amusaient dans le stationnement. Il se tenait au milieu d'un groupe de quelques parents et d'une dizaine d'habitants de Saint-Anselme.

Ses cousins Laurent et Daniel lui apprirent qu'ils avaient acheté des lots du curé Lanctôt et qu'ils projetaient de se faire construire un chalet sur le bord de la rivière le printemps suivant.

— J'ai appris que tu avais vendu une île à un club «gay», lui dit Laurent avec un demi-sourire. J'espère que t'en as eu un bon prix. Remarque, j'ai pas compris pourquoi t'avais pas divisé ton île en lots comme le curé Lanctôt l'a fait pour sa terre. T'aurais fait une fortune.

— Inquiète-toi pas pour l'île, dit André d'un air supérieur en enfonçant les mains dans les poches de son veston. Elle a été vendue la peau et les os. Ça a l'air ben beau les lots du curé, mais c'est loin d'être de l'argent clair. Il doit payer pour toutes sortes d'affaires. Moi, mon île, je l'ai vendue sans avoir à me bâdrer de quoi que ce soit.

— Je suis pas si sûr de ça, moi, fit Daniel.

André ne releva pas le doute exprimé par son cousin.

Pendant que la conversation dérivait vers un autre sujet, André se rendit compte qu'il ne suscitait pas l'admiration qu'il croyait avoir méritée et il en fut ulcéré. Certains pensaient même qu'il avait fait une mauvaise affaire en vendant son île à un club. Ces gens-là avaient l'air de croire qu'il aurait pu vendre l'île en lots et réaliser cinq fois les profits qu'il avait fait. En plus, personne ne porta la moindre attention à sa Cadillac. Il avait pourtant bien cru les épater avec une pareille voiture.

Fait étonnant, le cultivateur en voulut à son père plutôt qu'à lui-même. À ses yeux, il était responsable de tout. Son père était rendu trop vieux. Il avait perdu son flair en affaires. Il se persuada même qu'il aurait sûrement pensé à diviser l'île en lots si son père n'avait pas eu l'idée de la vendre au club «gay». En rentrant chez lui, il calcula mentalement le nombre de lots qu'il aurait pu faire arpenter. Il en aurait pleuré de dépit.

À 22 heures, le salon funéraire ferma ses portes et tout le monde rentra se coucher. Quand Louise et Pascal arrivèrent quelques minutes après André à la maison, ils trouvèrent les lumières éteintes.

La journée du vendredi fut une répétition de la veille. Il vint autant de gens que le jour précédent. Daniel Lacoste vint à Saint-Cyrille avec le jeune Gagnon pour offrir ses sympathies à la famille, même s'il ne connaissait pas Pauline Bergeron.

Le samedi matin, le glas annonça les funérailles de Pauline Bergeron. Peu à peu, des gens arrivèrent en voiture ou à pied et entrèrent prendre place dans l'église de Saint-Anselme pour saluer une dernière fois celle qui avait été une parente, une amie ou une voisine.

En quelques minutes, l'église fut remplie à moitié. Le curé vint accueillir la famille en deuil à l'arrière du temple et on suivit en une lente procession les porteurs qui laissèrent le cercueil au centre de l'allée centrale, près de la balustrade, à l'avant. Bernard, ses enfants et leurs conjoints occupèrent le premier banc. Anne-Marie, Paule et Frédéric prirent place dans le second banc. Les autres membres de la famille se regroupèrent derrière eux.

La messe se déroula dans une grande piété et les chants entonnés par la chorale paroissiale embellirent la cérémonie. Avec un aplomb admirable, Suzanne vint faire l'éloge de sa mère décédée, après que Frédéric et Paule aient lu les textes de l'Épître et de l'Évangile.

Après la cérémonie, le prêtre prit la tête du convoi et conduisit la petite foule dans le cimetière situé derrière l'église. Quand l'assistance eut pris place autour de la fosse creusée la veille par le bedeau, Charles Lanctôt récita quelques prières et eut quelques paroles de réconfort pour la famille éprouvée. Le cercueil fut lentement descendu en terre et les fidèles se disper-sèrent lentement.

Diane et Pierre invitèrent quelques proches parents à venir dîner à la maison avant de monter dans leur voiture en compagnie de Bernard, mais la plupart préférèrent rentrer chez eux. Seuls Isabelle, son frère Louis et sa femme vinrent tenir compagnie à Bernard. Pour leur part, les trois frères de Pauline et leurs conjointes avaient convenu de se retrouver chez Marie et Mariette après le dîner. Ils invitèrent leur beau-frère Bernard à se joindre à eux, s'il n'était pas trop fatigué.

****

Durant les jours suivants, Pierre et sa femme aidèrent le vieil homme à reprendre pied lentement dans la réalité. Bernard se retrouvait sur la ferme qu'il avait cultivée près de quarante ans et il en connaissait les aises. Il semblait heureux d'échapper à sa nouvelle solitude en participant à quelques travaux.

Finalement, près d'une semaine après les funérailles, Pierre et Diane se consultèrent pour savoir s'il fallait offrir au septuagénaire de vivre avec eux de façon permanente. Ils convinrent de ne pas brusquer les choses et de lui laisser le temps de prendre sa décision.

Par un curieux hasard, le lendemain soir, Suzanne et son mari vinrent leur rendre visite après avoir fermé la quincaillerie et ils abordèrent sans détour le sujet.

— Puis, p'pa, qu'est-ce que vous avez l'intention de faire avec votre logement du Petit Foyer ? demanda Suzanne. Allez-vous le garder ?

— Je sais pas trop, répondit Bernard, pris au dépourvu. J'y ai pas encore pensé.

— En tout cas, monsieur Bergeron, si vous voulez revenir vous installer avec nous autres, vous êtes le bienvenu, fit Diane.

— C'est vrai, p'pa, ajouta Pierre. Ce serait moins plate vivre ici que tout seul dans votre petit appartement, même si mon oncle Louis est votre voisin.

— Oui, ça, c'est sûr, admit Bernard.

— P'pa, Paul et moi, on vous fait la même offre, ajouta Suzanne Biron. On n'a pas d'enfants et la maison est grande. On a de la place en masse pour vous.

— Je vous remercie tout le monde mais...

— En plus, beau-père, si je me souviens ben, à part faire chauffer de l'eau, vous avez jamais été ben fameux pour faire la cuisine. Si vous restez tout seul, vous risquez de vous empoisonner ou de mourir de faim.

— Ça aussi, c'est vrai. Je pense que je trouverais pas mal dur de vivre dans le même appartement où je restais avec votre mère.

— Il y a rien qui vous force à retourner là, p'pa, conclut Pierre.

— Vous avez le choix. Chez qui voulez-vous aller vivre ?

— Je suis certain que je serais autant gâté par Suzanne que par Diane, mais je pense que je serais plus utile sur la terre de Pierre que dans ta quincaillerie. Je m'ennuierais moins.

— C'est comme vous le voudrez, monsieur Bergeron, dit Paul Biron. Mais si jamais vous changez d'idée un jour, notre porte reste ouverte... Bon, quand est-ce qu'on s'occupe de votre déménagement ?

— Quand vous aurez le temps, dit le vieil homme, soulagé d'avoir été poussé à prendre une décision sur son avenir.

— Si vous le voulez, Suzanne va s'occuper de vous aider à paqueter, dit Paul Biron. Quand vous serez prêt, vous aurez qu'à me donner un coup de téléphone et j'enverrai un truck avec deux hommes pour déménager toutes vos affaires ici. Pierre, as-tu assez de place pour les meubles de ton père?

— En masse. Tout le haut de la remise est presque vide.

Dès le lendemain, la nouvelle était connue au Petit Foyer: Bernard Bergeron s'en allait vivre chez son fils dans le rang Sainte-Anne. Carmen, la femme de Louis, mentionna le déménagement à Laure Gagnon, l'épicière. L'après-midi même, cette dernière en parla par inadvertance à Jocelyn Marcotte venu faire quelques achats. Jocelyn ne s'étonna pas que son beau-frère ne veuille pas rester seul. Il aurait probablement agi de la même façon.

Subitement, le vieux cultivateur eut une idée lumineuse. Pourquoi n'emménagerait-il pas dans l'appartement libéré du Petit Foyer? Il allait avoir 70 ans dans quelques mois. Pierrette et lui avaient bien mérité de se reposer. L'atmosphère de la maison lui pesait de plus en plus. Ce serait un soulagement de s'en éloigner. Bien sûr, il aurait mille fois préféré s'installer dans l'ancienne maison de ses parents occupée par Marie et Mariette, mais il n'y avait rien à faire pour inciter Marie à la lui vendre.

S'il parvenait à louer à Victor Camirand l'appartement libéré par son beau-frère, il ne resterait donc qu'à persuader Pierrette que c'était la solution idéale. Plus tard, il finirait bien par s'entendre avec André pour le rachat de sa partie de l'entreprise. La ferme, le quota de lait, la machinerie, le troupeau, les terres ajoutées et la maison valaient au bas mot un million de dollars.

Jocelyn ne perdit pas de temps à s'interroger plus longtemps. Il alla directement à la boucherie Camirand. Le sexagénaire attira à l'écart Victor Camirand et il lui demanda s'il était au courant de la décision de Bernard Bergeron de laisser son appartement. Le boucher n'en avait pas encore entendu parler. Jocelyn proposa au propriétaire de reprendre le bail de son beau-frère aussitôt qu'il lui annoncerait son intention de partir. Tout ce qu'il lui demandait en échange, c'était de ne parler à personne de son arrivée au Petit Foyer. Il donna comme raison qu'il n'en avait pas encore discuté avec sa femme. Le boucher accepta.

À son retour, Jocelyn aperçut Bernard en train de vider la boîte aux lettres devant la maison de son fils. Il arrêta sa voiture près de son beau-frère. Après quelques échanges sur leur santé respective, Jocelyn demanda :

— J'ai entendu dire que tu t'installais définitivement chez Pierre. Est-ce que c'est vrai ?

— Ben oui. Mon gars et sa femme veulent que je vienne vivre avec eux autres. Il me reste juste à vider mon appartement la semaine prochaine.

Jocelyn se pressa de rentrer à la maison et il eut la chance de trouver Pierrette seule sur le balcon en train de réparer l'un de ses pantalons. Jocelyn s'assit à côté d'elle, sans même penser à entrer dans la maison les deux sacs de provisions qu'il avait achetées au village.

— Est-ce qu'on est tout seuls? demanda-t-il.

— Ben oui, Louise est partie au comité des fêtes et André est avec Lacoste et Pascal au bout du champ de soja.

Alors, Jocelyn expliqua tout à sa femme ainsi que la démarche pleine de conséquences qu'il venait de faire auprès de Victor Camirand.

Pierrette demeura d'abord sans voix. Celle qui avait si souvent menacé son fils d'aller vivre au village dans le passé avait maintenant la possibilité de passer aux actes.

— Es-tu devenu fou? demanda-t-elle à son mari d'une voix acerbe. Qu'est-ce qui te prend tout d'un coup?

— Tout d'un coup, j'en ai assez de travailler et de ramasser de l'argent qu'on va laisser aux enfants après notre mort, sans en avoir jamais profité. J'en ai assez de voir les autres aller profiter de la chaleur de la Floride l'hiver pendant que je continue à geler. J'ai hâte d'avoir la paix quand j'entre dans ma maison. Pourquoi on continuerait?

— Parce qu'ici, c'est chez nous.

— Non, c'est pas vrai. La moitié est à André, à Louise et à leurs enfants.

— Puis après? Ça a toujours été comme ça.

— Ça aussi, c'est pas vrai. Depuis le commencement de l'été, tu le sais comme moi, tout est en train de changer.

Tu t'occupes plus de la comptabilité et j'ai de moins en moins mon mot à dire. C'est comme si on était de trop tout d'un coup. J'en ai assez. Je vends tout et je m'installe au village.

— Et si André a pas assez d'argent pour nous payer notre part, qu'est-ce qu'on fait?

— On va s'arranger. Je vais lui faire de bonnes conditions.

Un long silence s'installa entre les deux vieux époux.

— Puis, est-ce que tu me suis au village ou t'aimes mieux rester ici? demanda Jocelyn avec une certaine impatience.

Il y eut un long silence entre le mari et la femme.

— Ça me fait ben mal au cœur de laisser ma maison, avoua finalement Pierrette Marcotte, mais je pense que t'as raison : on est mieux de partir. Bon, si ça te fait rien, dit Pierrette en se levant brusquement, on reparlera de tout ça après le souper parce que là, je dois aller le préparer pendant que madame s'occupe de son maudit comité. Elle va arriver juste à l'heure du repas pour manger avec nous autres.

Jocelyn demeura seul sur le balcon, à ruminer, le regard rivé un long moment sur la petite maison en bois située au bord de la route. « Tout aurait été ben différent si elle avait voulu me la vendre, se dit le sexagénaire en pensant à sa sœur Marie. On aurait pu continuer à vivre proches de la grande maison, donner un coup de main de temps en temps et surveiller un peu ce qu'André fait. Là, parce qu'elle est têtue, on va être obligés d'aller vivre au village...»

Soudainement, Jocelyn revit en pensée le notaire Deschamps debout aux côtés de sa sœur Marie tant au salon funéraire qu'à l'église.

— Ce serait tout de même drôle qu'il la demande en mariage, le vieux verrat, dit à mi-voix le vieil homme. À ce moment-là, elle va être obligée de se débarrasser de la maison pour aller vivre au village. Elle aura pas le choix.

À cette évocation, son visage ridé se fendit d'un large sourire.

Après le repas, Jocelyn et Pierrette attendirent que Lacoste et Pascal aient quitté la cuisine pour annoncer la nouvelle. Au moment où André allait se lever, son père lui dit :

— André, attends un peu avant de t'en aller. Ta mère et moi, on a à te parler.

Le quadragénaire regarda ses parents l'un après l'autre avant de se rasseoir avec un soupir résigné. Pendant ce temps, Louise allait de la table à l'évier où elle empilait la vaisselle sale.

— Bon, qu'est-ce qui se passe encore ?

— Il se passe rien, répliqua Jocelyn assez sèchement pour réveiller l'attention de son fils. Ta mère et moi, on vient de prendre une grande décision : on part s'installer au village la semaine prochaine.

Louise cessa brusquement ses va-et-vient et elle s'appuya au comptoir derrière elle.

— Où ? demanda André.

— Au Petit Foyer. On a décidé de reprendre l'appartement de ta tante Pauline.

— Pour une nouvelle, c'est toute une nouvelle, dit André dont la voix laissait percer involontairement une certaine joie.

Cette jubilation pleine d'ingratitude fit mal au cœur des parents. Ils auraient aimé entendre leur fils exiger des explications et essayer de les retenir. Cela enleva à Jocelyn ses derniers remords. Si son fils avait feint quelques regrets de les voir partir, il aurait cherché à adoucir les conditions de leur séparation. Soudainement, le sexagénaire se rendait compte que son propre fils avait hâte qu'il débarrasse le plancher. Un bref coup d'œil à sa femme lui révéla qu'elle en était arrivée à la même conclusion que lui.

— Il reste à régler le problème de l'argent, annonça Pierrette sans détour.

Le léger sourire de contentement qui avait fleuri sur les lèvres d'André disparut instantanément. Il allait oublier qu'il ne possédait que 50 % de la ferme et que ses parents n'avaient pas l'air de vouloir lui faire cadeau de leur part. Il regretta un instant de ne pas se retrouver seul avec son père pour négocier l'arrangement. Avec sa mère, il sentait que ça allait être plus difficile de trouver un terrain d'entente. Il la connaissait assez pour savoir à quel point elle était dure en affaires.

— Ça va être difficile en maudit d'établir la vraie valeur de tout ce qu'on a! s'exclama André.

— Pas si difficile que ça, dit Pierrette. Oublie pas, mon gars, que c'est moi qui ai toujours fait la comptabilité de la ferme. Même si t'avais pas l'air de toujours le croire, les livres ont toujours été ben tenus.

— Bon, O.K., comment vous voyez ça? demanda André à ses parents.

On sortit les livres et tous les trois se lancèrent dans des calculs compliqués pour établir la valeur de la participation de chacun.

Louise s'esquiva. Elle avait beau être l'une des associés de l'affaire, il était bien évident que personne ne la consulterait pour connaître son avis. L'épouse d'André Marcotte prit un lainage et sortit marcher sur la route pendant que le soleil déclinait lentement. La température se faisait plus fraîche le soir en cette fin d'août et elle croisait les bras frileusement en marchant.

Fait étonnant, le départ prochain de ses beaux-parents ne lui procurait pas cette joie qu'elle avait escompté tant de fois durant les vingt dernières années. Se retrouver seule maîtresse de la grande maison, loin de sa belle-mère toujours prête à critiquer sa conduite, ne lui faisait même pas plaisir. Pourquoi? Avec Nicole au cégep et Pascal à la polyvalente, était-ce la crainte de passer ses journées seule avec André? Elle n'aurait su le préciser. Elle n'avait que la vague sensation que l'avenir ne serait pas meilleur avec le départ de ses beaux-parents.

Quand Louise rentra une heure plus tard, la discussion n'était pas terminée autour de la table de cuisine. Elle choisit de se réfugier dans sa chambre avec un autre livre prêté par Daniel Lacoste.

Le lendemain matin, au réveil, Louise trouva André, la mine sombre, en train de boire une tasse de café dans la cuisine.

— Pascal est-il déjà descendu? lui demanda-t-elle.

— Il est parti chercher les vaches avec Lacoste.

— T'es-tu couché tard hier soir?

— Passé minuit. T'aurais pu venir t'asseoir à table avec nous autres, lui dit son mari d'un ton plein de reproches. C'était de ta ferme et de ta maison qu'on parlait.

— On m'a pas invitée, répliqua Louise. Tout se passait comme si j'avais pas eu un mot à dire.

— Bon, mais tu sauras qu'on va avoir pas mal moins d'argent qu'on en avait. Mon père et ma mère ont pas voulu nous étrangler, mais on va être obligés de leur payer un bon montant chaque mois et pendant longtemps.

— Dis-moi pas que tu vas être obligé de vendre ta grosse Cadillac? demanda Louise d'un air narquois.

— Parle donc avec ta tête. Ce que je te dis, c'est qu'on n'aura pas grand argent liquide dans la maison pour un bon bout de temps. Remarque, ça aurait pu être pire. Le père et la mère auraient pu demander que j'emprunte pour les rembourser d'un seul coup. Non, ils ont décidé de faire un arrangement comme celui que mon grand-père a fait avec mon père quand il lui a laissé la terre et la maison. La semaine prochaine, on va aller passer un contrat chez un notaire à Drummondville pour que tout soit en règle. On va avoir vingt ans pour leur rembourser leur part.

— Vingt ans! À leur âge?

— S'ils meurent avant ça, ça changera rien pour nous autres parce qu'il va falloir continuer à payer aux héritiers.

— Pourquoi un contrat?

— Tu les connais. Ils aiment ça quand tout est clair. Il faut pas oublier qu'Émilie et Claude auront droit eux aussi à une partie de l'héritage. C'est normal que les arrangements soient faits chez le notaire.

— Et vous irez pas chez le notaire Deschamps?

— Je te l'ai déjà dit. On fait plus affaire avec lui. Il est trop cher. On va trouver facilement un autre notaire à Drummondville. En tout cas, tout est correct.

— Si tout est correct, pourquoi tu fais cette tête-là? demanda Louise.

— Tu comprends vraiment rien, toi, fit André avec impatience en abattant sa main sur la table. Mon père et ma mère partis, il est plus question d'agrandir l'étable l'année prochaine ou d'acheter des terres si une chance se présente. J'aurai plus les moyens de bouger. On était toujours moitié-moitié dans nos placements. Là, non seulement je peux plus compter sur leur argent, mais en plus, je dois traîner comme un boulet les remboursements chaque mois.

Louise ne répliqua rien. Pour elle, en effet, rien ne changerait. Elle n'aurait pas plus et pas moins d'argent liquide à sa disposition qu'auparavant. André était toujours prêt à suivre les conseils de son père ou à l'imiter quand il s'agissait d'investir, mais lorsqu'il s'agissait d'acheter un meuble ou de donner un peu d'argent aux enfants, son mari tenait les cordons de la bourse très serrés.

****

À la fin de la troisième semaine d'août, Bernard Bergeron s'installa définitivement dans son ancienne maison, chez Pierre et Diane. Les meubles dont il n'avait pas besoin furent entreposés dans le grenier de la remise et sa bru l'aida à ranger ses affaires personnelles dans sa nouvelle chambre. Même si le vieillard était toujours aussi taciturne, il était évident qu'il était content de cet arrangement.

L'emménagement de Jocelyn et de Pierrette fut beaucoup plus facile que prévu. Ils avaient prévenu leur fils qu'ils n'apporteraient que leurs fauteuils préférés et qu'ils lui laissaient tous les autres meubles. Dès le lendemain de l'accord, ils allèrent acheter des meubles et des appareils électroménagers neufs chez un marchand de Drummondville et ils firent livrer le tout dans leur nouvel appartement le jour du déménagement de Bernard.

Durant deux jours, Louise aida ses beaux-parents à remplir une vingtaine de boîtes de vêtements, de vaisselle et de souvenirs, boîtes auxquelles s'ajoutèrent un assortiment de pots de confitures, de ketchups et de marinades que les deux femmes avaient confectionnés durant l'été. Ils préférèrent laisser chez leur fils leurs autres possessions pour ne pas être trop encombrés.

L'après-midi du jour où Bernard Bergeron emménagea chez son fils, André et ses employés placèrent les boîtes et les deux fauteuils dans la camionnette de la ferme et dans le coffre arrière de la vieille Chrysler grise de Jocelyn. André prit le volant de la camionnette et partit avant ses parents vers le village.

Pour leur part, Jocelyn et Pierrette s'attardèrent quelques minutes supplémentaires dans la maison où ils avaient vécu de si nombreuses années.

Louise, comprenant leur besoin de se retrouver seuls quelques instants, trouva un prétexte pour sortir de la maison. Jocelyn, nostalgique, fit une dernière fois le tour des pièces de la maison où il était né et où il avait toujours vécu avant de se diriger vers la porte.

Au moment de monter à bord de leur voiture, les deux vieux regardèrent longuement la maison et les bâtiments. Ils avaient les larmes aux yeux. Même s'ils savaient qu'ils pourraient revenir sur les lieux aussi souvent qu'ils le désireraient, ce ne serait plus jamais pareil. Ils ne seraient plus que des visiteurs, des parents de passage.

Louise vint les rejoindre et prit place à l'arrière du véhicule. Elle avait proposé son aide à sa belle-mère pour ranger ses affaires dans son nouvel appartement.

Ce soir-là, quand Jocelyn et Pierrette se retrouvèrent seuls dans leur petit quatre pièces, ils se demandèrent s'ils avaient eu raison de quitter leur maison du rang Sainte-Anne.

— Il va falloir s'habituer, énonça Jocelyn en regardant autour de lui.

— Oui, fit sa femme. L'avantage, c'est qu'on n'aura pas grand ménage à faire pour tenir ça propre.

— Quand on s'assit en arrière, on voit au moins la rivière. En avant, c'est pas mal plus passant que le rang Sainte-Anne, répliqua Jocelyn sans grand enthousiasme.

— Le pire, conclut Pierrette en refermant la porte d'une armoire, ça va être de s'habituer à rien faire toute la journée. On va être des petits vieux comme ceux qui vivent dans les autres appartements. Tout ce qu'on va avoir à faire, c'est de se bercer et de commérer. Le temps va être long...

— Tu feras ça si tu veux, affirma Jocelyn, mais moi, je suis pas venu m'installer au village pour me laisser mourir d'ennui. Tant que je vais être en santé, je veux sortir, voir du monde... On n'a plus à travailler, on va en profiter.

Chapitre 20

L'école

En cette fin du mois d'août, la chaleur se maintenait, mais le manque de pluie se fit de nouveau durement sentir. C'était sec au point qu'on avait fait son deuil d'une troisième coupe de foin parce que le fourrage n'était vraiment pas assez long dans les champs. Il allait donc leur falloir compter plus que prévu sur l'ensilage pour nourrir leurs vaches durant les mois à venir. C'est pourquoi la plupart des cultivateurs surveillaient de près la croissance de leur maïs.

Comme chaque année, à la fin de l'été, le rythme de vie changeait insensiblement. Les journées raccourcissaient peu à peu. Il restait de moins en moins de légumes dans les jardins et les expéditions dans les brûlés pour cueillir des bleuets n'étaient plus qu'un souvenir.

En cette dernière semaine des vacances, les jeunes enfants semblaient manquer d'imagination dans leurs jeux. Certains disaient ouvertement avoir hâte de retourner à l'école. Pour leur part, les mères se préoccupaient déjà de la préparation des vêtements et de l'achat du matériel scolaire.

Le lundi soir, une cinquantaine d'habitants de Saint-Anselme se rendirent à la réunion d'information convoquée par le comité de parents de l'école du village. Avant même le début de la réunion, l'information circulait déjà. Les gens se chuchotaient la grande nouvelle qu'on allait officiellement leur communiquer dans quelques minutes. La commission scolaire était revenue sur sa décision de fermer l'école. Les autorités avaient plutôt décidé de jumeler des niveaux pour rencontrer les exigences du ministère de l'Éducation. L'école ne demeurait ouverte que parce que les instituteurs avaient accepté d'enseigner deux niveaux en même temps, pour respecter les normes imposées par le ministère.

Lorsque Claudette Leduc, la présidente du comité de parents, annonça la nouvelle sur un ton triomphal, l'assistance l'applaudit avec enthousiasme. On profita de l'occasion pour remercier le directeur de l'école ainsi que les instituteurs pour leur collaboration.

Trente minutes plus tard, la réunion prenait fin et les gens en profitèrent pour discuter quelques instants entre eux avant de rentrer.

— Vous verrez, c'est pas si difficile que ça, fit Colette Gagné, la sœur d'Isabelle, à une jeune enseignante. J'ai fait l'école durant plusieurs années à l'école du rang Saint-Joseph et dans ce temps-là, j'avais toutes les années, de la 1re à la 6e. C'est essoufflant, mais on n'en meurt pas.

— J'en suis persuadée, dit la jeune femme en affichant un air supérieur. Ma grand-mère a fait la classe dans le même genre d'école que vous et elle m'a toujours dit que c'était ses plus beaux souvenirs, même si la qualité de l'enseignement donné était très pauvre.

Colette comprit la critique et elle allait formuler une réplique cinglante quand elle aperçut du coin de l'œil Victor Camirand qui se dirigeait vers la porte de sortie. Elle s'excusa sèchement auprès de l'institutrice et elle mit le cap sur le boucher.

— Monsieur Camirand, je peux vous dire un mot? demanda-t-elle en approchant de lui.

Victor s'arrêta au moment où il allait pousser la porte.

— Bien sûr, madame Gagné. Qu'est-ce que je peux faire pour vous? demanda le gros homme avec un sourire affable.

— Je pense que vous avez laissé passer l'occasion de pouvoir faire quelque chose pour moi, dit Colette d'une voix acerbe.

— Comment ça? demanda Camirand, surpris par son ton.

— Est-ce que vous vous souvenez que mon mari et moi, on est allés vous voir il y a un an et demi pour un appartement au Petit Foyer? Vous nous aviez promis qu'on serait les prochains locataires à entrer.

— Non. Franchement, madame, je me souvenais pas.

— Je suppose que c'est pour ça que Jocelyn Marcotte est passé devant nous autres pour son appartement, fit remarquer Colette, l'air mécontent.

Victor Camirand était dans ses petits souliers. Il ne se souvenait pas du tout de la demande des Gagné. En dix-huit mois, il en était coulé de l'eau sous les ponts. Comment se rappeler de tout? Le problème était que Victor tenait à sa réputation d'homme de parole en affaires. S'il avait promis aux Gagné qu'ils seraient les prochains locataires, il allait falloir les dédommager d'une façon ou d'une autre.

Le quinquagénaire réfléchit un instant avant de dire:

— Madame Gagné, c'est vraiment ma faute; je m'en souvenais plus. C'est sans le vouloir que j'ai fait passer Jocelyn Marcotte avant vous. Tout ce que je peux faire, c'est que je vais le noter en entrant à la maison et sitôt qu'un logement va se libérer, vous allez l'avoir, je vous le promets. Pour compenser, je vais vous demander 20 piastres de moins par mois comme loyer pour la première année de votre bail. C'est la seule façon que je vois pour me faire pardonner.

— C'est correct, monsieur Camirand. Je vous crois. On va vous attendre, dit Colette en retrouvant le sourire.

****

330

Ce soir-là, en rentrant de la réunion, Brigitte trouva Cyrille, sa fille et ses deux garçons assis sur le balcon avec sa belle-mère Isabelle.

— Viens profiter un peu de la fraîcheur, suggéra Cyrille à sa femme.

— Ce sera pas long. Je vais me changer et je reviens.

Quand elle revint s'asseoir avec les siens, Brigitte leur apprit la bonne nouvelle concernant la survie de l'école du village.

— C'est vrai que l'école recommence, constata Éric sans aucun enthousiasme. Ça me tente pas pantoute de retourner à la polyvalente. En plus, je vais me faire écœurer par tout le monde avec ma tête frisée.

— T'aimerais peut-être mieux travailler ici toute la journée ? lui demanda son frère.

— C'est pas ce que tu vas faire, toi ? lui demanda Éric.

— Ouais, mais c'est parce que j'ai pas le choix, laissa tomber l'aîné.

L'adolescent allait avoir 17 ans dans un mois et il avait beaucoup changé durant les derniers mois.

— Pas le choix, pas le choix, c'est vite dit ça, intervint sa mère en jetant un coup d'œil à son mari et à sa mère.

— M'man, j'ai pas le choix. À la poly, ils ont dit qu'ils me reprendraient plus.

— Si t'étais vraiment décidé à travailler à l'école, dit sa mère, tu pourrais peut-être trouver le moyen d'aller dans une école privée de Drummondville pour finir ton secondaire.

Marc ne dit rien.

— Sans diplôme, tu risques de manger pas mal de misère plus tard, ajouta son père. Il y a rien qui dit que tu vas être cultivateur. Déjà aujourd'hui, trouver un job sans avoir un diplôme, c'est pas facile. En plus, quand tu en trouves une, c'est payé au salaire minimum.

— Remarque, reprit sa mère, on dit pas ça pour te décourager. Ça fait ben notre affaire, à ton père et à moi, si tu veux continuer à travailler avec nous autres pour le petit salaire qu'on te donne. Mais tu chanteras peut-être pas toujours la même chanson.

— O.K., j'ai compris, déclara Marc à demi convaincu par les arguments de ses parents. Je vais essayer.

— Oh! il va falloir que tu fasses plus qu'essayer, mon gars, dit sa mère, l'air sévère. T'as ramassé un peu d'argent depuis le printemps passé; il va servir à quelque chose. Une école privée, c'est pas gratuit. Ton père est prêt à payer la moitié de tes frais, mais il va falloir que tu payes l'autre moitié. Réfléchis ben à ce que tu veux faire, on en reparlera demain.

Plus tard, quand les jeunes se furent retirés dans leur chambre, Brigitte se tourna vers sa belle-mère en arborant un grand sourire.

— On dirait ben, madame Riopel, que votre truc va marcher. Il a l'air tenté.

— Tu connais ton gars aussi ben que moi, dit Isabelle. Tu savais qu'il est assez fier pour pas vouloir être moins que les autres. À part ça, je pense que Sylvie lui en a parlé la semaine passée.

— C'est ben beau tout ça, dit Cyrille, mais s'il se décide à y aller, on va avoir de la misère à arriver, avec Sylvie au cégep et lui à l'école privée.

— Inquiète-toi pas pour ça, fit sa mère. Sa grand-mère a pas de grands besoins et je suis capable de l'aider.

Le lendemain avant-midi, Marc apprit à ses parents qu'il voulait retourner étudier si on l'acceptait quelque part.

Brigitte appela une amie au village dont les deux fils avaient fréquenté une école privée de Drummondville. Cette dernière lui communiqua les coordonnées de l'institution et Brigitte prit rendez-vous avec le directeur pour l'après-midi même.

****

À 14 heures cet après-midi-là, Brigitte se présenta en compagnie de son grand fils vêtu de ses plus beaux vêtements à l'école Casgrain située sur la rue Saint-

Pierre, à Drummondville. En cette fin du mois d'août, le vieil édifice n'abritait encore que deux secrétaires et le directeur.

Laurent Robichaud, un petit homme sec d'une cinquantaine d'années, fit entrer le fils et la mère dans son bureau. Quand Brigitte lui eut expliqué l'objet de leur visite, le directeur dévisagea longuement l'adolescent assis en face de lui avant de prendre la parole.

— Puis-je vous demander, madame, les raisons qui vous poussent à inscrire votre fils dans notre établissement ?

— Je vais être franche avec vous, monsieur. Marc a eu des difficultés à la polyvalente l'an passé et il n'a pas terminé son secondaire 3. Il a eu plusieurs mois pour réfléchir. Maintenant, il est décidé à étudier et à réussir.

— Oui, je comprends, mais cela ne m'explique pas pourquoi il ne retourne pas à la polyvalente, ajouta assez sèchement le directeur.

Marc fixait le bout de ses chaussures.

— Ils ne veulent pas me reprendre, finit-il par dire à mi-voix.

— Si je comprends bien, tu as eu de graves problèmes de discipline, mon garçon ?

— Oui, mais tout ça est fini. Je veux réussir mon secondaire.

Laurent Robichaud tendit la main vers le dernier relevé de notes apporté par Brigitte et il le consulta longuement avant de reprendre la parole.

— Vous avez été francs avec moi; je vais l'être autant avec vous. Normalement, je n'accepterais pas Marc dans cette école. Nous sommes une école privée et nous avons une excellente réputation que nous tenons à conserver. Nous ne gardons que des élèves qui réussissent bien et surtout, qui ont une conduite exemplaire. Or, à ce que je vois, sa conduite comme ses notes sont loin de rencontrer nos critères de sélection.

Marc jeta un regard désappointé à sa mère.

— Mais je pense que je vais faire confiance à Marc, continua le directeur. Il a l'air plein de bonne volonté. On va bien voir ce qui va en sortir. Je l'inscris dans un de nos trois groupes de secondaire 3.

Laurent Robichaud fouilla dans une chemise cartonnée posée sur son bureau et il en tira une grande enveloppe qu'il tendit à Marc.

— Tu trouveras dedans la liste du matériel qu'il te faut, les règlements de l'école, l'horaire et d'autres documents utiles. Je te conseille de les lire attentivement.

Sur ces mots, l'homme se leva et tendit la main à une Brigitte soulagée.

— Soyez assurée, madame, que nous allons faire le maximum pour assurer sa réussite.

— Merci, monsieur le directeur.

— Il reste à régler le problème du transport. Nous avons deux autobus. Un couvre un circuit dans

Drummondville même; l'autre ne passe que dans les villages de Saint-Cyrille, Sainte-Monique, Saint-Joachim et Saint-Anselme. Cette année, il y a deux jeunes de votre village qui doivent le prendre. Votre fils sera le troisième, mais il lui faudra être devant l'église chaque matin à 7 heures 30. On le laissera à cet endroit à 16 heures 30 chaque après-midi. Est-ce que cela vous posera un gros problème?

— On s'organisera, monsieur, répondit Brigitte qui aurait été prête à venir conduire son fils chaque jour à l'école même s'il avait fallu.

— Quant à toi, jeune homme, dit le directeur en se tournant vers Marc, quand tu entreras à Casgrain dans une dizaine de jours, organise-toi pour avoir fait disparaître cette tignasse frisée. Fais-toi couper les cheveux courts, très courts.

— Oui, monsieur.

Quand Marc et Brigitte furent rendus sur le trottoir, l'adolescent leva les yeux vers le grand bâtiment en pierre grise qui allait l'accueillir bientôt.

— Aïe! Je te dis que ça promet. Ça a l'air d'une prison pire que la poly.

— Peut-être, répondit sa mère mécontente de sa remarque, mais oublie pas qu'au prix que tu vas payer chaque mois, c'est une prison qui revient pas mal cher.

Quelques minutes plus tard, en passant devant la maison de Pierre Bergeron, Marc fit remarquer à sa mère que la petite voiture de Paule était là et qu'il avait envie de venir la voir avant le souper pour régler le problème de sa coiffure. Sa mère l'approuva.

Marc s'empressa d'aller retrouver son père et son frère Éric dès son arrivée à la maison. Tous les deux étaient en train de nettoyer l'étable. Cyrille fut content d'apprendre qu'on avait accepté son fils à l'école Casgrain. Quand Marc dit qu'il voulait aller voir Paule tout de suite pour faire couper ses cheveux comme l'exigeait le règlement de l'école, Éric sauta sur l'occasion pour l'imiter parce qu'il prévoyait une rentrée difficile à la polyvalente s'il s'y présentait avec sa tête bouclée. Le père les laissa partir en ronchonnant un peu parce qu'il devrait terminer seul le travail.

****

Les adolescents prirent leur scooter et se présentèrent quelques minutes plus tard chez Pierre Bergeron. Bernard, occupé à cueillir des tomates dans le jardin situé derrière la maison, leur dit que sa petite-fille était dans la cuisine d'été.

Paule vint leur ouvrir. Les deux jeunes lui expliquèrent ce qu'ils désiraient. La jeune coiffeuse saisit quelques mèches de Marc pour mieux en évaluer leur longueur.

— Il va falloir qu'ils soient pas mal courts si tu veux qu'ils ne frisent plus.

— Je pense que je suis mieux de les avoir courts, dit Marc d'un ton décidé. À l'école privée où je m'en vais, ils ont pas l'air de rire avec les règlements.

— Et toi, Éric, tu veux aussi te faire couper les cheveux ? demanda Paule.

— Oui, aussi courts que ceux de Marc. C'était ben le fun d'avoir les cheveux frisés durant l'été, mais j'ai pas envie de me faire écœurer pendant des mois à la poly à cause de ça.

— Bon, assoyez-vous tous les deux. J'ai besoin d'une dizaine de minutes pour finir de préparer le souper. Après, ce sera pas long. Je vais vous arranger ça.

Bernard entra dans la cuisine un instant plus tard et il déposa un grand plat rempli de grosses tomates roses au centre de la table. Sans dire un mot, il s'assit dans la chaise berçante placée près de l'une des fenêtres de la cuisine.

Cinq minutes après, le vieil homme put admirer la maîtrise de Paule qui, armée d'une bonne paire de ciseaux et d'un peigne, fit pleuvoir sur le plancher les boucles de Marc, puis celles d'Éric, malgré les regards inquiets des deux jeunes qui voyaient tomber autour d'eux tant de cheveux.

Moins d'une heure plus tard, les deux adolescents sortirent de la cuisine au moment où Pierre, Diane et leur fils Frédéric revenaient à la maison.

— Sacrifice! s'exclama Frédéric à la vue des deux adolescents dont la tête n'était plus couverte que de cheveux d'une longueur de quelques centimètres, avez-vous passé au feu?

Marc et Éric eurent un sourire gêné.

— En tout cas, moi, je trouve que ça vous fait mieux que votre grosse tête frisée, ajouta Diane. Au moins, là, vous avez l'air de vrais hommes.

Ce fut aussi l'avis de leur grand-mère Isabelle quand elle les aperçut à l'heure du souper.

Ce soir-là, au moment de se mettre au lit, Brigitte dit à son mari:

— Voilà une bonne chose de faite. Marc et Éric vont être prêts pour aller à l'école. Sylvie s'est organisée avec une fille de Sainte-Monique qui va la transporter au cégep matin et soir.

— Et on va se retrouver tout seuls durant la journée, conclut Cyrille avec un soupir. Sais-tu que je m'étais habitué à avoir l'aide de Marc.

— Eh ben! Tu seras un peu moins paresseux et je te donnerai un coup de main, conclut sa femme en éteignant sa lampe de chevet.

****

Ce soir-là, trois maisons plus loin, Louise Marcotte ne parvenait pas, encore une fois, à trouver le sommeil. Depuis trois jours, elle ne pensait qu'à sa fille Nicole qui avait décidé de s'installer définitivement à Montréal à la fin de l'été. Elle avait annulé son inscription au cégep de Drummondville et elle avait choisi de fréquenter le cégep du Vieux-Montréal. Elle venait à peine d'avoir 19 ans, mais elle se jugeait assez âgée pour diriger sa vie comme elle l'entendait.

Nicole était arrivée à la fin de l'après-midi, le dimanche précédent. Sa colocataire l'avait laissée à la porte de la maison, mais elle avait refusé l'invitation à souper de Louise en prétextant une visite prévue chez des amis de Saint-Cyrille.

André, vindicatif, ne fit pas un geste de bienvenue vers sa fille qui avait ignoré sa famille tout l'été. Il jugeait inadmissible qu'elle ne se soit même pas donnée la peine de venir aux funérailles de sa tante Pauline. Surtout, il ne lui avait pas encore pardonné d'être partie sans sa bénédiction au début de l'été pour vivre à Montréal, loin des siens.

En regardant l'air buté de sa fille assise à sa place habituelle à table, en face de Pascal, Louise se demandait ce que la jeune fille pouvait avoir à reprocher à ses parents qui lui avaient toujours tout donné. On aurait dit qu'elle était devenue subitement imperméable à tout sentiment, une véritable étrangère. Sa famille avait même l'air de l'ennuyer. Elle n'avait même pas semblé remarquer l'absence de ses grands-parents. Elle avait arboré un air agacé quand son jeune frère lui avait raconté leur départ pour le village.

Les pensées d'André avaient probablement suivi le même cheminement que celles de sa femme parce qu'il s'était enfermé dans un silence têtu tout au long du repas, se contentant, de temps à autre, de jeter un regard inquisiteur à sa fille.

Daniel Lacoste, assis aux côtés de Pascal, regardait le visage fermé de la jeune fille de temps à autre. L'employé avait l'air d'évaluer discrètement l'impact de son comportement sur sa mère, qui faisait peine à voir.

À la fin du souper, Louise proposa d'aider sa fille à changer son lit qui n'avait pas servi de l'été.

— Ce sera pas utile, m'man, je reste pas à coucher. Je m'en retourne en ville dans une heure.

— Comment ça? Tu viens à peine d'arriver! s'exclama Louise.

— Je travaille demain matin. Je suis juste venue vous dire que je reviendrais pas à la maison cet automne. J'ai décidé de suivre mes cours à Montréal parce que j'ai gardé un job à mi-temps qui va me permettre de payer ma part de loyer et de nourriture. Je m'entends ben avec Annie; ça fait qu'on va continuer à rester ensemble.

— Trouves-tu ça raisonnable, Nicole? demanda sa mère. Il me semble que ce serait ben plus facile si tu restais avec nous autres. Depuis que ton grand-père et ta grand-mère sont partis, la maison est grande et je suis pas mal toute seule.

La jeune fille préféra ignorer cet appel à l'aide de sa mère. Elle tourna la tête vers son père pour connaître sa réaction à sa décision.

— Tu es sûre que tu vas avoir assez d'argent pour tout payer? demanda sèchement celui-ci.

— Oui.

— Comme ça, t'as décidé que t'avais plus besoin de nous autres. On sait même pas ton adresse en ville. Si je comprends ben, tu nous demandes pas notre avis. C'est pas grave, tu fais à ta tête. Tu veux vivre ta vie comme tu l'entends. Parfait! Si c'est comme ça, je te souhaite bonne chance et débrouille-toi toute seule.

Sur ces mots, André se leva de table et sortit de la maison, suivi quelques secondes plus tard par Daniel Lacoste et Pascal. L'employé voulait laisser la mère et la fille seules.

Louise essaya de renouer le dialogue avec sa grande fille, mais elle échoua. Nicole consentit à contrecœur à lui laisser son numéro de téléphone et son adresse et elle promit d'appeler de temps à autre pour donner de ses nouvelles. Quand sa mère essaya de lui faire dire ce qui n'allait pas, la jeune fille se contenta de dire qu'elle étouffait à Saint-Anselme, qu'elle avait besoin de changer d'air et qu'elle ne voulait plus entendre parler d'argent du matin au soir.

Vers 20 heures 30, l'amie était revenue chercher Nicole. Cette dernière avait refusé d'apporter de la nourriture offerte par sa mère en disant qu'elle avait tout ce qu'il fallait. Enfin, elle était partie après un rapide baiser sur la joue de sa mère.

Depuis cette visite éclair de sa fille, Louise ne parvenait pas à trouver le sommeil. Elle se sentait coupable. Elle cherchait à savoir où et quand elle avait commis une faute.

À ses côtés, André ne semblait pas avoir perdu le sommeil. Sa fille n'avait même pas cherché à se réconcilier avec lui avant de partir. Bien sûr, il avait fait une colère mémorable en parlant de l'ingratitude des enfants, puis il n'en avait plus été question. C'était comme s'il avait effacé l'existence de sa fille de sa mémoire.

Comme d'habitude, l'homme ne s'était pas soucié de savoir ce que sa femme ressentait et il n'avait pas cherché à la consoler. Il s'était retiré seul dans sa tour d'ivoire, persuadé d'avoir eu raison.

Peu à peu, Louise était bien obligée de se rendre compte que pour André Marcotte, il n'y avait qu'une personne qui avait de l'importance : lui-même.

Chapitre 21

La réunion du conseil

Par tradition, les réunions du conseil municipal de Saint-Anselme avaient toujours lieu le premier lundi soir du mois, sauf lorsqu'il fallait tenir une assemblée extraordinaire pour régler un ou des problèmes urgents qu'il fallait solutionner sans délai.

Le maire annonça la tenue d'une réunion spéciale du conseil le dernier mardi du mois d'août parce qu'il jugeait que l'organisation des fêtes entourant le 150e anniversaire de fondation du village justifiait amplement de devancer de quelques jours la réunion habituelle. Pour éviter de tenir la réunion statutaire le lundi suivant, Adrien Beaulieu décida de profiter de cette assemblée pour régler aussi tous les autres points à l'ordre du jour.

La journée avait été particulièrement chaude et humide. Jeannine Lambert, la secrétaire municipale, avait ouvert toutes les fenêtres de la petite salle du conseil attenante à son bureau et elle avait installé elle-même une vingtaine de chaises avant d'aller souper.

Cette pièce pouvait recevoir une quarantaine de personnes. La quadragénaire veilla aussi à ce que les fauteuils des quatre conseillers et du maire soient placés derrière la grande table qui occupait l'avant de la salle. Avec une telle chaleur, elle était persuadée qu'il n'y aurait pas plus d'une douzaine de citoyens désœuvrés qui assisteraient à la réunion.

À son arrivée à l'hôtel de ville à 19 heures, Adrien Beaulieu était d'une humeur de chien. La dernière chose dont il avait envie était de s'enfermer toute la soirée pour placoter. Le moteur du nettoyeur dans son étable avait rendu l'âme au début de l'avant-midi et il avait passé la journée à chercher un moteur usagé parce qu'un neuf était trop cher. Il n'avait encore rien trouvé.

Il entra en coup de vent dans l'hôtel de ville, salua à peine sa secrétaire et il alla consulter l'ordre du jour que cette dernière avait déposé sur son bureau le matin même. Il lui restait une heure avant la réunion pour s'entendre avec ses conseillers sur la marche à suivre.

Tous les quatre arrivèrent durant les dix minutes suivantes. René Cadieux fut suivi par Victor Camirand et Gaston Dupré. Claudette Leduc arriva bonne dernière, soigneusement coiffée et vêtue d'une jupe bleu marine stricte et d'un chemisier en soie de couleur beige. Jeannine Lambert, assise près du maire, lui jeta un regard peu amène.

Ce n'était un secret pour personne que les deux femmes se détestaient cordialement. Si Claudette Leduc reprochaient ouvertement à la secrétaire municipale de se mêler de tout sans en avoir le mandat, Jeannine Lambert ne pouvait souffrir cette coquette qui adorait faire la belle et occuper le devant de la scène pour se faire admirer. Chaque fois qu'elle en avait l'occasion, elle lui mettait du bois dans les roues et Dieu sait si la secrétaire en avait souvent la chance. Par exemple, les dossiers demandés prenaient un temps infini avant de lui être communiqués, les renseignements concernant les dossiers dont la conseillère avait la charge arrivaient rarement jusqu'à elle et ses notes de frais s'égaraient souvent, très souvent.

Pour sa part, Claudette Leduc trouvait de multiples façons de se venger. Elle montait en épingle la moindre erreur de la secrétaire et elle se plaisait à colporter des bruits sur son compte à gauche et à droite. Bref, cette guerre larvée entre les deux femmes amusait peut-être des conseillers comme Cadieux et Camirand, mais elle avait le don de porter sur les nerfs du maire.

Adrien Beaulieu s'était même fâché au début de l'été parce qu'une dispute avait éclaté entre les deux femmes à propos d'une petite note de frais de la conseillère que la secrétaire refusait d'honorer parce qu'elle jugeait la facture présentée non conforme. Le maire avait alors réuni les deux femmes dans son bureau.

— Ça va faire vos maudites niaiseries, avait-il tonné. Il me reste un an à faire à mon mandat et je passerai pas mon temps à jouer à l'arbitre entre vous deux.

Les deux femmes avaient blêmi devant la colère du maire. Ce dernier avait poursuivi :

— Vous, madame Lambert, je dois dire que je suis satisfait de votre travail, mais pas mal moins de l'espèce de picossage que vous faites depuis un bout de temps. Je veux plus entendre parler de dossiers perdus et de notes de frais pas payées. Souvenez-vous que votre patron, c'est la municipalité, pas le maire ou l'un ou l'autre des conseillers.

Il avait alors montré la porte à Jeannine Lambert qui s'était réfugiée dans son bureau, les larmes aux yeux et la rage au cœur. Elle aimait bien Adrien Beaulieu et elle rejetait toute la faute de l'affaire sur le dos de Claudette Leduc.

Demeuré seul avec la conseillère, Adrien Beaulieu adoucit un peu le ton.

— Madame Leduc, il y a personne dans Saint-Anselme qui voit pas tout l'ouvrage que vous faites pour la municipalité. Tout le monde a compris que vous voulez être la prochaine mairesse, moi le premier. Je suis pas jaloux et craignez rien, je serai pas votre adversaire aux prochaines élections. Ça va me faire plaisir de vous donner ma place à part ça. Mais baptême! arrêtez de vous tirer les cheveux avec la secrétaire municipale. C'est rendu que tout le monde rit de vous deux et ça, ça vous aidera pas à vous faire élire. Oubliez pas que madame Lambert est la seule permanente à l'hôtel de ville et, entre nous, elle est capable de pas mal vous nuire.

Sous l'algarade, Claudette Leduc avait fait mea-culpa, mais du bout des lèvres. Elle continuait à sur-veiller le moindre faux pas de Jeannine Lambert. Si elle devenait mairesse de Saint-Anselme en 1981, elle s'était jurée de trouver des raisons pour congédier la chipie. Elle en jouissait d'avance.

Depuis ce fameux soir, il y avait tout de même eu deux mois de trêve entre les deux femmes. Mais il ne s'agissait que d'une paix fragile. Jeannine Lambert avait noué une sorte d'alliance avec Laure Dubé, la cuisinière du curé qui détestait la présidente de la fabrique au moins autant qu'elle.

Durant les quelques minutes qui restaient avant le début de la réunion, le maire revit avec ses conseillers chacun des points à l'ordre du jour et il vérifia si chacun était en mesure d'apporter les renseignements nécessaires sur les dossiers dont il avait la responsabilité.

À 20 heures pile, Adrien Beaulieu entra dans la salle du conseil en compagnie des échevins et de la secrétaire municipale. Il sursauta en constatant que la salle était pleine de gens. Il y avait au moins soixante personnes entassées dans la petite salle. Pendant que le maire et ses conseillers prenaient place derrière la grande table, les discussions allaient bon train dans l'assistance et il fallut qu'Adrien Beaulieu donne deux coups de maillet pour faire cesser les conversations.

Le maire invita les gens à se lever pour une courte prière. Après quoi, la secrétaire, assise à une extrémité de la table, lut le premier point à l'ordre du jour: l'organisation des fêtes du 150e anniversaire.

Claudette Leduc, la coordonnatrice des festivités, attendit d'être le centre de l'attention générale pour énumérer d'une voix posée et forte l'ensemble des activités prévues pour le dimanche 18 septembre.

— J'ai mis en place quatre comités et chacun s'est acquitté de sa tâche jusqu'à présent. Le comité religieux a organisé, en collaboration avec monsieur le curé, une grande messe solennelle qui sera célébrée à 10 heures par notre évêque. Le second comité dirigé par mesdames Louise Marcotte et Maryse Trépanier s'est occupé non seulement du buffet froid qui sera servi dans la cour de l'école du village à midi, mais aussi d'une grande épluchette de blé d'Inde qui aura lieu à l'heure du souper.

Une main se leva dans la salle et le maire donna la parole à Laure Dubé.

— Qu'est-ce qu'on a prévu s'il pleut? C'est une chose qui peut arriver en septembre, non?

Claudette Leduc réprima difficilement son agacement quand elle reconnut l'auteure de la question.

— Tout a été prévu, madame Dubé. S'il pleut, le dîner aura lieu dans le gymnase de l'école. La même chose pour l'épluchette.

— Est-ce qu'il aurait pas été plus intelligent de louer une grande tente?

— Peut-être, mais nous n'avions pas l'argent pour faire ce genre de dépense. Il ne faut pas oublier que nous ne demandons que cinq dollars par adulte et deux dollars par enfant pour le dîner. Pour l'épluchette, c'est gratuit.

C'est payé par la municipalité. Y a-t-il une autre question sur cette partie de la fête? demanda avec aplomb la conseillère. Bon, je continue. Un troisième comité s'est chargé d'organiser une exposition de photos anciennes de Saint-Anselme. D'après la secrétaire municipale, les gens de Saint-Anselme ont accepté très généreusement de prêter leurs vieilles photos et elles seront exposées dans cette salle-ci le 18 septembre. Les visiteurs vont certainement être très intéressés à venir les voir.

— Est-ce qu'il va y avoir assez de place? demanda une voix anonyme.

— De toute façon, s'il manque de place, on pourra toujours faire l'exposition dans le gymnase de l'école, précisa la coordonnatrice.

Il y eut quelques murmures approbateurs dans la salle.

— Enfin, un dernier comité a pris la responsabilité d'organiser des jeux et des spectacles qui auront lieu durant l'après-midi et la soirée, ajouta Claudette Leduc. Monsieur Gadbois et madame Tremblay m'ont dit que tout était prêt et qu'ils avaient trouvé facilement des animateurs et des arbitres chez les jeunes de la paroisse. Y a-t-il d'autres questions que vous aimeriez me poser? demanda Claudette Leduc en regardant la salle.

Personne ne leva la main et la secrétaire municipale s'empressa d'enchaîner sur un signe d'Adrien Beaulieu.

— Le point suivant concerne l'entretien des routes et des fossés. Le dossier relève de monsieur Camirand.

Victor Camirand chaussa ses lunettes et regarda pendant un instant une feuille passablement froissée qu'il tenait en main.

— Bon. Richard Miron, notre inspecteur municipal, m'a dit que tous les fossés de la municipalité, sauf ceux du rang Saint-Joseph, ont été nettoyés depuis la fin du printemps. Les fossés du rang Saint-Joseph seront faits cette semaine et la semaine prochaine.

Miron, assis sur une chaise de la première rangée, fit un signe affirmatif au conseiller qui le consultait du regard.

— Et pour les chemins? demanda une voix dans la salle.

— Quoi, les chemins?

— On n'était pas supposé asphalter un bon bout du rang Saint-Édouard cet été? demanda Paul Biron.

— C'est vrai, c'est ce qui avait été prévu, répondit le maire, coupant l'herbe sous les pieds de son échevin. Mais l'argent prévu pour ça est passé à quelque chose de plus important.

— Et est-ce qu'on peut savoir ce que vous avez cru plus important?

— Plus important qu'un bout d'asphalte, c'est l'eau potable. On en parle depuis un an qu'on a des problèmes avec nos deux puits au village. Les tests qu'on prenait deux fois par semaine étaient de plus en plus mauvais. Finalement, le mois passé, un inspecteur du ministère de l'Environnement est venu et nous a obligés à fermer le puits numéro 1. Il est trop pollué. Comme un seul puits suffit pas pour tout le village, on a pris l'argent qu'on avait en caisse pour faire faire une étude et trouver un endroit où creuser un autre puits.

— Où? demanda une voix.

— Le nouveau puits va être creusé derrière chez Cadieux. Lucien et René Cadieux ont accepté de faire cadeau à la municipalité de la bande de terrain sur laquelle le puits va être creusé.

Il y eut des applaudissements dans la salle pour féliciter les Cadieux de leur générosité.

— Est-ce que ma réponse te suffit, Paul? demanda le maire.

— O.K., je comprends, mais je suis déçu en maudit. Ça fait vingt ans qu'on attend d'avoir une route asphaltée et d'arrêter de manger de la poussière chaque fois que quelqu'un passe sur le chemin.

— T'es pas pire que nous autres, dit à haute voix George Vézina du rang Sainte-Marie. Nous autres aussi, on avale de la poussière durant tout l'été.

— T'as juste à fermer ta grande gueule et t'en avaleras pas, répliqua quelqu'un dans la salle.

Il y eut des éclats de rire et le maire dut utiliser son maillet pour rétablir le silence.

— Il y a aussi une demande de municipalisation d'un chemin privé, demande faite par monsieur Claude Baril, reprit Victor Camirand. Il s'agit d'un chemin menant à l'ancienne île Ouellet qui a été vendue à un club privé de Montréal au début de l'été.

— Est-ce que monsieur Baril est présent dans la salle, ce soir? demanda le maire d'un ton bourru.

— Oui, monsieur le maire, répondit Baril en se levant.

— Pourquoi voulez-vous que le chemin soit municipalisé?

— Parce qu'il est nécessaire qu'il soit entretenu. Ce chemin-là n'est qu'un droit de passage accordé par notre vendeur. Il s'est pas engagé à l'entretenir. Moi, j'ai pas l'outillage ni les moyens pour l'entretenir non plus. Les pluies d'automne sont même pas commencées et les camions ont déjà de la misère à passer. Imaginez comment ça va être en octobre ou au printemps. Je me suis dit qu'à titre de payeur de taxes, j'ai droit à des services comme les autres.

— Comme les autres, répéta le maire avec un sourire énigmatique. Et évidemment, vous vous attendez aussi à ce que la municipalité déneige votre chemin durant l'hiver?

— Bien sûr.

— Bon, on va jouer cartes sur table, monsieur Baril. J'ai consulté l'avocat de la municipalité. Selon lui, vous avez pas le droit de nous adresser ce genre de demande parce que le chemin vous appartient pas. Vous avez juste un droit de passage.

— Je l'ignorais, répondit Baril, d'une voix un peu moins assurée.

— Je vais vous dire ce que le conseil a décidé, monsieur. Vous allez vous entendre avec votre vendeur pour qu'il vous cède tous les droits sur le chemin qui traverse sa terre dans le rang Sainte-Anne. Il faudra, bien sûr, que ce chemin soit dézoné parce qu'il est en pleine zone agricole. Quand ce sera fait et que vous aurez tous les papiers officiels, vous nous remettrez le chemin pour la somme symbolique de, disons, une piastre. À partir de ce moment-là, pas avant, ce chemin-là sera considéré comme un chemin municipalisé et on l'entretiendra douze mois par année. Mais ça, on le fera seulement quand on aura tous les papiers en règle.

— Oui, mais... mais..., bégaya Baril, ça risque de prendre au moins un an.

Pendant ce temps-là, on pourra se rendre sur l'île seulement l'été pour apporter les matériaux de construction. Les autres mois, la route va être bien trop défoncée.

— Ça, je le sais pas, dit le maire avec un sourire narquois. J'aurais pu vous expliquer tout ça si vous et monsieur Marcotte aviez joué franc jeu avec la municipalité le printemps passé. En tout cas, c'est le mieux que je peux faire pour vous. Remarquez, vous pouvez toujours prendre un avocat pour défendre votre point de vue. Mais si j'ai un conseil à vous donner, prenez-en un bon parce que le nôtre est spécialisé dans les affaires municipales et il est pas mal dur à battre.

Claude Baril se laissa tomber sur sa chaise et il jeta un regard mauvais à son voisin, André Marcotte, qui penchait la tête pour ne pas avoir à affronter les regards moqueurs des gens assis autour de lui.

Jeannine Lambert annonça que le point suivant à l'ordre du jour relevait de la compétence de René Cadieux : l'environnement. Cadieux n'eut pas à consulter ses notes.

— On a une demande de permis de construction d'une grosse porcherie dans le rang Saint-Louis, dit l'échevin d'une voix forte. Si on se fie aux plans qui ont été présentés pour approbation, c'est une porcherie de trois cents pieds de longueur par trente pieds de largeur.

— Est-ce qu'on peut savoir qui a demandé ce permis-là ? demanda Gilles Cournoyer, le plus gros cultivateur du rang Saint-Louis.

— Moi et mes garçons, répondit Victor Camirand sans la moindre hésitation.

— Dis donc, Victor, reprit Cournoyer. As-tu pensé que des cochons, ça pue et que c'est nous autres qui allons être poignés pour respirer cette odeur écœurante-là à cœur d'année ?

Adrien Beaulieu fit signe à son conseiller de répondre pendant que Claudette Leduc se réjouissait secrètement de voir sur la sellette celui qui lui contesterait probablement le poste de premier magistrat de la municipalité aux prochaines élections.

— Bon, je pense que je suis mieux de vous donner des explications avant que tout le monde parte à l'épouvante, dit calmement Victor Camirand. Vous connaissez tous l'ancienne terre de Guillaume Lévesque du rang Saint-Louis. C'est là que je veux construire la porcherie. Elle est au bout du rang. Sur le plan que vous pourrez venir consulter après la réunion, vous allez vous apercevoir que le bâtiment va être complètement au bout de la terre, caché derrière une bonne épaisseur d'arbres et les odeurs se rendront pas jusqu'aux voisins. En plus, vous allez voir que j'ai prévu construire trois grands réservoirs pour mettre le purin. Mes garçons ont présenté les plans aux fonctionnaires du ministère de l'Environnement et ils ont rien trouvé à redire.

Il y eut quelques murmures dans la salle, mais les explications de Victor Camirand semblèrent satisfaire la plupart des gens présents.

— Parlant de purin et de fumier, ajouta Adrien Beaulieu, je tiens à préciser, avant de passer au varia, que les dates pour leur épandage cet automne ont pas changé et que les cultivateurs doivent les respecter. En plus, on leur demande de faire attention quand ils le transportent pour ne pas en échapper sur le chemin. Transportez-en moins à la fois. Vous le savez, ça salit la route et ça la rend glissante. Si nous recevons des plaintes, l'inspecteur municipal fera un rapport et les coupables vont recevoir une amende de cent piastres. Des questions?

Un grand type maigre aux cheveux raides se leva au milieu de la salle.

— Oui, Éric? fit le maire.

— Je comprends pas qu'on salisse avec du fumier, dit Éric Lemaire, pince-sans-rire. Moi, quand je transporte du fumier, je traîne toujours dans mon tracteur une petite brosse et un porte-poussière et je ramasse tout avant que quelqu'un marche dedans.

— T'es ben drôle, Éric, fit le maire en lui faisant signe de s'asseoir.

Comme personne n'avait jugé bon d'ajouter un point au varia au début de la réunion, l'assemblée prit fin sur ces mots.

Quelques personnes, surtout des habitants du rang Saint-Louis, demandèrent à voir les plans de Victor Camirand. Sur un signe du maire, la secrétaire municipale alla les chercher dans son bureau et les étendit sur la table du conseil pour que chacun puisse les consulter. Victor en profita pour apporter quelques précisions oubliées durant l'assemblée.

Dans un coin de la salle, Louise Marcotte était demeurée assise avec d'autres responsables des fêtes du 150e anniversaire et elle discutait avec Claudette Leduc. Ce n'était qu'en voyant les deux quadragénaires l'une près de l'autre qu'on se rendait compte à quel point elles se ressemblaient. Toutes les deux étaient belles, mais la beauté de la femme d'André Marcotte – peut-être était-ce une question de maquillage – était plus discrète.

****

À l'extérieur de la salle, sur le trottoir, quelques personnes échangeaient à mi-voix. André Marcotte, encombré de Claude Baril, cherchait des yeux son père qu'il avait aperçu en train de discuter avec Marcel Gagnon et le docteur Babin. Quand son père leva les yeux, il lui fit signe qu'il aimerait lui parler.

Jocelyn quitta ses deux interlocuteurs et se joignit à son fils et à leur acheteur.

— D'après toi, p'pa, qu'est-ce que monsieur Baril devrait faire ? Est-ce que ça vaut la peine pour lui de prendre un avocat ?

— Ce serait de l'argent jeté par les fenêtres, répondit le vieil homme en s'adressant à Claude Baril. Adrien Beaulieu est pas un mauvais diable, mais il nous a pas pardonné de pas l'avoir consulté avant de vous vendre l'île. Il se venge à sa façon.

— Alors, qu'est-ce qu'on fait ? demanda Baril.

— Nous autres ? Rien, déclara André Marcotte d'un ton définitif. On vous a vendu l'île après l'avoir fait dézoner et on vous a donné le droit de passage que vous demandiez. Nous autres, on a rempli notre partie de contrat. Le reste, ça vous regarde.

— Ça veut dire quoi?

— Ça veut dire que si vous voulez un chemin municipalisé, il va falloir que vous nous achetiez la bande de terre qui est le droit de passage qu'on vous a laissé. En plus, vous allez avoir à payer tous les frais de dézonage, d'arpentage et de notaire.

Pendant qu'André parlait, Jocelyn ne disait pas un mot.

— Et vous allez me demander combien pour cette bande de terre? demanda Baril, en serrant les dents.

— Au moins dix mille piastres. Il faut tenir compte que ça coupe une terre en deux et qu'il va falloir vous en donner plus large parce que la municipalité va vouloir creuser des fossés de chaque côté.

Le visage de Claude Baril se durcit.

— Je vous trouve pas mal rats, finit-il par dire avec colère. J'ai souvent négocié avec des gens durs en affaires, mais comme vous autres, jamais.

— Vous avez encore le choix, dit André d'un ton désinvolte. Si vous trouvez ça trop cher, vous gardez juste un droit de passage comme c'était entendu ou encore, vous nous revendez l'île.

— Ah! Vous seriez prêts à la racheter? Combien? demanda l'homme d'affaires, intéressé, regardant tour à tour le fils et le père.

— Nous vous en donnerions jusqu'à cinquante mille piastres, dit André d'une voix hésitante.

— Mais vous êtes malades, vous me l'avez vendue soixante-dix il y a pas deux mois et depuis, on a commencé à construire dessus.

— On vous tord pas le bras, fit André. Pensez-y. C'est vous qui savez ce que vous voulez faire.

Claude Baril tourna les talons sans prendre la peine de saluer les deux hommes avec qui il venait de discuter.

— T'as les reins solides pour être capable d'offrir cinquante mille piastres pour l'île, dit Jocelyn à son fils aussitôt que Baril se fut assez éloigné pour ne pas pouvoir l'entendre.

— À deux, ça fait toujours que vingt-cinq mille chacun.

— André, je pense que t'as pas compris. J'ai arrêté. Je travaille plus. J'investis plus non plus. C'est fini ce temps-là.

— Êtes-vous sérieux, p'pa? Vous laisseriez passer une occasion comme celle-là?

— Quelle occasion?

— On rachète l'île et on fait comme le curé: on la vend en petits lots. Avec ça, on ferait un vrai coup d'argent.

— Si c'est ça que tu veux faire, tu vas le faire, mais tout seul, le mit en garde le vieil homme. Mais attention! T'as pas mal de dépenses à rencontrer et sortir cinquante mille piastres de ton compte en banque ce temps-ci, c'est peut-être pas ben prudent.

Sur ces mots, Jocelyn donna une tape sur l'épaule de son garçon et il se mit en marche vers son appartement situé à une centaine de mètres de l'hôtel de ville.

Chapitre 22

Récoltes et projets

La première moitié du mois de septembre fut magnifique. L'été vivait ses derniers moments. Même si le soleil se levait un peu plus tard et se couchait un peu plus tôt chaque jour, on sentait dans l'air une douceur qu'on aurait aimé prolonger indéfiniment.

Les jardins étaient maintenant presque entièrement vidés de leurs légumes et certains champs avaient déjà livré leur récolte. On aurait pu laisser l'orge et l'avoine sur pied une semaine de plus, mais on craignait un changement brusque de température qui aurait mis la récolte en péril.

Chez les Lequerré, le second mardi de septembre fut un jour important. Le moment préféré de l'année de Bruno était enfin arrivé.

Même si le raisin était à point depuis quelques jours, Bruno, comme d'habitude, faisait durer le plaisir et retardait la cueillette le plus longtemps possible. Les plants de vigne, solidement attachés à des espaliers, croulaient sous les grappes gorgées de soleil. Les grains, gros et juteux, invitaient à les savourer. Chaque jour, le cultivateur passait près de ses vignes et soupesait d'une main de connaisseur quelques grappes.

Comme chaque année, la valse hésitation de son mari énervait Aurore qui ne manquait pas une occasion de le taquiner à ce sujet.

— Qu'est-ce qu'on attend pour cueillir le raisin? lui demanda-t-elle ce mardi matin-là au moment où il revenait de traire ses vaches. T'as toujours dit qu'après un premier gel, c'était le meilleur temps. On en a eu un dimanche passé... Les oiseaux ont l'air de ben aimer ton raisin.

— Ils n'approchent pas de ma vigne parce qu'ils ont peur des assiettes en tôle que j'ai attachées un peu partout autour.

— Ben, je viens d'en voir deux ou trois que tes assiettes ont pas l'air d'énerver ben gros, laissa tomber Aurore. Je pense même qu'ils s'en servent pour y recracher les noyaux. Si t'attends trop longtemps, Bruno, on va en perdre pas mal.

Bruno ne répondit rien, mais il jeta un regard inquiet vers la fenêtre de la cuisine par laquelle il pouvait apercevoir sa vigne.

Après le déjeuner, Bruno s'empressa de se diriger vers sa vigne en compagnie de Momon Patenaude pour vérifier si les oiseaux se gavaient vraiment à ses dépens.

Quand le quinquagénaire eut découvert des preuves que sa femme n'avait pas rêvé, il revint à la maison d'un bon pas pour annoncer qu'ils allaient cueillir le raisin ce jour-là.

Pendant qu'Aurore préparait les paniers où seraient déposées doucement les belles grappes de raisin rouge et de raisin vert, Bruno prenait de longues minutes pour expliquer à Momon comment il devait couper la grappe et comment déposer le raisin sans l'abîmer.

Quand tous les trois se mirent au travail, le Français ne quitta pas des yeux son employé durant de longues minutes pour s'assurer qu'il faisait exactement ce qu'il lui avait enseigné.

À la fin de la journée, Aurore prépara deux paniers de raisins: l'un pour sa mère et la famille de son frère Cyrille et l'autre pour Diane et Pierre Bergeron.

Depuis de nombreuses années, il s'agissait d'une sorte de troc entre les trois familles. Pierre lui laisserait bientôt un gros panier de pommes melba venant de ses quatre pommiers et Brigitte lui donnait toujours des framboises de son jardin, en juillet.

Lorsque Bruno partit livrer son raisin, Aurore téléphona à quelques clientes de Saint-Anselme qui venaient chaque année lui acheter du raisin. Elle devait faire vite parce que son mari allait faire main basse sur la plus grande partie de la récolte pour faire son vin.

****

Le surlendemain, Diane vit arriver sa fille Anne-Marie au début de l'après-midi. Son mari, Claude Ringuet, ne l'accompagnait pas.

— Seigneur! s'exclama Diane en lui ouvrant la porte, on va faire une croix quelque part. Tu nous rends visite en pleine semaine. Qu'est-ce qui se passe?

La jeune femme de vingt-cinq ans semblait s'être assez bien remise de sa fausse couche du mois de juillet et elle affichait une belle humeur qui faisait plaisir à voir.

— Ne vous inquiétez pas, m'man. J'ai juste une journée de congé parce qu'ils font l'inventaire. Claude travaille. J'ai décidé de venir vous faire une petite visite et d'en profiter pour aller voir ma tante Marie et ma tante Mariette.

Anne-Marie avait toujours appelé Marie et Mariette Marcotte «ma tante» parce qu'elles avaient recueilli sa mère avant sa naissance et parce que les deux femmes l'avaient toujours considérée un peu comme leur fille.

— On peut dire que tu tombes ben, dit Diane. Ton grand-père passe la journée chez ta tante Suzanne. Ton père et Frédéric ont rien de particulier à faire. On va aller avec eux autres cueillir les pommes. On en apportera à tes tantes.

Sur ces mots, Diane entraîna sa fille dans la grange où Pierre et Frédéric étaient occupés à ranger. Pendant que Frédéric embrassait sa demi-sœur, Diane se demandait si son grand garçon de vingt et un ans allait un jour avoir la chance de pratiquer son métier d'ébéniste ou s'il allait continuer à travailler à temps plein avec son père.

— J'ai pensé qu'on pourrait cueillir les pommes avant le souper, dit Diane aux deux hommes. Il fait beau et si on attend trop, elles vont pourrir dans les arbres. Il y en a déjà pas mal qui sont tombées. Quand elles sont poquées, tout ce qu'on peut faire avec, c'est de la compote.

— On peut ben faire ça, dit Pierre. On va aller chercher deux grands escabeaux et on vous rejoint.

— Bon, nous autres, on va commencer par ramasser les pommes tombées des arbres, dit Diane à sa fille.

En moins d'une heure, les quatre pommiers avaient été délestés de tous leurs fruits. Diane et sa fille choisirent les plus belles pommes qu'elles mirent dans quatre paniers. Anne-Marie en plaça un dans le coffre de sa vieille Maverick verte. Sa mère et elle allèrent en porter un chez Marie et Mariette Marcotte pendant que Frédéric allait livrer les deux autres chez Bruno Lequerré et chez Cyrille Riopel. On laissa dans la cuisine deux grands plats de pommes avant d'entreposer les autres dans le caveau.

Paule revint de sa journée de travail au salon de coiffure au moment où son père et son frère partaient faire le train. La jeune fille s'installa face à sa demi-sœur à la table de cuisine et toutes les deux se mirent à peler des pommes, tandis que leur mère préparait le souper.

****

Chez Cyrille Riopel, Brigitte avait décidé que le moment était venu d'emménager dans sa cuisine d'hiver. Elle avait donc occupé une grande partie de l'avant-midi à nettoyer et à ranger sa cuisine d'été, selon un cérémonial bien établi depuis plusieurs années.

Au début de l'après-midi, elle avait envoyé sa belle-mère se reposer quand elle s'était aperçue de la fatigue de la sexagénaire. La maison était tranquille. Sylvie ne reviendrait du cégep que vers 18 heures. Éric n'arriverait de la polyvalente que vers 16 heures 30 si l'autobus scolaire n'avait pas de retard. Elle irait chercher Marc au village vers la même heure, à moins que quelqu'un du rang ne le fasse monter à bord de son véhicule pour le laisser devant la porte.

La première semaine d'école de Marc s'était bien déroulée et, fait étonnant, il s'était déjà habitué à porter une cravate et un veston, son «habit de singe», disait-il. À le voir travailler le soir après le repas, tout laissait croire qu'il prenait enfin ses études au sérieux. Mais cela durerait-il? Avec lui, c'était difficile à prévoir.

Pour sa part, Cyrille venait de partir avec son frère Alain. Ce dernier s'était arrêté à la maison autant pour prendre des nouvelles de sa mère que pour entraîner son frère voir les deux lots qu'il avait achetés du curé Lanctôt dans le rang Sainte-Marie, sur le bord de la rivière. Le gérant de la compagnie de silos affichait de plus en plus une mine prospère et avantageuse, particulièrement quand il descendait de sa grosse Chrysler noire, l'air important.

Brigitte commençait même à trouver son beau-frère aussi insupportable que sa femme. «Il est rendu qu'il porte plus à terre» s'était-elle dit en le voyant monter à bord de son auto. Elle avait été heureuse de le voir quitter la maison rapidement en compagnie de son mari.

Pendant qu'il conduisait, Alain expliquait à son frère aîné comment il en était venu à acheter deux lots du Carrefour des jeunes du curé Lanctôt.

— L'idée m'est venue d'acheter un lot quand j'ai entendu parler que Laurent, le garçon de Maurice Marcotte, en avait acheté un. Après avoir fait faire les plans pour un chalet, je me suis rendu compte qu'il me resterait pratiquement plus de terrain autour. À ce moment-là, j'ai décidé d'en acheter un deuxième. J'ai été chanceux : il restait un lot libre à côté du mien. Je l'ai payé le même prix que le premier.

La lourde voiture tourna à gauche à l'extrémité du rang Sainte-Anne et elle roula deux kilomètres jusqu'à l'extrémité du rang Saint-Édouard avant de tourner dans le rang Sainte-Marie qui suivait à une distance respectable les méandres de la rivière Nicolet. Un demi-kilomètre plus loin, Alain engagea avec précaution sa grosse Chrysler dans un étroit chemin de traverse qui serpentait à travers un champ. La chaussée était inégale, mais généreusement empierrée. Tout en conduisant, Alain continuait à donner ses explications à son frère plus ou moins attentif.

— C'est pas loin de la route du rang. J'ai pas pris des lots trop près non plus de ce qui va devenir le terrain de camping et la plage parce que je veux avoir la paix.

— Où est-ce qu'ils sont exactement? demanda Cyrille avec un rien d'agacement, en regardant autour de lui.

— Juste devant toi, au bout de l'ancienne terre de Girouard. J'ai les deux derniers lots sur le bord de la rivière. Regarde. Oui, là où il y a cinq grands sapins. Penses-tu que ce sera pas beau! J'ai fait couler mon solage la semaine passée.

— Avec ces sapins-là, tu viens de prendre tout un contrat pour te faire manger par les maringouins tout l'été, fit remarquer Cyrille, un peu moqueur.

— Inquiète-toi pas, il se vend toutes sortes de produits pour se débarrasser de ça.

Cyrille avait du mal à s'enthousiasmer pour une aussi petite parcelle de terrain. Cependant, quand Alain arrêta son auto, il descendit avec son frère et il alla regarder de plus près le solage en ciment qui avait été coulé.

— En tout cas, ça m'a l'air pas mal grand pour un chalet, dit Cyrille.

— Je comprends, fit son frère. Le chalet va faire trente pieds sur quarante pieds. On rit pas. Je vais le faire construire le printemps prochain: quatre chambres, une cuisine, une salle à manger, un salon et deux salles de bains. Je pourrai même avoir une salle de jeux dans le sous-sol. Qu'est-ce que t'en dis?

— Ouais! Ça va être toute une cabane, dit Cyrille avec une pointe d'envie. Mais ça va être pas mal d'entretien aussi. Une grosse affaire comme ça, c'est une maison, pas un chalet. Quelle différence tu vas faire entre ta maison de Nicolet et ton chalet?

— T'as raison, dit Alain avec un rire satisfait. Il y a pas une grosse différence entre la maison et le chalet. On va pouvoir se servir du chalet toute l'année. Je me suis organisé pour que ce soit facile à entretenir. Les planchers vont être en céramique et les murs en belles planches de pin embouvetées. Pour l'extérieur: de la brique et du vinyle.

Les deux frères se rendirent au bord de l'eau. La côte surplombait les eaux de la Nicolet de quelques mètres.

— Tu vas être obligé de faire venir de la roche ou de la pierre des champs pour protéger ta côte, constata Cyrille en examinant l'endroit. Si tu le fais pas, tu vas perdre du terrain chaque printemps.

— Je sais ça, dit Alain avec agacement. J'aurais ben voulu pas être pris avec ce problème-là, mais tous les terrains sur le bord de la rivière sont comme ça.

— Il va aussi te falloir un escalier pour descendre au bord de l'eau et un bon quai, si t'as l'intention de faire du bateau.

— C'est sûr que je veux faire du bateau. J'en ai déjà un en vue. Pour le quai et l'escalier, ça m'énerve pas; je trouverai ben un menuisier dans le coin pour me les faire.

— Le problème, c'est pas tellement de les construire; c'est d'avoir à les installer et à les enlever au commencement et à la fin de chaque été, ajouta Cyrille.

— On verra ça quand on sera rendu là, dit Alain d'un ton léger, en remontant dans sa Chrysler.

Quelques centaines de mètres plus loin, Cyrille Riopel demanda à son frère d'arrêter sa voiture à côté d'une vieille camionnette rouge.

— Viens, on va aller dire bonjour au curé. Il est là avec le mari de sa cuisinière.

Ils se dirigèrent vers deux hommes qui leur tournaient le dos. Ces derniers étaient en train de clouer une feuille de contreplaqué sur la charpente de ce qui allait devenir, selon toute apparence, une maison de taille moyenne.

— Bonjour, monsieur le curé, salua Cyrille, quand les hommes cessèrent un instant de clouer.

Le curé Lanctôt déposa son marteau quand il reconnut ses visiteurs et il vint vers eux, heureux de la pause inattendue qu'on lui offrait.

— Continuez, monsieur le curé, fit Cyrille, arrêtez-vous pas pour nous autres. J'aurais ben aimé entendre ce que dit un curé quand il se tape sur les doigts avec son marteau.

— Il vaut peut-être mieux que t'entendes pas ça, Cyrille Riopel, répliqua Charles Lanctôt avec bonne humeur.

— En tout cas, vous allez avoir une belle petite maison, monsieur le curé, dit Cyrille en serrant la main du curé et celle de son ami, Étienne Dubé.

Alain imita son frère.

— Oui, disons qu'on a changé d'idée en chemin, dit Charles Lanctôt avec un grand sourire. D'abord, c'était supposé être un chalet, puis on a pensé que ce serait intéressant de construire une vraie maison qu'on pourrait habiter douze mois par année.

— C'est en plein ça que je me suis dit, dit Alain. Moi aussi, ça va être une maison.

— Oui, j'ai vu ça. Ma maison sera pas aussi grande que la tienne, fit le curé, mais on a tout de même décidé de bâtir plus grand que prévu. Quand je vais prendre ma retraite, je vais venir vivre ici, sur le bord de la rivière, avec Étienne et sa femme. On construit assez grand pour ça.

— Parlez-vous déjà de retraite? demanda Cyrille.

— Oh! j'y pense, dit le curé. Je ne rajeunis pas et je commence à avoir hâte de me reposer un peu.

Les quatre hommes discutèrent durant quelques instants de construction avant de se séparer.

Au moment où Alain quittait la maison de son frère après le souper, on lui rappela que la fête du 150e anniversaire de Saint-Anselme avait lieu le dimanche suivant. Il promit d'y assister avec sa famille.

****

Ce soir-là, André Marcotte était, encore une fois, d'une humeur massacrante à cause de l'absence de femmes dans la maison. Auparavant, il pouvait toujours compter sur sa mère, sur Louise ou même, dans certains cas, sur Nicole, pour préparer son repas et celui des employés. Or, tout avait changé en quelques mois et il enrageait de ne plus pouvoir maintenant se fier à aucune d'entre elles. Il valait mieux oublier Nicole. Sa mère et son père n'étaient venus lui rendre visite qu'une seule fois depuis leur déménagement au village et Louise était de plus en plus souvent accaparée par son comité. Elle ne semblait pas comprendre que sa place était à la maison, là où on avait vraiment besoin d'elle.

Évidemment, cela arrivait dans une période où le travail à la ferme pressait le plus, où il devait se réorganiser parce que Pascal était retourné à la polyvalente et parce que son père ne le dépannait plus. André avait beau se rendre compte que Daniel Lacoste et le jeune Gagnon travaillaient bien et qu'il pouvait de plus en plus compter sur eux, il fallait tout de même les nourrir convenablement sinon ils finiraient par aller offrir leurs services ailleurs.

Depuis le début du mois, Louise passait au moins trois après-midi par semaine au village à organiser le buffet et l'épluchette de maïs de la fête. Par conséquent, il devait se débrouiller avec ce qu'elle lui laissait pour le souper des hommes. Même si Gagnon et Lacoste ne se plaignaient jamais, il fallait que ça cesse. Il n'avait ni le goût ni le temps de se mettre à réchauffer les plats et à dresser le couvert en rentrant de l'étable.

Quand André vit la Ford bleue de sa femme pénétrer dans la cour, il ne broncha pas du fauteuil où il venait de s'asseoir. Pascal regardait une émission de télévision dans le salon. Lacoste était monté dans sa chambre quelques minutes plus tôt en annonçant qu'il s'en allait lire. Gagnon était retourné chez lui, dans le rang Saint-Louis, comme chaque soir.

Louise entra dans la cuisine et brancha la bouilloire avant de s'asseoir pour enlever ses souliers qui lui blessaient les pieds.

— Est-ce qu'il y a quelque chose de nouveau? demanda-t-elle à son mari, assis, silencieux.

— Oui. Je voulais te dire que je suis écœuré de tout faire dans la maison pendant que tu t'amuses au village, dit-il d'une voix acerbe.

— Bon! Une crise! Ça me manquait, dit Louise à demi-voix.

— C'est pas une crise, précisa son mari, en colère. Je t'ai répété cent fois que j'ai besoin de toi dans la maison, que j'ai pas le temps de faire les repas et de m'occuper de l'ouvrage dehors en même temps.

— T'as pas à faire les repas...

— Ça fait presque un mois que t'es pas là deux ou trois soirs par semaine pour faire le souper, la coupa André. Comment on fait, tu penses, pour manger quand t'es pas là ?

— André Marcotte, je prépare le souper et t'as juste à le réchauffer dans le micro-ondes. C'est pas la mer à boire, ça ! Je t'ai même dit de laisser faire Pascal ; il est capable de faire ça, lui.

— Moi aussi, je suis capable ; mais c'est pas ça le problème, dit son mari en se levant de son fauteuil. Le problème, c'est que c'est pas normal que tu sois toujours ailleurs que dans ta maison. Pendant des années, tu t'es plaint que t'étais pas chez vous parce que ma mère était ici. Maintenant que ma mère est partie, tu t'occupes encore moins de ta maison qu'avant. Il va falloir que tu te réveilles et que tu te rendes compte qu'elle est plus là pour prendre ta place quand tu sors.

— O.K., j'ai compris, dit Louise. T'as besoin de ta servante sept jours sur sept et vingt-quatre heures par jour, pas vrai ? Ben, inquiète-toi pas, la fête a lieu dans deux jours et après ça, tout va redevenir comme avant. T'auras juste à t'asseoir devant ton assiette et à te laisser servir. T'es content ?

— Bon ! Enfin une bonne nouvelle ! s'exclama André, sarcastique, en se laissant retomber dans son fauteuil.

Louise lui tourna le dos et elle se prépara une tasse de thé qu'elle apporta dans la salle de bain où elle se fit couler un bain très chaud. Quand elle sortit de la pièce une demi-heure plus tard, elle se dirigea vers sa chambre à coucher, sans se soucier d'André qui n'avait pas bougé de sa place. Dans la cuisine, seule la lumière de la hotte de la cuisinière électrique était allumée. Le quadragénaire était assis, silencieux, dans la pénombre. Il murmura à peine un «bonsoir» quand quelques minutes plus tard, Pascal lui souhaita une bonne nuit avant de monter se coucher.

Chapitre 23

Les célébrations

Le 18 septembre tant attendu arriva enfin. Lorsque l'aube se leva, le soleil était caché derrière une bonne couche nuageuse, mais la journée promettait d'être tout de même douce et agréable.

À 8 heures, André, Pascal et Daniel Lacoste trouvèrent Louise déjà maquillée, coiffée et prête à partir quand ils rentrèrent de l'étable après avoir trait les vaches.

— Le déjeuner est prêt, dit-elle aux hommes d'un air affairé. Vous n'avez qu'à vous servir. Je pars tout de suite parce que j'ai plein de choses à faire avant la messe de 10 heures. Il faut surtout que je trouve quelqu'un qui va faire placer les tables du dîner dans la cour de l'école par les jeunes. Vous allez venir à la messe et au dîner, j'espère? demanda-t-elle, en se tournant vers André.

— Je le sais pas, répondit sèchement son mari. Je verrai ça plus tard.

Au moment où elle s'apprêtait à sortir, Daniel Lacoste, qui venait de se laver les mains au lavabo de la cuisine, sortit de son mutisme.

— Madame Marcotte, si ça fait votre affaire, je peux aller m'occuper de faire placer les tables dans la cour de l'école. Le temps de déjeuner et j'y vais. Si Pascal veut venir avec moi, je peux l'amener, dit l'employé en se tournant vers l'adolescent.

— Vous me rendriez un grand service, monsieur Lacoste. Et toi, Pascal?

— Je vais y aller avec Daniel, m'man.

— Vous êtes ben fins tous les deux, dit Louise qui avait retrouvé son sourire.

L'employé s'assit à table et prit une large portion de l'omelette déposée dans un plat au centre de la table. Le dimanche était sa journée de congé, mais il n'était pas avare de son temps. Depuis son arrivée dans la maison des Marcotte, il avait pris l'habitude d'aider son patron à faire le train le dimanche matin avant de s'éclipser pour la journée.

****

Une heure plus tard, Maryse Trépanier, une grosse dame joviale, confia à Daniel une dizaine d'adolescents turbulents prêts à installer les tables et les chaises pour les trois cent cinquante convives qui avaient acheté un billet donnant droit au dîner. La cour de l'école avait déjà un petit air de fête avec les décorations en papier crépon confectionnées par les élèves de l'école. Ces dernières avaient été attachées à la clôture alors que de gros 150e en carton argenté avaient été fixés sur le mur de l'école.

Au fur et à mesure que les tables étaient placées dans la cour, Louise, Maryse Trépanier et quatre autres bénévoles du comité disposaient sur chacune d'elles une nappe en papier, qu'elles faisaient tenir avec du ruban gommé. Pendant ce temps, une institutrice se chargeait de l'installation d'un système de son et d'un microphone et le concierge de l'école voyait à ce qu'on aligne les grandes tables sur lesquelles serait déposé le buffet qui ne serait livré que vers 11 heures.

****

Au même moment, monseigneur Lazure, l'évêque du diocèse de Nicolet, arrivait au presbytère de Saint-Anselme. Le prélat était arrivé vers 9 heures, comme l'avait annoncé l'abbé Lamoureux, son secrétaire, au curé Lanctôt, la veille.

Quand on sonna à la porte du presbytère ce matin-là, Laure Dubé ne fut pas assez rapide pour aller répondre avant le curé. Charles Lanctôt ouvrit la porte et accueillit avec des signes évidents de joie son évêque, un ami avec qui il avait étudié au Grand séminaire.

Jérôme Lazure était un homme robuste d'une cinquantaine d'années pour qui le protocole n'était qu'un ensemble de simagrées ennuyeuses, au grand déplaisir de son secrétaire, amoureux du décorum en toutes choses. L'évêque aimait les gens et les gens le lui rendaient bien.

Le curé Lanctôt présenta sa cuisinière à son supérieur.

— Voyons, Charles, ce n'est pas nécessaire. Je connais madame Dubé depuis plusieurs années. Je traîne même un peu de graisse sur ma carcasse qui vient des plats qu'elle m'a cuisinés chaque fois que je suis venu en visite. Vous allez bien, madame Dubé ?

— Très bien, merci, monseigneur, fit Laure Dubé, rougissant de plaisir.

— Monseigneur, peut-être conviendrait-il... commença l'abbé Lamoureux.

— Ça va, l'abbé. Laissez faire les chichis. On se connaît tous ici. Madame Dubé, est-ce que je pourrais avoir une tasse de votre bon café ? demanda l'évêque en se dirigeant vers le salon en compagnie du curé et de son secrétaire.

— Tout se suite, monseigneur.

La cuisinière quitta les trois ecclésiastiques pour aller dans sa cuisine. Elle revint, un instant plus tard, en portant un grand cabaret sur lequel était déposés une cafetière, un pot de crème, des tasses, des assiettes, des cuillères et quelques douceurs.

— Allez, l'abbé, dit l'évêque à son secrétaire, rendez-vous utile. Faites une place pour que madame puisse déposer son cabaret et faites le service.

L'abbé Lamoureux s'empressa de libérer le dessus de la petite table placée au centre du salon et il servit le café.

— Puis Charles, comment vont les affaires ?

— Les affaires paroissiales ou les miennes ?

— Les tiennes, pour commencer.

— Ça va bien. Avec le mari de ma cuisinière, je suis en train de bâtir la maison qui va me servir quand je vais prendre ma retraite. Soixante-dix pour cent de mes lots sont vendus et on va pouvoir faire aménager le terrain de camping et la plage le printemps prochain. Pour la salle communautaire, ça viendra après.

— Est-ce que j'ai entendu le mot « retraite » ?

— C'est un mot qui existe encore, monseigneur, fit remarquer le curé en plaisantant.

— J'ai bien peur que tu attendes encore un petit bout de temps avant d'en profiter, laissa tomber son ami. Depuis le début de l'été, le diocèse a encore perdu trois prêtres qui sont rendus trop vieux et trop malades pour continuer leur ministère. Les jeunes comme toi – ne ris pas quand ton évêque te parle, Charles - je disais que ce sont les jeunes comme toi qui doivent en prendre plus.

— Je sais pas si je me trompe, mais j'ai l'impression que je suis en train de m'éloigner de ma retraite et que vous me préparez un surplus de travail, non?

— Tu as deviné juste, mais j'exagérerai pas. J'aimerais que tu te charges de Sainte-Monique à compter du début d'octobre.

— De Sainte-Monique? Qu'est-ce qui se passe avec Lucien Dubeau? Il est bien plus jeune que moi et...

Charles Lanctôt remarqua que la figure de son évêque s'était soudainement assombrie et que son sourire était disparu.

— Je voulais pas être indiscret, s'excusa-t-il.

— Non, laisse faire, Charles. C'est plus un grand secret pour bien des gens de Sainte-Monique. Le curé Dubeau est officiellement en vacances depuis le début du mois, mais il m'a prévenu par lettre qu'il reviendrait pas. À 45 ans, il est bêtement tombé amoureux de l'une de ses paroissiennes et il a décidé de vivre avec elle à Montréal. Presque vingt ans de prêtrise. Il a tout laissé tomber pour une femme mariée, mère de deux grands enfants. On a beau essayer de comprendre la nature humaine, i' y a des fois qu'on se demande où on s'en va.

— Aïe! fit le curé Lanctôt en grimaçant. Ça va être une situation agréable à expliquer aux gens.

— T'auras rien à expliquer, dit l'évêque sur un ton un peu cassant.

Officiellement, t'es au courant de rien. Tu prends la relève, un point, c'est tout.

— Oui, je comprends. Où est-ce que je vais rester ? Ici ou à Sainte-Monique ?

— T'as le choix. Tu connais le presbytère de Sainte-Monique. Il ressemble pas mal au tien. Si j'ai un conseil à te donner, attends d'avoir rencontré le conseil de fabrique. Choisis l'endroit où on te semblera le plus accueillant.

— En tout cas, je viens de comprendre pourquoi mon évêque était si pressé de m'accorder une heure de son temps avant la messe, ce matin, dit Charles Lanctôt.

— Voyons, Charles, tu me connais depuis assez longtemps pour savoir que je t'aurais jamais annoncé ce genre de nouvelle au téléphone ou par lettre, dit monseigneur Lazure avec un rire bon enfant. Tu serais venu me voir à Nicolet ou je serais passé. Bon, c'est pas tout, ça. On devrait peut-être aller se préparer pour la messe, non ?

Un peu avant 10 heures, on se serait cru de retour à l'époque où la majorité des paroissiens, bien habillés, se retrouvaient le dimanche matin sur la rue Principale ou sur le parvis de l'église. Les employés municipaux avaient cloué sur plusieurs poteaux de gros 150 dorés entourés de lauriers. Le stationnement de l'église débordait de voitures et il y avait des véhicules stationnés des deux côtés de la chaussée, de chez Cadieux jusqu'à l'hôtel de ville. Deux marguilliers, Paul Lacasse et Jérôme Dubé, avaient beaucoup de mal à garder libre un espace d'une vingtaine de mètres devant l'église. Deux autres marguilliers, debout devant les portes du temple, incitaient les paroissiens à demeurer à l'extérieur jusqu'à l'arrivée d'un petit défilé.

Ce dernier était la contribution directe et le secret le mieux gardé de Claudette Leduc, la coordonnatrice de la fête. Elle avait déployé des trésors d'énergie pour arriver à l'organiser. La conseillère municipale avait dû user de son charme pour inciter un éleveur et un collectionneur de voitures anciennes de Trois-Rivières à prêter à la municipalité trois magnifiques voitures, chacune tirée par un couple de chevaux fringants. Ensuite, elle était parvenue à louer des robes, des redingotes et chapeaux hauts-de-forme à la mode en 1830, année de la fondation de la municipalité.

À 9 heures 45, les habitants de Saint-Anselme accueillirent par de vifs applaudissements les trois attelages qui s'arrêtèrent à tour de rôle devant le parvis pour laisser descendre les invités de marque qu'ils transportaient. De la première voiture descendirent le député provincial, Georges Langlois, et son épouse, vêtus tous les deux de costumes d'époque. Le député souleva son haut-de-forme pour remercier la foule de son accueil chaleureux. La seconde voiture transportait le député fédéral du comté, Paul-Émile Lavoie, et son épouse. Lorsque le maire Adrien Beaulieu, une religieuse de la communauté des sœurs de L'Assomption et Claudette Leduc descendirent à leur tour de la dernière voiture, il y eut des applaudissements beaucoup plus nourris. La majorité des paroissiens reconnaissait à sa juste mesure le travail de la coordonnatrice et celui du maire. Ils saluaient aussi l'apport des sœurs de L'Assomption qui avaient instruit et éduqué plusieurs générations de filles de Saint-Anselme.

Laure Dubé, qui avait assisté à l'arrivée du court défilé en compagnie de la secrétaire municipale, ne put s'empêcher de dire à mi-voix:

— Naturellement, la Leduc a sauté sur l'occasion de se faire admirer.

On sait ben que pendant qu'elle se trémousse dans sa robe à flaflas, il y en a d'autres qui se tapent tout l'ouvrage.

— C'est sûr qu'elle était pas pour manquer cette chance-là, madame, dit Jeannine Lambert en posant sa main sur le bras de sa voisine. Tout le monde sait qu'elle est toujours là quand il y a des compliments à ramasser.

Pourtant, pendant qu'elle s'assoyait avec les invités d'honneur à l'avant de l'église, Claudette Leduc regrettait que monseigneur Lazure ait refusé de prendre place dans la première voiture de son petit défilé. Son refus avait bouleversé ses plans.

Au départ, l'évêque devait être accompagné de la supérieure et du maire. Il n'était pas du tout prévu qu'elle monte dans une voiture et qu'elle porte une robe d'époque. Mais la supérieure avait insisté pour qu'elle prenne place à ses côtés, jugeant inapproprié de se retrouver seule avec le maire. Elle en avait fait une condition de sa participation à la fête. En plus, vêtue de cette robe encombrante, l'organisatrice avait été obligée d'aller s'installer dans le premier banc à l'avant de l'église avec les autres invités d'honneur alors qu'elle avait encore mille choses à faire.

Monseigneur Lazure célébra une cérémonie toute simple, cérémonie rehaussée par les chants de la chorale paroissiale. Dans sa courte homélie, le prélat fit l'éloge du courage, de l'abnégation et du sens du devoir des premiers habitants de la municipalité qui avaient quitté le confort des terres déjà défrichées de Nicolet et des environs de Trois-Rivières pour venir fonder à Saint-Anselme une nouvelle communauté, 150 ans auparavant.

Après la messe, Claudette Leduc confia les deux députés, la religieuse et l'évêque aux bons soins du maire pour aller changer de vêtements et s'assurer que le dîner serait prêt à temps.

****

Les gens affluaient déjà dans la cour d'école et prenaient d'assaut deux tables placées au fond de la cour derrière lesquelles Léon Gadbois et ses deux fils officiaient. Ils vendaient des boissons gazeuses, des boîtes de jus, du vin et de la bière. Le restaurateur avait accepté de partager les profits de ses ventes de la journée avec les organisateurs de la fête.

L'ambiance commençait à se créer malgré l'absence de soleil. Les responsables de la musique faisaient jouer des airs entraînants et les gens avaient l'air impatients de s'amuser et de profiter de la fête. Même si la nourriture n'était pas encore arrivée, on cherchait à repérer des amis et des parents pour s'installer à leurs tables. Les enfants, fatigués de s'être tenus tranquilles durant toute la messe, couraient un peu partout entre les tables et bousculaient un peu les adultes qui leur faisaient les gros yeux.

Quand Louise Marcotte vit enfin arriver le camion du traiteur, elle poussa un soupir de soulagement. Une dizaine de bénévoles s'attroupèrent près d'elle et de Maryse Trépanier et tout ce monde se mit à disposer les plats sur les tables réservées au buffet.

Soudainement, Louise aperçut près d'elle Daniel Lacoste et son fils.

— Vous êtes encore là ? demanda Louise, surprise de constater que l'employé de son mari n'avait pas encore quitté les lieux après avoir fait placer les tables. On va finir par gâcher votre dimanche de congé...

— Vous inquiétez pas, j'avais rien de particulier à faire aujourd'hui. Aussi ben être utile à quelque chose. Parlant d'être utile, voulez-vous que Pascal et moi, on organise une sorte de service d'ordre avec les jeunes ? demanda l'employé de son mari en lui montrant des gens qui essayaient déjà de se servir avant même que les plats soient disposés sur les tables.

— Ce serait une bonne idée, dit Louise avec un sourire de soulagement.

Pendant que Maryse Trépanier incitait au micro les gens à attendre quelques minutes avant de venir se servir, Lacoste disposa autour des tables un cordon de surveillants qui éloignaient les impatients et les invitaient à se mettre en rang.

À midi pile, toute la nourriture était disposée sur les tables et on offrit aux invités d'honneur de venir se servir avant les autres personnes présentes. Ensuite, les gens prirent d'assaut les tables surchargées de nourriture et regagnèrent leur place en portant avec précaution leur assiette lourdement chargée de salade, de sandwiches et de charcuterie.

Louise se tenait un peu à l'écart et elle encaissait la contribution des retardataires qui avaient attendu jusqu'à la dernière minute pour se procurer un coupon donnant droit au repas. André, son père et sa mère étaient de ceux-là. Quelques instants auparavant, Jocelyn Marcotte avait payé les trois couverts et l'avait invitée à venir rejoindre sa famille assise à une table placée au fond de la cour aussitôt qu'elle pourrait se libérer de ses obligations.

Après avoir vérifié qu'il y aurait suffisamment de nourriture pour tout le monde, Louise, coresponsable du comité avec Maryse Trépanier, afficha son plus beau sourire et elle commença à effectuer une tournée des tables pour s'assurer que tout était bon. Quelques instants plus tard, elle s'arrêta quand elle se rendit compte que

Claudette Leduc, qui avait trouvé le temps de remplacer sa robe d'époque par une robe gris perle, avait décidé de jouer à l'hôtesse des lieux. Elle circulait déjà entre les tables et elle parlait fort autant pour se faire remarquer que pour inviter les gens à se servir de nouveau.

Louise s'empressa d'aller rejoindre Maryse Trépanier debout près du buffet.

— J'espère qu'on manquera pas de nourriture, dit-elle à la sexagénaire. Claudette invite tout le monde à venir se resservir.

Maryse jeta un coup d'œil sur les convives et aperçut la coordonnatrice en train de se pavaner.

— Attends une minute, ma chouette, je vais aller lui calmer les nerfs à notre vedette. On a commandé cinquante repas de plus que prévu, pas deux cents.

La grosse dame se glissa tant bien que mal entre les tables jusqu'à Claudette Leduc et elle lui parla à l'oreille. L'autre fit des signes de tête comme quoi elle comprenait ce qu'on lui disait et elle revint en avant en saluant les gens au passage.

Elle demanda à l'institutrice responsable de la musique d'arrêter cette dernière et elle s'empara du micro pour demander à monseigneur Lazure de dire quelques mots. Ce dernier se leva de bonne grâce pour s'adresser brièvement aux invités.

— Je suppose que vous n'êtes pas venus ici aujourd'hui pour m'entendre une deuxième fois. Disons que je vais m'adresser surtout à ceux et à celles qui n'ont pas eu la chance de m'admirer ce matin à la messe...

Pendant que l'évêque faisait montre de beaucoup d'humour en décrivant les conditions de vie probables des fondateurs de Saint-Anselme, Louise se rendit à la longue table occupée par les Marcotte. Mariette lui fit signe de venir occuper la chaise libre aux côtés d'André qui s'était installé face à ses parents.

Au passage, Louise ébouriffa les cheveux de Pascal et salua Marie qui était accompagnée par Émile Deschamps que Jocelyn et André boudaient ostensiblement. Louise éprouva beaucoup de plaisir en constatant que sa belle-sœur Émilie et son mari, Gilles Leclair, s'étaient déplacés pour venir à la fête. Ces deux derniers discutaient avec Claude Marcotte, le frère d'André, que la famille Marcotte ne voyait pratiquement jamais tant le jeune médecin célibataire de Saint-Cyrille était occupé.

À la table voisine, Louise aperçut Diane et Pierre Bergeron en compagnie de leurs trois enfants et de Bernard. Si Pierre et son père parlaient peu, par contre, les cousins Laurent et Daniel Marcotte ainsi que le mari d'Anne-Marie entretenaient un feu roulant de plaisanteries qui faisaient rire toute la tablée.

En avant, les deux députés succédèrent à monseigneur Lazure au micro. Ils en profitèrent pour vanter l'aide que leur gouvernement respectif avait apportée à la région et pour féliciter les organisateurs de la belle fête à laquelle ils participaient. Pendant qu'ils parlaient, leurs épouses minaudaient et se donnaient des airs importants à la table d'honneur.

****

Après la messe, Cyrille Riopel et Bruno Lequerré avaient d'abord considéré comme une chance d'avoir pu accaparer les deux premières tables voisines de la table d'honneur. Ils avaient alors jugé avantageux d'être aussi près du buffet. Les deux hommes déchantèrent vite quand ils se rendirent compte qu'ils étaient assis à proximité des haut-parleurs qui diffusaient la musique et les discours à tue-tête. Le niveau sonore était tel qu'il les empêchait pratiquement de parler entre eux.

À l'une des tables, Isabelle s'installa avec sa sœur Colette et son mari Ulric Gagné. Son frère Louis et sa femme Carmen vinrent les rejoindre avec leur fils Richard et sa compagne.

Aurore, Bruno, Cyrille, Brigitte, Alain et Lise prirent place à la table voisine.

— Bon ! ça a tout l'air qu'on va former la table des petits vieux, dit Aurore en regardant chacune des personnes assises autour de la table.

Pourtant, son mari et elle étaient les seuls quinquagénaires du groupe.

— T'es à ta place, toi, dit son frère Cyrille. C'est vrai que t'es pas mal plus vieille qu'Alain et moi. Nous, on est là pour prendre soin des vieux.

— Ben, à ce moment-là, je comprends plus rien, dit sa demi-sœur. Je sais pas quelle sorte de vie t'as menée, mais il me semble que t'as l'air ben plus vieux que moi.

Les jeunes s'étaient regroupés autour d'une autre table. Josée, Marc et Éric taquinaient Sylvain et Jean-Pierre que Jocelyne surveillait du coin de l'œil.

Julien était accompagné par Karine Charland, une jolie petite brune pétillante qu'Aurore n'avait jamais vue avant ce jour-là. D'ailleurs, c'était la journée des surprises. Elle avait à peine reconnu le grand Clément Leroux quand il s'était présenté à leur porte vers 9 heures, ce matin-là. Le jeune homme était habillé avec soin et ses cheveux blonds et bouclés étaient disparus.

— Qu'est-ce qui est arrivé à ta tête? avait-elle demandé à l'étudiant, une fois la surprise passée.

— C'est ma tête d'hiver, madame Lequerré. Aimiez-vous mieux l'autre? avait demandé le jeune homme avec un rien d'impertinence.

Aurore s'était contentée de faire la moue, ce qui avait fait rire Clément Leroux et Carole.

Bruno Lequerré et elle n'étaient pas au bout de leurs surprises. Après la messe, ils avaient vu arriver leur Julien tenant par la main une Karine Charland inconnue. C'était la première fois qu'ils voyaient leur grand fils de vingt-deux ans en compagnie d'une petite amie. Aurore, comme la plupart des mères, tenait la jeune fille à l'œil depuis son arrivée.

Durant le repas, Bruno fit remarquer à voix basse à sa femme :

— Notre Julien a du goût. Sa Karine est un beau brin de fille.

— Je me demande si elle est pas handicapée, dit Aurore, acide. On jurerait qu'elle est pas capable de faire un pas sans se tenir à Julien.

— Voyons, Aurore, tu as déjà été jeune. Tu sais ce que c'est.

— Je me suis jamais donnée en spectacle comme ça.

— Oui, je me rappelle, fit Bruno avec un petit sourire. Tu étais même plutôt froide.

— Merci! répliqua sèchement sa femme. Tu sauras, Bruno Lequerré, que j'étais une fille ben élevée et on m'avait montré comment me tenir en public.

— Ouais! Mais moi, j'aurais aimé mieux que tu te tiennes un peu plus mal, de temps à autre.

— Maudits hommes! Vous êtes ben tous pareils! Vous pensez juste à ça, dit-elle en lui tournant volontairement le dos pour s'adresser à Lise, la femme d'Alain, qui mangeait en faisant des manières.

****

Louise et Maryse Trépanier réservaient une belle surprise pour le dessert. Elles avaient fait confectionner un énorme gâteau abondamment décoré. Quand deux bénévoles traversèrent la cour en portant la pâtisserie, ils furent salués d'applaudissements enthousiastes. Les chiffres 150 en pâte d'amandes se détachaient joliment sur le crémage épais. Après avoir laissé les gens photographier le gâteau, deux dames se mirent à découper ce dernier et à en distribuer les morceaux.

Après le repas, beaucoup de gens allèrent admirer l'exposition de photos présentée dans la salle du conseil à l'hôtel de ville. Les habitants de Saint-Anselme avaient prêté plus de cinq cents photographies anciennes tirées de leurs albums de famille. Les membres du comité les avaient regroupées et commentées sur de grands cartons apposés aux murs. Après cette visite, un bon nombre d'adultes et de personnes âgées rentrèrent à la maison avec l'intention de revenir à l'épluchette de maïs prévue pour 18 heures.

Les jeunes ne les imitèrent pas. Pleins d'énergie et bien décidés à s'amuser, ils préférèrent participer aux compétitions et aux jeux organisés tant dans le stationnement de l'église qu'à une extrémité de la cour de l'école. Ces deux pôles d'attraction attirèrent la majorité des visiteurs qui encouragèrent bruyamment les participants tout l'après-midi.

À la fin de l'après-midi, Louise, Maryse Trépanier et de nombreux bénévoles avaient l'impression qu'ils venaient à peine de finir d'amasser les déchets laissés par les dîneurs lorsqu'il fallut se mettre à préparer l'épluchette.

Daniel Lacoste, Pascal et quelques hommes installèrent près du mur de l'école trois cuisinières au gaz propane louées à Drummondville la veille. Gilles Gagné, le fils de Colette et d'Ulric Gagné, recula sa camionnette près des cuisinières et déchargea les poches d'épis de maïs avec l'aide de Cyrille Riopel et de ses deux fils. En quelques minutes, une trentaine de personnes vinrent prêter main-forte pour éplucher le maïs qu'on mit à cuire dans trois immenses chaudrons remplis d'eau.

Plusieurs femmes secondèrent Louise dans l'installation de nappes de papier propres sur les tables. Des salières et du beurre furent mis à la disposition des convives sur chacune des tables.

— Une chance que ce n'est qu'une épluchette, dit Louise à Maryse Trépanier. C'est pas mal moins d'ouvrage qu'un repas.

— Et comment! s'exclama sa partenaire. Tu nous vois servir un autre buffet après celui de ce midi. Non merci!

— En parlant de buffet, fit Louise en baissant la voix, il ne restait pas grand-chose du nôtre après le dîner. J'ai mis tous les restes dans un grand cabaret et je suis allée le porter aux Hamel et aux Houle qui restent au Petit Foyer. Ils étaient trop malades pour venir.

— T'as eu une bonne idée. Est-ce que ça leur a fait plaisir?

— Ils avaient l'air content.

Dès que les premiers épis furent prêts à être servis, Claudette Leduc, toujours aussi omniprésente, s'empressa d'interrompre la musique pour inviter les gens à venir se régaler.

L'épluchette était offerte gratuitement par la municipalité et elle se révéla moins formelle et aussi agréable que le dîner. Une dizaine de volontaires faisaient cuire les épis de maïs, les plongeaient dans l'eau froide quand ils étaient prêts et les déposaient dans de grands plats, que les invités prenaient d'assaut et vidaient avec une belle régularité.

La journée se terminait sans qu'un seul rayon de soleil ne soit parvenu à percer la couche de nuages. Avec le coucher du soleil, la température se fit un peu plus fraîche. On s'empressa alors d'endosser des lainages et des coupe-vent.

À 19 heures, sous l'éclairage de projecteurs et de guirlandes d'ampoules de couleur qu'on venait d'allumer, les derniers épis de maïs furent distribués et on nettoya encore une fois la cour pour permettre aux gens de danser jusqu'à 23 heures, heure à laquelle la fête devait prendre fin officiellement.

Le comité qui s'était chargé de cette partie des festivités avait tenté de sélectionner de la musique propre à plaire et à inciter à danser toutes les catégories de participants. Les personnes âgées se tinrent cependant au fond de la cour, loin des haut-parleurs et des jeunes turbulents pour avoir l'occasion de se parler sans avoir à crier à tue-tête.

Derrière leurs tables, les Gadbois avaient particulièrement hâte que la journée finisse. Ils n'avaient pas cessé de vendre de la bière, des boissons gazeuses, du vin et du café durant toute la journée. D'ailleurs, vers la fin de la soirée, trois adolescents éméchés faillirent gâcher la fête en insistant un peu trop bruyamment pour se faire servir d'autres bouteilles de bière. Quand l'un des fils Gadbois refusa de leur donner ce qu'ils voulaient, ils menacèrent d'aller se servir eux-mêmes derrière le comptoir improvisé. Daniel Lacoste intervint juste à temps pour éviter la bagarre inégale qui s'annonçait. Il en attrapa deux par un bras et sur un ton amical, mais sans réplique, il leur conseilla gentiment d'aller se reposer. Il faut croire que la poigne de l'employé des Marcotte était assez ferme pour les faire réfléchir parce que les deux adolescents entraînèrent leur ami avec eux et ils disparurent, au plus grand soulagement des quelques spectateurs que l'algarade avait commencé à attirer.

À 23 heures, la musique cessa et la foule commença doucement à quitter les lieux des festivités, mais non sans avoir applaudi chaleureusement toutes les personnes qui s'étaient dévouées pour faire de ce 18 septembre 1980 une date mémorable. On n'était pas prêt d'oublier les célébrations du 150e anniversaire de Saint-Anselme.

Plusieurs personnes tinrent à venir remercier personnellement les responsables des festivités avant de rentrer à la maison.

À un certain moment, une douzaine de personnes, surtout des femmes, entourèrent Claudette Leduc,

Maryse Trépanier et Louise Marcotte pour les féliciter de la qualité et de la variété de la nourriture servie par le traiteur qu'elles avaient choisi.

— C'était ben bon, madame Leduc, fit Laure Dubé, avec un sourire mielleux. Mais je me demande si ça aurait pas coûté moins cher de faire préparer les sandwiches et les salades par des femmes de Saint-Anselme.

Il y eut un instant de flottement avant que Claudette Leduc réagisse.

— Je pense pas, madame Dubé, que ça aurait coûté ben moins cher. En plus, ben des gens ont dédain de manger de la nourriture préparée par n'importe qui n'importe où. Vous savez, il y a des femmes qui ont l'air ben propres, mais on les voit pas dans leur cuisine.

En entendant cette réplique, Louise Marcotte adressa à Maryse un petit sourire entendu. Claudette Leduc était peut-être épuisée, mais elle était encore capable de se défendre.

Chapitre 24

Momon

Le mois de septembre prit fin sous la pluie et la température s'abaissa graduellement. Avec octobre, c'était vraiment l'arrière-saison. Tout laissait croire qu'il n'y aurait pas d'été indien. Les journées ensoleillées étaient moins nombreuses que les jours nuageux et pluvieux. Les feuilles des arbres prirent peu à peu des teintes rouges, vertes, jaunes et orangées. On aurait dit que la nature tenait à offrir par cet éclatement de couleurs vives un dernier spectacle avant de s'endormir pour l'hiver. Le vent s'amusait souvent à secouer la ramure des arbres et le tapis de feuilles mortes et racornies s'épaississait chaque jour davantage.

Les labours d'automne étaient commencés depuis quelques jours. De loin en loin, sous un ciel bas, on pouvait voir un tracteur tirant une charrue, éventrant le sol et traçant de profonds sillons sur lesquels s'abattaient des mouettes criardes et affamées. Les premiers vols d'outardes passaient très haut dans le ciel, loin de la portée des armes des chasseurs tapis sur les berges de la

Nicolet. L'air charriait les effluves du fumier qu'on venait d'épandre dans certains champs.

Dans le rang Sainte-Anne, il avait suffit de quelques jours pour récolter le maïs et l'ensiler.

Chez André Marcotte, l'ensilage avait été si abondant qu'on avait dû laisser devant l'étable un monticule de maïs de plusieurs mètres de hauteur parce que les deux silos étaient remplis. Ce maïs en surplus servirait à nourrir les bêtes durant les semaines à venir. On devrait employer une brouette pour le transporter à l'intérieur.

En cette fin de lundi avant-midi, André venait de rentrer dans la maison, laissant Lacoste dans la remise, en train de vidanger les deux tracteurs. Il avait l'intention de se reposer quelques minutes en buvant une tasse de café. La maison était calme. Pascal était à la polyvalente et, s'il se fiait aux bruits qu'il entendait, Louise était à l'étage en train de passer l'aspirateur.

André s'assit dans la chaise berçante que sa mère aimait tant, près de l'une des trois grandes fenêtres de la cuisine. Tout en sirotant sa tasse de café, il regardait tomber la pluie fine sur les grands érables qui avaient déjà perdu presque toutes leurs feuilles. Maintenant, il pouvait très bien voir la maison de ses tantes au bord de la route. Il eut un soupir en songeant combien il aurait été plus agréable que ses parents soient installés là, près de la grande maison où ils avaient élevé leur famille. Mais il n'y avait rien à faire. Sa tante Marie avait clairement laissé entendre qu'elle avait l'intention de finir ses jours dans la modeste maison blanche recouverte de bardeaux de bois.

Par contre, il avait toutes les raisons d'être satisfait de ses récoltes. Son orge, son avoine et son soja avaient été vendus facilement et à un très bon prix. Il venait de se débarrasser avec profit d'une dizaine de beaux veaux pour faire de la place à ses vaches dans son étable. En plus, tout son sarrasin était déjà vendu avant même d'être sorti du moulin de Sainte-Monique. Après le départ de ses parents pour le village, la chance n'avait pas l'air de vouloir l'abandonner.

Baril n'avait pas donné signe de vie depuis la fameuse réunion du conseil. C'était probablement la preuve qu'il réfléchissait à la possibilité de lui acheter le terrain sur lequel passait la route privée. S'il voulait l'avoir, il le paierait, et à un bon prix. Par ailleurs, quinze jours auparavant, au début d'octobre, il avait réussi à persuader Daniel Lacoste de rester en lui accordant une petite augmentation. Il appréciait l'homme et il le savait digne de confiance. Enfin, Louise avait l'air de se calmer et de retrouver enfin son bon sens.

Depuis la mi-septembre, elle était beaucoup plus souvent à la maison et elle n'affichait plus cet air de perpétuelle insatisfaction qu'elle avait depuis le printemps. Plus important, elle ne critiquait plus chacun de ses gestes. D'accord, elle n'avait pas changé d'avis pour la tenue des livres de comptes, mais elle s'occupait très bien de la maison et des repas. C'était peut-être mieux ainsi, croyait-il. Si elle s'en sentait incapable, il valait mieux qu'elle ne touche pas à la comptabilité. Il y verrait lui-même.

Le bruit de l'aspirateur cessa brusquement et Louise descendit l'escalier en portant difficilement l'appareil.

— Il faudrait ben que tu me fasses installer un aspirateur central, dit-elle à son mari en l'apercevant dans la cuisine.

— Pourquoi? Celui-là marche pas ben? demanda André.

— Non, il marche, mais il est pesant à traîner et il ne tire pas fort.

— On verra ça à la fin de l'année, dit André en se levant pour aller déposer sa tasse vide sur le comptoir. Si l'année a été bonne, on pourra peut-être en faire installer un, mais ça sera pas donné.

André jeta un regard à l'extérieur où la pluie avait soudainement redoublé.

— Je pense ben qu'on va faire entrer les vaches pour l'hiver cette semaine. Ça sert à rien de les laisser geler dehors et de courir le risque d'un accident.

Sans attendre un commentaire ou une approbation de sa femme, le cultivateur sortit et retourna dans la remise.

Depuis quelques semaines, les habitants du rang Sainte-Anne s'étaient aperçus que presque plus aucun camion n'allait sur l'île. Plus aucun ouvrier ne semblait travailler encore pour le club de Baril. La pluie et le mauvais état de la route privée étaient probablement responsables de cette baisse importante de fréquentation. Selon Paul Biron dont la quincaillerie et le clos de bois fournissaient la plus grande partie des matériaux de construction utilisés sur l'île et au Carrefour des jeunes du curé Lanctôt, la saison de la construction était bel et bien finie et ne reprendrait qu'à la fin avril.

****

Quinze jours plus tard, toute la région connaissait ses premiers gels. Le temps des feuilles multicolores appartenait déjà au passé. Tout était devenu uniformément brun et gris au fil des jours. Il arrivait maintenant qu'au lever du jour, les champs soient couverts d'un frimas blanc, annonciateur des prochaines chutes de neige.

Chez les hommes, le rythme du travail avait ralenti, imitant ainsi la nature. Les organisations paroissiales comme le Cercle des fermières, le Club de l'âge d'or, les Chevaliers de Colomb et le vestiaire communautaire s'étaient remises en marche après la longue pause estivale. Deux équipes de quilles s'étaient formées et allaient jouer à Drummondville deux fois par semaine. Bref, on était vraiment entré de plein pied dans l'automne.

Pour s'en convaincre, il n'y avait qu'à regarder le grand nombre de maisons décorées de citrouilles et de sorcières menaçantes pour l'Halloween.

La célébration de cette fête païenne prenait de plus en plus d'ampleur chaque année. Cette mode avait touché Saint-Anselme comme le reste de la province. L'Halloween était en voie de détrôner Noël comme fête annuelle des enfants. Non seulement décorait-on abondamment les maisons, mais encore, on faisait ample provision de bonbons, de chocolat et de sous noirs destinés à alimenter les boîtes de l'UNICEF, boîtes que les enfants déguisés brandissaient sous le nez des gens qui leur ouvraient leur porte.

L'Halloween de 1980 allait entrer dans la légende familiale des Lequerré d'une façon pour le moins inattendue.

À la fin des labours d'automne, Bruno envisagea sérieusement de renvoyer Momon Patenaude. Il n'avait pas besoin du gros homme durant l'hiver. Aurore et lui suffisaient amplement pour soigner et nourrir les animaux. Il s'en ouvrit à sa femme un après-midi, quelques jours avant l'Halloween.

— T'es pas sérieux, Bruno? demanda Aurore, étonnée que son mari envisage une telle possibilité. Si tu le mets dehors, tu sais ben que personne va l'engager à ce temps-ci de l'année. Où est-ce qu'il va aller?

— Mais on n'est pas un asile, répliqua Bruno.

— Non, mais il y a la charité chrétienne.

— La charité chrétienne, la charité chrétienne, c'est bien beau, s'exclama Bruno, mais il va falloir que je lui paie son salaire chaque semaine et surtout le nourrir. C'est qu'il mange comme dix, le bougre !

— On est capables de lui payer son petit salaire et pour la nourriture, il la gagne. As-tu pensé que tu vas être ben content de l'avoir avec toi pour nettoyer l'étable et pour couper du bois cet hiver. T'arrêtes pas de répéter qu'il est increvable. Penses-y. Il y a toujours moyen de l'occuper.

Bruno demeura silencieux durant de longues minutes avant d'accepter de garder Momon durant la saison froide.

— Je le garde, mais à la condition que tu continues à surveiller sa banque, dit-il à Aurore.

****

En disant cela, Bruno Lequerré faisait allusion au fait que Raymond Patenaude n'avait aucune confiance dans les banques. D'ailleurs, Bruno et Aurore n'avaient jamais pu savoir si le pauvre homme avait appris à quoi cette institution financière servait exactement.

Toujours est-il que, deux jours après avoir engagé Momon au début de l'été, le couple avait découvert avec stupéfaction qu'il transportait dans ses poches tout l'argent qu'il avait gagné depuis qu'on le payait pour les travaux qu'il exécutait.

Le second soir de son arrivée chez les Lequerré, après le souper, Momon avait commencé à sortir des poches de son pantalon rapiécé des rouleaux de dollars passablement abîmés qu'il avait déposés sur la table de cuisine. Ensuite, avec une application qui l'obligeait à sortir la pointe de la langue entre ses grosses lèvres, il s'était mis à compter lentement chaque liasse. Cette occupation lui avait pris près d'une heure. À la fin de ce pénible travail de comptabilité, l'homme avait sorti un vieux mouchoir à carreaux de l'une de ses poches et il avait essuyé la sueur qui perlait à son front. Ensuite, il avait reconstitué soigneusement chacune de ses liasses et il avait remis son argent dans ses poches.

Bruno et Aurore s'étaient bien gardés d'intervenir durant les calculs du pauvre homme, tant le travail leur avait semblé ardu. Quand la table eut été débarrassée de son argent, Aurore s'assit devant lui.

— Momon, combien as-tu d'argent dans tes poches? lui avait-elle demandé.

— Deux mille sept cent soixante-six piastres, avait dit fièrement l'employé.

— C'est une vraie fortune. Tu peux pas garder tout cet argent-là dans tes poches parce que tu vas finir par le perdre ou par te le faire voler, lui avait dit Bruno. Demain, on va aller à la caisse populaire au village et on va t'ouvrir un compte.

Momon s'était contenté de hocher la tête. Mais tout dans son comportement laissait voir qu'il n'avait pas bien compris ce que son patron lui avait proposé.

Le lendemain après-midi, Bruno était entré à la caisse populaire en compagnie de Raymond Patenaude. La jeune employée avait pris de longues minutes pour remplir une fiche d'ouverture de compte, mais quand elle avait demandé à Momon de lui remettre l'argent qu'il désirait déposer dans son nouveau compte, ce dernier avait refusé énergiquement de se séparer de sa fortune.

Rouge de honte, Bruno s'était excusé et était rentré à la maison avec son employé sans prononcer un seul mot.

— Je te le laisse, avait-il dit à Aurore. Ce maudit innocent-là ne comprend rien et il ne veut pas donner son argent à la banque. Je renonce.

Aurore avait réfléchi pendant quelques minutes avant d'aller fouiller dans une armoire et d'en revenir avec une petite boîte métallique qui avait contenu des biscuits à l'origine. Elle expliqua à Momon avec beaucoup de patience que cette boîte lui appartenait dorénavant et qu'il devait y déposer tout son argent, ce que l'homme s'empressa de faire avec un sourire ravi. Ensuite, elle prit la boîte et la rangea sur la dernière tablette de l'armoire de cuisine en lui disant que chaque fois qu'il voudrait prendre ou déposer de l'argent dans sa boîte, il n'avait qu'à venir dans l'armoire. Momon accepta la proposition.

À compter de ce jour-là, chaque vendredi soir, Momon déposait religieusement son salaire hebdomadaire dans la petite boîte qu'il replaçait au même endroit. Par ailleurs, il ne prenait plus sa boîte qu'une ou deux fois par semaine pour compter son argent ou en tirer de la menue monnaie qu'il allait dépenser au restaurant Gadbois, au village.

Raymond Patenaude était particulièrement économe. Il ne s'achetait jamais d'habits neufs, se contentant de porter de vieux vêtements donnés par des gens charitables de Saint-Anselme ou achetés pour trois fois rien au vestiaire communautaire. Sa vieille bicyclette CCM verte était son unique possession de valeur et il lui accordait des soins extraordinaires. Mis à part les frites, les boissons gazeuses et les bonbons qu'il achetait de temps à autre au restaurant Gadbois, son vélo était son unique source de dépenses. Après chaque sortie, il le lavait et il le couvrait de poches de jute après l'avoir rangé dans le garage. Ses chromes étincelaient comme si la bicyclette était neuve.

En somme, tout cela pour dire qu'on s'était facilement habitué à la présence de Raymond Patenaude chez les Lequerré. C'était un homme doux qui ne causait jamais de problème. Deux ou trois fois par semaine, après le souper, il montait sur sa bicyclette et filait lentement vers le village. Léon Gadbois était habitué de le voir s'installer sur la dernière banquette de son restaurant devant un Pepsi et un plat de frites. Durant une heure, ce client tranquille écoutait parler les autres clients sans intervenir. Ensuite, il rentrait à la maison.

****

Les Lequerré ne surent jamais comment l'idée avait germé dans la tête du pauvre homme... Un plaisantin lui avait-il suggéré de se déguiser le soir de l'Halloween pour avoir des bonbons? Avait-il entendu des enfants se vanter entre eux de tous les bonbons qu'ils recevraient gratuitement grâce à leur déguisement en passant de porte en porte le soir de l'Halloween? Toujours est-il que, poussé probablement par sa gourmandise, Momon décida d'imiter les enfants.

Le soir de l'Halloween, immédiatement après le souper, il s'habilla sans dire un mot et il sortit.

— J'espère qu'il va pas faire de la bicyclette avec un froid semblable, dit Bruno. Je ne suis pas certain que ça ne gèlera pas ce soir.

Quelques instants plus tard, Carole sursauta en regardant par la fenêtre.

— Mon Dieu! s'écria-t-elle alors qu'elle était en train d'essuyer la vaisselle avec son frère.

— Qu'est-ce qu'il y a? demanda Aurore.

— Vous le croirez jamais. Je viens de voir passer Momon habillé en fantôme sur son vélo.

— S'il va au village avec un drap sur la tête, il risque surtout de se casser la gueule, dit Julien en riant.

— Attends qu'il revienne, lui, dit Aurore avec mauvaise humeur. Je vais lui montrer à prendre mes draps pour aller courir l'Halloween. Je suppose que cet innocent a dû faire des trous dedans pour respirer et pour voir où il allait.

Dans le rang Sainte-Anne, la soirée de l'Halloween se déroula sans histoire. Seuls quelques enfants déguisés en pirates, en sorcières et en lutins vinrent frapper aux portes. Ces derniers préféraient hanter le village parce que les maisons étaient plus rapprochées et parce qu'on pouvait s'y déplacer à pied en bandes joyeuses. Encore une fois, les gens du rang allaient se retrouver, à la fin de la soirée, avec plusieurs sacs de friandises inutilisées.

À 21 heures, les enfants étaient tous rentrés chez eux. L'Halloween était terminée. La plupart étaient probablement en train de faire l'inventaire des richesses contenues dans les sacs qu'ils avaient tendus dans chaque maison visitée.

À 22 heures, Bruno et Aurore commencèrent à s'inquiéter sérieusement de l'absence de Raymond Patenaude. Où était-il passé? Habituellement, il était rentré à 21 heures. Il était parti depuis plus de trois heures. Il ne s'était tout de même pas installé si long-temps chez Gadbois.

Une heure plus tard, Bruno éteignit le téléviseur après avoir visionné les informations et il décida de s'habiller et d'aller voir s'il n'était pas arrivé un accident à Momon. Julien l'accompagna.

Le vent s'était levé et le froid était beaucoup plus vif qu'au début de la soirée quand Bruno et son fils montèrent à bord de la vieille Dodge brune. Le cultivateur parcourut tout le rang Sainte-Anne à faible vitesse, s'attendant à tout moment à apercevoir Raymond Patenaude en train de pédaler sur sa bicyclette dans le noir.

— Veux-tu bien me dire où il est passé, cet imbécile? demanda Bruno avec impatience en tournant dans le rang Saint-Édouard. On va aller jusqu'au village. Il y a certainement quelqu'un qui l'a vu.

Bruno parcourut au pas toute la rue Principale en scrutant la façade de chaque maison: pas la moindre trace de Momon. Les rues Lagacé et Desmeules étaient aussi vides. Le froid avait chassé le moindre passant. Bruno s'arrêta au restaurant pour demander à Léon Gadbois s'il avait vu son employé.

— Je comprends que je l'ai vu. Il était déguisé en fantôme et il se tenait avec une bande d'enfants du village. D'après ce que j'ai pu voir, il a fait du porte-à-porte, comme eux. Inquiète-toi pas. Personne va l'avoir enlevé. Tu connais Momon. Il doit être assis quelque part en train de se bourrer de chocolat et de bonbons. Quand il va en avoir assez, il va revenir.

Bruno le remercia et décida de rentrer, tout de même pas très rassuré sur le sort du pauvre homme. Rester aussi longtemps loin de la maison était si peu dans sa façon de faire que cela l'inquiétait. Comme il ne pouvait rien faire de plus, Bruno se mit au lit en pensant que quelqu'un avait dû recueillir Raymond Patenaude pour la nuit.

Le lendemain matin, Aurore et sa fille étaient à dresser le couvert quand Carole montra à sa mère l'espace libre sur la dernière tablette de l'armoire de la cuisine.

— M'man, vous avez changé de place la banque de Momon? demanda la jeune fille.

— Non, j'ai pas touché à sa boîte de biscuits et je suis sûre que ton père ne lui a pas touché non plus. Attends donc, fit Aurore en se dirigeant vers l'escalier qui conduisait aux chambres situées à l'étage.

Aurore monta l'escalier et pénétra dans la chambre occupée par Raymond Patenaude. La petite pièce était d'une propreté impeccable. Le lit était fait et aucun vêtement ne traînait. Elle vit immédiatement la boîte métallique vide laissée sur la table de chevet. Par acquit de conscience, elle ouvrit un à un les tiroirs de la commode, seul meuble de la pièce si on exceptait le lit : ils contenaient tous des vêtements et des objets de l'employé.

Aurore descendit à la cuisine, beaucoup plus alarmée que quelques minutes plus tôt.

— Une vraie histoire de fou, dit-elle à sa fille. Il est parti passer l'Halloween avec presque trois mille piastres dans ses poches. Pourquoi? Je le sais pas. Si ça se trouve, il le sait pas non plus. En tout cas, il avait prévu de revenir coucher à la maison : son linge est encore dans ses tiroirs.

Aurore fit part de sa découverte à Bruno quand il rentra pour déjeuner avec Julien. Durant le repas, chacun y alla de son hypothèse pour expliquer la disparition de l'employé.

— Vous savez, dit Julien, il pourrait bien avoir montré un peu trop son argent au village. Ça aurait pu donner des idées à des gars.

— Momon est fort comme un bœuf, dit Bruno.

— Il est peut-être fort, mais il peut ne pas avoir été de taille devant trois ou quatre gars avec des bâtons de baseball. C'est pas parce qu'on vit à la campagne que ces choses-là peuvent pas arriver.

— Ce serait ben la première fois, fit Aurore.

— M'man, il y a toujours une première fois, ajouta Carole.

Il y eut un long silence autour de la table.

— Ben, c'est bien beau tout ça, ajouta Carole; mais si on traîne trop, on va être en retard à nos cours.

Les deux jeunes mirent leur manteau et quittèrent la maison. Aussitôt après le départ des deux étudiants pour Trois-Rivières, Bruno prit sa voiture pour aller au village dans l'intention de retracer son employé.

— Je ne pense pas qu'il se soit fait attaquer, fit-il remarquer à sa femme avant de partir; mais il ne s'est tout de même pas évaporé. Il y a sûrement quelqu'un qui l'a hébergé la nuit passée. Je vais aller voir encore une fois si je peux le trouver.

Le cultivateur conduisit aussi lentement que la veille dans le rang Sainte-Anne et il tourna dans le rang Saint-Édouard. Au moment où il croisait l'autobus scolaire qui venait chercher les enfants de Jocelyne et de Richard, Bruno aperçut brièvement une tache blanche dans le fossé, sur sa gauche. Il roula durant une vingtaine de mètres avant de réaliser que cette tache pouvait bien être le drap blanc utilisé par Momon la veille. Il arrêta son véhicule et, après avoir jeté un coup d'œil dans le rétroviseur, il recula avant de s'immobiliser sur le bord de la route, à une faible distance de la tache claire.

Le quinquagénaire traversa la route. Son cœur se serra un instant quand il vit non seulement le drap, mais aussi la bicyclette CCM verte dans le fossé. Bruno se laissa glisser avec précaution au fond du fossé de près de deux mètres de profondeur en conservant tant bien que mal son équilibre. Il vérifia rapidement si Raymond Patenaude ne gisait pas blessé aux alentours avant de remonter péniblement en traînant derrière lui la vieille bicyclette.

Lorsqu'il reprit pied sur la route, Bruno Lequerré se rendit compte que la roue avant du vélo couvert de boue était voilée et que le drap était coincé dans la chaîne. Sans perdre un instant, il traversa la route, ouvrit le coffre arrière de la Dodge et y déposa la bicyclette accidentée. Il ne prit même pas la peine d'attacher le couvercle du coffre avant de se remettre au volant. Il parcourut la centaine de mètres qui le séparait de la ferme la plus proche, celle de Henri Benoit. Il pénétra dans l'entrée de la cour dans l'intention de faire demi-tour pour rentrer chez lui.

Au moment où il embrayait pour reculer, Bruno Lequerré aperçut dans son rétroviseur Momon Patenaude, marchant lentement sur le bord de la route, en direction du rang Sainte-Anne.

Bruno descendit immédiatement de voiture et se précipita vers son employé en l'appelant. Momon sursauta en s'entendant héler et il tourna la tête dans toutes les directions avant de repérer son patron. Pendant qu'il se dirigeait vers lui en esquissant un sourire de reconnaissance, Bruno eut tout le temps de détailler le pauvre homme. Son coupe-vent et son pantalon étaient couverts de boue et déchirés. Tout le côté gauche de son visage était tuméfié.

— Sainte Mère, veux-tu bien me dire ce qui t'est arrivé? demanda Bruno en l'examinant de la tête aux pieds.

Momon le regarda un instant avant que ses épaules se mettent à tressauter. Il pleurait en silence, les bras ballant, l'air malheureux comme les pierres. Devant une telle peine, Bruno fut pris de pitié et demeura sans voix. Il renonça à interroger immédiatement le malheureux. Il le prit par un bras et le fit asseoir sur le siège du passager avant de se remettre en route vers la maison.

Quand Aurore vit entrer les deux hommes dans la maison, elle conserva son calme et ne posa aucune question malgré sa furieuse envie de savoir ce qui était arrivé. Elle jugea plus important d'envoyer sans tarder Momon prendre une douche et changer de vêtements. Pendant qu'elle préparait un solide déjeuner à l'employé, Bruno lui raconta comment il l'avait trouvé.

Lorsque Momon revint dans la cuisine, Aurore le fit asseoir et, malgré les protestations du blessé, elle utilisa largement le mercurochrome et des diachylons pour soigner ses ecchymoses. Ensuite, elle lui servit à manger.

Raymond Patenaude toucha à peine à son assiette. Il fixait sans réaction la nappe, oubliant de manger. Le voyant ainsi, Bruno quitta sa chaise berçante et vint s'asseoir face à lui.

— Momon, raconte-nous ce qui s'est passé hier. On t'a cherché partout et on ne t'a pas trouvé.

Il ne sortit d'abord que des sons inarticulés de la bouche du gros homme.

— Parle plus fort, on comprend pas ce que tu dis, lui demanda Aurore.

— J'ai rien fait de mal, finit-il par dire.

— On ne dit pas que tu as fait quelque chose de mal, corrigea Bruno, on te demande juste ce que t'as fait parce qu'on s'est inquiété de ne pas te voir revenir.

— Ben, j'ai passé avec les enfants pour des bonbons dans le village.

— Ça, je m'en doutais, dit Aurore. T'as même pris un de mes draps sans me le demander...

— Non, madame Lequerré. Je l'ai acheté chez Gagnon. Madame Gagnon a même fait des trous pour les yeux et la bouche, comme pour les fantômes.

— Bon, c'est correct. Je pensais que c'était un de mes draps.

— Ensuite ? demanda Bruno, impatient.

— Ben, après, J'ai pris mon bicycle et je suis revenu du village. Il faisait noir, mais j'ai une lumière sur mes poignées. J'ai vu quelque chose de noir passer sur la route devant moi. Je pense que c'était un chat. J'ai braké et mon drap a poigné dans la chaîne de mon bicycle. Pis je suis tombé dans le fossé. Je pense que je me suis assommé.

— Oui, mais t'as tout de même pas passé toute la nuit là, dit Aurore.

— Ben non. Je voyais rien. J'ai essayé de sortir mon bicycle de là, mais il voulait pas rouler et j'avais trop mal à la tête. Je l'ai laissé là. Je suis allé me coucher dans une grange proche.

— T'as pas gelé ?

— Non, je me suis enterré dans le foin. Quand je me suis levé, j'avais mal partout. Quand j'ai vu monsieur Lequerré, je cherchais où j'avais laissé mon CCM.

— Bon, ne le cherche plus, dit Bruno. Il est dans le coffre de l'auto.

— Ah ! Vous l'avez trouvé, dit Momon qui sourit pour la première fois depuis son entrée dans la maison. Je pensais que des voleurs étaient partis avec.

— Il n'y avait pas de danger; ils n'auraient pas pu rouler sur ton vélo. Tu vas avoir besoin de le faire réparer. Je pense que la roue avant est foutue.

Momon se leva pour aller voir sa bicyclette.

— Attends, Momon! l'interpella Aurore.

— Oui, Madame.

— Où as-tu caché ton argent?

— Ben, avec les bonbons.

— Où est-ce qu'ils sont tes bonbons?

— Dans un sac en plastique.

— Où il est ce sac-là? s'impatienta Aurore.

Momon eut brusquement un regard affolé, regardant autour de lui, comme si son sac pouvait soudainement apparaître.

— Je le sais pas, dit-il à voix basse. Je le sais plus.

— Mais pourquoi as-tu apporté tout ton argent sur toi? demanda Bruno, l'air sévère.

— Ben, je m'étais dit que je m'achèterais un sac plein de bonbons chez Gagnon si on m'en donnait pas quand je passerais de porte en porte avec les enfants.

— Il faut absolument trouver son sac, dit Bruno à sa femme. C'est tout l'argent qu'il possède. Si quelqu'un met la main sur le magot, tu peux être certaine qu'on n'en entendra plus jamais parler.

— C'est sûr, approuva Aurore.

— T'as bien couché dans la grange avec la porte rouge ? demanda Bruno en faisant allusion à la grange de Roméo Leclair, propriétaire de la ferme voisine où il avait tourné une heure auparavant.

— Oui, rouge.

— Tu n'es pas allé nulle part ailleurs après être tombé ?

— Non.

— Bon ! Je pense, Momon, que t'es mieux d'aller t'occuper de ta bicyclette dans le garage pendant que je vais essayer de trouver ton sac de bonbons. Je vais aller chercher Cyrille en passant, dit Bruno en se tournant vers Aurore. À deux, on va peut-être le trouver plus facilement, mais j'en doute.

Bruno quitta la maison en compagnie de son employé qui s'empressa de sortir du coffre de la Dodge sa bicyclette accidentée. Pendant de longues minutes, le pauvre homme en fit le tour en arborant une mine catastrophée. Finalement, il la prit sur son épaule et la transporta dans le garage.

Bruno s'arrêta chez Cyrille et les deux hommes retournèrent à l'endroit où Bruno avait trouvé la bicyclette, dans le fossé du rang Saint-Édouard.

— J'espère qu'on n'aura pas à fouiller la grange de Roméo, dit Cyrille. Ça risque de prendre pas mal de temps.

— J'aimerais même avoir à éviter d'y mettre les pieds, lui dit son beau-frère. Tu connais Roméo. S'il apprend que quelqu'un a passé la nuit dans sa grange, il va en faire une maladie. Je n'ai jamais vu quelqu'un avoir aussi peur du feu.

Mais les deux beaux-frères n'eurent pas à s'approcher de la grange de Leclair. Après quelques minutes de recherches dans le fossé, Bruno découvrit un grand sac de plastique couvert de boue, mais rempli de bonbons. Avec un grand soupir de soulagement, il trouva au fond du sac deux gros rouleaux de dollars attachés avec des élastiques. À première vue, toutes les économies de Momon étaient là.

À la vue de tant d'argent, Cyrille ne put s'empêcher de dire à Bruno :

— Tu devrais tout de même trouver un moyen de forcer Momon à déposer son argent à la banque comme tout le monde. Ça a pas d'allure de traîner autant d'argent dans ses poches. Il va finir par lui arriver quelque chose.

— On a essayé, mais il n'y a rien à faire. Il est têtu comme une mule. S'il ne peut pas toucher à son argent, il s'imagine qu'on le lui a pris.

Bruno ramena son beau-frère chez lui avant de retourner à la maison. Il trouva Momon dans le garage, occupé à dévisser la roue avant de son CCM. Le cultivateur lui montra son sac de bonbons et les rouleaux de dollars. L'homme n'eut pas un regard pour l'argent, mais son visage s'illumina instantanément à la vue du sac de bonbons. Il lâcha la clé anglaise qu'il tenait pour s'emparer du sac. Il enleva le plus gros de la boue qui le couvrait avant de l'ouvrir et de tomber en admiration devant son contenu.

Bruno le laissa à sa joie et rentra dans la cuisine. Il déposa les rouleaux de dollars sur la table en disant à Aurore, enchantée qu'il ait retrouvé l'argent de Momon :

— Tu devrais peut-être remettre ça dans sa boîte de biscuits et replacer la boîte dans l'armoire. Remarque qu'il ne s'en rendra même pas compte. D'après ce que j'ai pu voir, il a l'air bien plus intéressé par ses bonbons que par son argent.

Chapitre 25

Un problème imprévu

Cette année-là, la première neige ne fit son apparition qu'à l'aube du 10 novembre. Les premiers flocons blancs de la saison étaient poussés par un léger vent du nord.

En entrant dans la maison après avoir fait son train, Richard Bergeron dit à Jocelyne :

— Je pense qu'on va avoir droit à notre première bordée de neige de l'hiver. Ça commence déjà à tomber.

Sylvain et Jean-Pierre se précipitèrent vers la fenêtre pour s'assurer que la neige tombait réellement.

— Les enfants sont mieux de mettre leurs bottes, dit Richard en prenant place à table.

— Ah! non, fit Jean-Pierre, on va faire rire de nous autres. Il y a pas assez de neige pour mettre des bottes.

— Tu vas mettre tes bottes et aussi ta tuque, dit sa mère, d'un ton qui ne souffrait aucune réplique. Regarde

Sylvain. À douze ans, il est plus vieux que toi et il discute pas, lui. Vos bottes et vos tuques sont dans la penderie de la cuisine d'été. Mettez pas tout à l'envers en les prenant.

Jean-Pierre suivit le fils de Richard dans la pièce voisine. Les deux jeunes revinrent vêtus de leur manteau, bottés et coiffés de leur tuque. Pendant qu'ils plaçaient leur repas du midi dans leur sac à dos, Jocelyne s'assura qu'ils apportaient avec eux tous leurs effets scolaires.

— On y va, dit Sylvain à son père et à Jocelyne. Grouille, Jean-Pierre. On va manquer l'autobus.

Jocelyne les embrassa tous les deux avant qu'ils ne sortent.

— Je vous surveille par la fenêtre tous les deux, leur dit-elle. Si j'en vois un enlever sa tuque et qu'il attrape la grippe, je le laisse mourir sans le soigner.

****

Chez le voisin de droite, le déjeuner était déjà pris depuis près d'une heure. André Marcotte avait accompagné Daniel Lacoste dans la remise et il l'avait chargé d'installer la souffleuse à l'arrière du plus gros tracteur. Il lui avait aussi demandé de graisser et de huiler tout ce qui devait l'être. Assuré que son employé avait du travail pour tout l'avant-midi, le cultivateur rentra à la maison.

À son entrée, il s'aperçut que la cuisine était déjà rangée et que sa femme achevait de se maquiller dans la salle de bain dont la porte était restée ouverte.

— Où est-ce que tu vas à cette heure-là? lui demanda-t-il.

— Je m'en vais pas loin, juste chez tes tantes. Je leur ai promis de leur aider à assembler une courtepointe.

— Elles se lèvent de bonne heure, les tantes. Il est même pas 8 heures et demie. C'est mieux que tu prennes pas ton char aujourd'hui; on dirait qu'on va avoir pas mal de neige...

Louise ne répondit rien.

— Pendant que j'y pense, ajouta André, comme si l'idée lui venait soudainement à l'esprit, veux-tu dire à ma tante Marie et à ma tante Mariette que je vais leur charger soixante-quinze piastres pour les déneiger cet hiver?

— Voyons donc, André! s'exclama Louise en sortant de la salle de bain, tu leur as jamais rien demandé pour déneiger leur entrée. De toute façon, tu passes à côté de leur maison avec la souffleuse pour ouvrir le chemin au camion qui vient chercher le lait. Si elles refusaient de payer, tu serais obligé de souffler la neige quand même.

— Un instant, dit André en élevant la voix. Il y a rien qui m'oblige à ouvrir le chemin qui passe juste à côté de leur maison. Je pourrais en ouvrir un plus loin...

— Ce serait drôle de te voir faire ça quand tout le monde sait que le chemin qu'on utilise le reste de l'année passe devant leur porte.

— À part ça, il faut qu'elles sachent que le gaz, je le paie et que la souffleuse marche pas avec des prières.

— Tu devrais avoir honte, laissa tomber Louise en affichant un air dégoûté. Profiter de deux pauvres vieilles qui n'ont que leur pension de vieillesse pour vivre, je trouve ça écœurant.

— C'est vite dit, ça. T'oublies que ma tante Marie a fait de l'argent en vendant le restaurant à Gadbois et que ma tante Mariette a une pension de garde-malade. En tout cas, trouve ça comme tu voudras, mais je veux être payé.

— Si c'est comme ça, tu feras toi-même tes commissions, André Marcotte. Tu iras voir tes tantes pour leur dire que t'es rendu tellement pauvre que tu veux qu'elles paient le gaz de ton tracteur quand tu passes la souffleuse.

— Inquiète-toi pas, je vais y aller, dit-il sur un ton de défi. Encore une fois, tu me serviras à rien.

— C'est ça!

Sur ces mots, Louise se dirigea vers l'entrée. Elle empoigna son manteau sur la patère et elle le mit. Une minute plus tard, André aperçut sa femme se dirigeant vers la petite demeure située à une centaine de mètres de sa maison. La neige s'était intensifiée.

Le quadragénaire alla chercher son livre de comptabilité et une grosse enveloppe contenant des reçus et des comptes à acquitter. Il avait pris du retard dans sa comptabilité. Il détestait avoir à s'occuper de toute cette paperasse, mais comment faire autrement? Depuis le départ de ses parents pour le Petit Foyer, il se rendait compte à quel point sa mère lui avait été utile et elle lui manquait. Son père lui donnait peut-être de bons conseils, mais Pierrette était douée pour les chiffres et elle savait comme pas une tenir des livres de comptes à jour... Quand il se voyait pris à consacrer des heures à ce travail ennuyeux, il aurait été prêt à donner beaucoup pour que ses parents reviennent s'installer dans la grande maison.

Avec un soupir d'exaspération, André Marcotte alluma la lampe sur le secrétaire placé dans une encoignure du salon, s'assit sur la chaise pivotante et étala ses papiers.

Une heure plus tard, le cultivateur fut tiré de son travail par la sonnerie insistante du téléphone. Il alla répondre.

— Monsieur André Marcotte, s'il vous plaît, fit une voix policée au bout du fil.

— C'est moi, répondit André.

— Ici Luc Pelletier de Revenu Canada, monsieur Marcotte. Me serait-il possible de passer vous voir quelques minutes cet avant-midi? Je suis tout près de chez vous, à Sainte-Monique.

— C'est à quel sujet? demanda le cultivateur, soudainement suspicieux. Je vous trouve pas mal en avance cette année. L'impôt, c'est seulement en avril, non?

— Je ne suis pas en avance, monsieur Marcotte. Il s'agit plutôt de quelques éclaircissements au sujet de votre déclaration d'impôts de l'an dernier.

— C'est que je suis pas mal occupé ces temps-ci, fit André.

— Ce n'est pas bien grave, monsieur, dit le fonctionnaire d'une voix neutre. Je comprends. Vous n'aurez qu'à passer à mon bureau de Trois-Rivières quand vous en aurez le temps. Je vais vous envoyer une convocation par la poste dès aujourd'hui. Elle vous donnera mes coordonnées exactes.

— Attendez, monsieur Pelletier, dit André, peu intéressé à aller à Trois-Rivières. Si vous êtes tout près, ce serait bête de faire tout ce chemin-là pour rien. Je vais vous attendre.

— Parfait, monsieur Marcotte. À tout à l'heure.

André rangea ses papiers. Durant une quarantaine de minutes, il fit les cent pas de la cuisine au salon en se demandant ce que le ministère du Revenu pouvait bien lui vouloir. Ses déclarations de revenus avaient toujours été correctement remplies par sa mère et il n'avait jamais eu le moindre problème avec le ministère du Revenu, que ce soit celui du Québec ou celui du Canada.

Chaque fois qu'il passait devant une fenêtre, il jetait un coup d'œil à l'extérieur. Il neigeait de plus en plus fort et il espérait que la neige n'avait pas incité Pelletier à changer d'idée. Il voulait vraiment savoir de quoi il s'agissait et il regrettait de n'avoir pas exigé de l'autre de plus amples précisions avant sa venue. Il aurait ainsi pu se préparer, consulter sa mère.

Vers 10 heures 30, André vit une Pontiac blanche tourner lentement devant la maison de ses tantes et continuer son chemin jusqu'à la grande maison. Par la fenêtre de la cuisine, il vit un petit homme replet descendre du véhicule, se pencher à l'intérieur pour saisir un porte-documents en cuir et refermer la portière avant de se diriger vers la porte d'entrée.

André Marcotte alla ouvrir après le second coup de sonnette. Il fit entrer le fonctionnaire avec un sourire contraint. Ce dernier se présenta et lui tendit la main.

— Luc Pelletier.

André lui serra brièvement la main.

— On peut pas dire que vous choisissez une ben belle température pour vous déplacer, lui dit le cultivateur pendant que l'autre retirait ses caoutchoucs et son manteau.

— C'est vrai. Le pire est que la neige est en train de tourner en verglas. D'ici une heure ou deux, les routes vont devenir difficiles.

Marcotte débarrassa le fonctionnaire de son manteau et de son chapeau qu'il déposa sur une chaise et il l'invita à le suivre dans la cuisine.

Luc Pelletier semblait être un quinquagénaire à l'allure bon enfant dont le veston sport brun cachait mal une brioche de bon vivant. Il ne lui restait qu'une dizaine de cheveux gris qu'il passait son temps à replacer sur son crâne luisant. Son visage rond et souriant pouvait devenir tout autre quand il vous dévisageait derrière les verres épais de ses lunettes à monture de corne.

André ne se donna pas la peine de lui offrir une tasse de café pour se réchauffer. Il préféra entrer tout de suite dans le vif du sujet.

— Bon, quel est le problème? demanda-t-il à celui à qui il venait de désigner une chaise où il pouvait s'asseoir.

Le fonctionnaire ouvrit sans se presser son porte-documents et il en tira plusieurs chemises cartonnées. Il en ouvrit une et lut quelques lignes avant de parler.

— Monsieur Marcotte, je dois d'abord vous préciser que je suis ici dans le cadre d'une révision de vos déclarations des revenus des années d'imposition 1974 à 1979.

— Hein! Pourquoi ça? demanda le quadragénaire, soudainement inquiet. Qu'est-ce qui se passe?

— Rien de bien spécial, fit l'autre sur un ton rassurant. Vous savez que chaque année, nous choisissons au hasard un certain nombre de déclarations des revenus, que nous examinons avec un soin particulier pour nous assurer que tout a été fait dans les règles. Cette année, c'est tombé sur vous.

— Mes déclarations ont toujours été ben faites, affirma André avec assurance. J'ai toujours payé tout l'impôt que je devais.

— Je n'en doute pas, monsieur Marcotte. Comme c'est moi qui suis chargé de l'étude de votre dossier, je suis obligé de tout vérifier. Mes dernières vérifications m'ont fait découvrir des petites choses bizarres, mais je suis certain que vous allez pouvoir m'éclairer.

— Où est le problème?

— Il y a quelques chiffres qui ne concordent pas et j'aimerais les examiner avec vous avant de fermer définitivement votre dossier.

André Marcotte eut un soupir de soulagement. Ainsi, ce n'était qu'une vérification de «petites choses bizarres».

Le fonctionnaire ouvrit une chemise à soufflets devant lui et il en tira une feuille qu'il consulta brièvement.

— Bon, voilà! Premier petit problème. Vous ne possédez pas une cabane à sucre commerciale, mais on peut dire qu'elle produit assez bien, pas vrai?

— Pas tant que ça, fit André, tout de suite sur ses gardes.

— Si je me fie au relevé des factures de Poupart inc. de Drummondville où vous vous procurez vos contenants d'une pinte de sirop d'érable depuis 1974, vous en avez acheté mille chaque année. Donc, six mille en six ans. Là-dedans, il y a un mystère, monsieur. Pour aucune de ces années d'imposition, vous n'avez déclaré la vente de plus de trois cent cinquante pintes de sirop. Un calcul rapide m'apprend que vous avez vendu mille deux cent cinquante pintes de sirop en six ans. J'en déduis donc que vous pouvez me montrer quatre mille sept cent cinquante pintes vides de sirop pour me prouver qu'elles n'ont pas été utilisées et vendues.

Sous cette avalanche de chiffres, André avait pâli. Comment se faisait-il que sa mère n'ait jamais pensé que Poupart devait déclarer ses ventes dans ses rapports d'impôts ? En tout cas, il était incapable de montrer au fonctionnaire plus d'une centaine de contenants vides. Il était bel et bien coincé. Ses parents et lui avaient toujours cru que les ventes de sirop d'érable ne pouvaient être retracées. Ils s'étaient trompés. Il tenta tout de même un dernier combat d'arrière-garde.

— Écoutez, dit-il, mal à l'aise. On a toujours mangé pas mal de sirop dans cette maison et j'en donne pas mal à ma famille chaque année...

Le regard un peu moqueur de Pelletier l'empêcha de poursuivre.

— Vous n'avez tout de même pas donné ou mangé quatre mille sept cent cinquante pintes de sirop, monsieur Marcotte.

— Non, ben sûr, répondit l'autre, confus.

— Combien de contenants vides pouvez-vous me montrer, monsieur? Soyez précis. Je pourrais avoir envie d'aller les compter.

— Environ cent.

— Disons cent et n'en parlons plus, dit Pelletier en faisant montre de bonne composition. Bon, voilà une bonne chose de faite, ajouta le quinquagénaire après avoir aligné un certain nombre de chiffres sur une feuille.

— Est-ce que ça va me coûter cher? demanda André, tout de même inquiet de voir le fonctionnaire calculer aussi longtemps.

— Peut-être pas trop, fit Pelletier. Je vais être large avec vous. Je ne vous cotiserai que pour quatre mille six cents pintes au prix moyen du sirop cette année.

— Vous pouvez pas me donner un chiffre?

— Peut-être une approximation tout à l'heure, quand nous en aurons fini.

Il remplit ensuite un formulaire qu'il invita le cultivateur à signer. André signa à contrecœur et repoussa la feuille vers l'homme.

— J'espère que c'est tout, dit-il, fâché d'avoir dû reconnaître cette petite escroquerie.

— Pas tout à fait, dit Pelletier en ouvrant une autre chemise cartonnée.

— Comment ça?

— Oh! je pense avoir découvert un oubli de votre part. Mais ce n'est pas la mer à boire, monsieur Marcotte, dit le fonctionnaire toujours aussi poli. Vous avez oublié de déclarer les intérêts et les dividendes de certains de vos placements en 1976, 1978 et 1979.

En disant cela, Luc Pelletier lui mit sous le nez des doubles émis par deux succursales bancaires de Drummondville où André possédait des comptes. Il montra ensuite au contribuable, déclaration de revenus à l'appui, qu'il avait omis d'inclure ces revenus dans ses déclarations.

— Ça a pas d'allure, déclara André, énervé, je les ai sûrement déclarés quelque part.

— Non, monsieur, dit Pelletier, certain ne sont pas fait. Je ne les ai retrouvés nulle part.

— En tout cas, on peut dire que vous m'avez épluché correct. Vous devez être content de vous, fit le cultivateur se maîtrisant à grand-peine. J'espère que c'est fini, là, qu'il y a plus rien à me prendre. Je trouve ça écœurant de payer du monde qui passent leur vie à nous tondre.

— Chacun doit payer sa part, monsieur Marcotte, dit Pelletier avec une politesse glacée. Avec ça, tout va être correct.

— Et combien ça va me coûter, ça?

— Vous allez recevoir un avis de cotisation dans les trente jours.

— Vous pouvez tout de même me dire à peu près à combien ça va monter. Est-ce que ça peut grimper jusqu'à mille piastres?

Pendant qu'André essayait de lui arracher le montant approximatif de la somme qu'il aurait à payer, le fonctionnaire plaçait dans sa serviette ses dossiers et il rangeait son crayon.

— Tout de même un peu plus, monsieur Marcotte, dit-il en se levant et en prenant son manteau qu'André avait déposé sur une chaise.

— Donnez-moi tout de même une idée, supplia-t-il d'un ton radouci.

— Écoutez, dit Pelletier en glissant ses pieds dans ses caoutchoucs, C'est difficile de donner un chiffre exact. À vue de nez, comme ça, je dirais que vous aurez à payer autour de trente mille dollars d'arriérés d'impôts...

— Trente mille piastres! s'exclama André Marcotte, mais c'est du vrai vol!

— Je disais environ trente mille dollars, à part les pénalités et les intérêts, bien entendu. Dans certains cas, il s'agit de cinq ans d'intérêts. Ça monte assez rapidement.

En entendant la déclaration du fonctionnaire, André Marcotte sentit ses jambes faiblir. Ce n'était pas possible! On ne pouvait pas lui demander autant d'argent pour un simple «oubli» dans ses déclarations de revenus.

— En tout, combien je vais être obligé de payer?

— Je dirais autour de cinquante mille dollars.

— Ça a pas d'allure. Vous voulez me mettre dans le chemin. Vous pouvez pas me demander autant d'argent pour quelques gallons de sirop d'érable pas déclarés.

— Disons, monsieur Marcotte, que c'est plus que quelques gallons de sirop d'érable, comme vous dites. Mais ne vous inquiétez pas. Le ministère peut étaler vos remboursements sur quelques années... mais à un taux d'intérêt pas mal plus élevé que celui que vous consentirait une banque.

— Et il y a pas moyen de s'arranger entre nous? demanda le cultivateur avec une dernière lueur d'espoir.

Le visage de Luc Pelletier se ferma immédiatement en entendant cette proposition malhonnête.

— Non, monsieur Marcotte.

Pendant cet échange, le fonctionnaire se dirigea lentement vers la porte.

— Et si je payais pas?

— On saisirait vos biens, monsieur. Par contre, je dois vous dire que si vous êtes en désaccord avec l'avis de cotisation que nous allons vous envoyer, vous pouvez passer à nos bureaux et signer une formule de contestation. À ce moment-là, votre dossier sera transmis au tribunal du revenu et votre cause sera entendue dans quatre ou cinq ans.

— Comme ça, je peux contester? fit André, éprouvant un regain d'espoir.

— Bien sûr, vous le pouvez. Mais j'aime autant vous dire tout de suite que je ne gagerais pas cinq cennes sur vos chances de gagner votre cause. En plus, si vous ne payez pas tout de suite la cotisation due, les intérêts vont continuer à courir.

— Selon vous, qu'est-ce que je devrais faire?

— Attendez votre avis de cotisation et payez-la sans tarder. À mon avis, c'est la meilleure façon d'éviter les ennuis, dit Luc Pelletier en lui tendant un papier sur lequel étaient notés son nom et son numéro de téléphone au bureau.

André Marcotte prit le papier et ouvrit la porte à son visiteur, impatient soudainement de se débarrasser de lui pour laisser libre cours à sa fureur. Quand la porte se fut refermée, le quadragénaire laissa éclater sa colère en hurlant une longue série de blasphèmes.

Sans attendre le départ du fonctionnaire, il endossa son manteau et il mit ses bottes pour aller voir où Daniel Lacoste en était rendu avec la préparation de la souffleuse. Il avait soudainement besoin de respirer un peu d'air frais.

En sortant, il eut la surprise de constater que la neige s'était transformée en pluie verglaçante depuis un bon moment. Il vit Pelletier en train d'essayer de briser l'épaisse couche de glace qui recouvrait le pare-brise de sa Pontiac. Il ne lui adressa même pas un regard et il se dirigea vers la remise où Lacoste travaillait.

Lorsqu'il sortit du bâtiment quelques minutes plus tard, la pluie verglaçante tombait de plus belle. Il constata que le fonctionnaire était parvenu à dégivrer son véhicule et à reprendre la route. Il s'engouffra dans la maison.

Durant de longues minutes, il s'interrogea avec rage sur la conduite à suivre. Devait-il consulter un expert comptable pour vérifier si on n'abusait pas de lui? Il faudrait le payer et ça coûterait encore plus cher... Devait-il contester la cotisation? En tout cas, ce n'était pas juste, pensait-il en tournant en rond dans la cuisine. À son avis, c'était voler les gens comme au coin d'un bois.

André Marcotte fut interrompu par sa femme qui venait d'entrer précipitamment dans la maison.

— C'est un vrai temps de chien, déclara-t-elle, en enlevant son manteau. Une chance que j'étais pas loin. C'est tellement glissant que j'avais de la misère à me tenir debout.

André ne dit rien et il se contenta de regarder par la fenêtre pour la centièmc fois depuis le début de l'avant-midi. Le temps était sombre au point qu'il fallait allumer les lumières à l'intérieur pour voir.

— J'ai vu que t'as eu de la visite. Qui c'était?

— Un inspecteur des impôts, dit André avec mauvaise humeur.

— T'aurais dû le garder à dîner et l'empêcher de prendre la route. C'est ben trop glissant pour rouler.

— Tant qu'à moi, il peut ben crever!

— Bon, qu'est-ce qui t'arrive encore? Qu'est-ce qu'il voulait?

— As-tu fini avec ton enquête? explosa son mari.

— Il faut ben que je pose des questions, tu me dis jamais rien.

— O.K.! Si tu veux le savoir, l'écœurant qui vient de partir vient de m'apprendre que je dois payer à l'impôt à peu près cinquante mille piastres parce que j'ai fait une erreur dans mes déclarations.

Louise eut un mouvement de recul devant l'ampleur de la somme.

— Quelle erreur?

— Ah! Une erreur avec le calcul du sirop vendu depuis cinq ans.

— Une erreur ou t'as essayé de jouer au plus fin avec eux? demanda Louise.

— Occupe-toi pas de ça. Je vais régler le problème. Tout ça, c'est la faute de ma mère.

— Comment ça?

— C'est elle qui répétait qu'on n'avait pas besoin de payer un comptable pour faire les impôts.

— André Marcotte, tu devrais avoir honte de blâmer ta mère. Si t'as pas pris de comptable, c'est que tu voulais sauver de l'argent, comme d'habitude. En plus, c'est pas ta mère qui a essayé de jouer au plus fin avec le gouvernement... Il te reste juste à payer.

Comme sa femme ne semblait pas suffisamment concernée par la somme à payer, André décida de lui faire partager son désarroi.

— J'espère que tu te rends compte, dit-il avec une certaine joie mauvaise, que c'est nos vacances en Floride cet hiver qui viennent de prendre le bord... et pour longtemps.

— T'as déjà donné un acompte de cinq cents piastres, lui fit remarquer Louise.

— On va les perdre. Avec ce montant-là à payer, on va couper à ben des places.

— Est-ce que tu pourrais t'arrêter de t'énerver, demanda Louise avec humeur. C'est tout de même pas la fin du monde. On a de l'argent et une des plus grosses fermes de la paroisse ; on est capables de payer.

La lumière baissa soudainement à deux reprises puis les ampoules s'éteignirent. L'incident évita à André Marcotte de répondre à sa femme.

— Bon, il manquait plus que ça! s'exclama-t-il. Plus d'électricité! Il va falloir que j'aille partir la génératrice.

Le dîner se prit dans un silence maussade et tendu. Quand André se retira dans sa chambre à coucher pour faire une courte sieste, Lacoste aida Louise à enlever les couverts. Avant que l'employé ne quitte la maison pour aller travailler, la femme d'André dit tout bas à l'employé:

— Il faut pas lui en vouloir. Mon mari vient d'avoir des mauvaises nouvelles de l'impôt.

Lacoste fit signe qu'il comprenait la situation et il sortit. Lorsqu'il ouvrit la porte, Louise entendit le bruit assourdissant de la génératrice installée devant l'étable.

Le reste de la journée se déroula dans une étrange atmosphère d'irréalité. Tout baignait dans une lumière glauque. La pluie cessa au milieu de l'après-midi, mais le vent se leva et la température chuta brutalement sous le point de congélation. Quelques heures plus tard, la croûte glacée qui recouvrait le sol était si épaisse qu'elle supportait facilement le poids d'un adulte.

À la fin de l'après-midi, Pascal appela à la maison pour prévenir qu'il coucherait chez un ami demeurant près de la polyvalente parce que l'autobus scolaire ne passerait pas.

Durant la soirée, la neige se remit à tomber, poussée par de forts vents. Hydro-Québec était débordé et ne parvenait pas à réparer les nombreuses pannes. À Saint-Anselme, l'électricité n'était pas encore rétablie.

Chez André Marcotte, comme la génératrice ne fournissait du courant que pour la fournaise et deux prises de courant dans la maison, chacun s'adapta du mieux qu'il put après un souper froid. Daniel Lacoste s'était réfugié tôt dans sa chambre avec une lampe à huile pour lire. Pour sa part, André avait branché une lampe qu'il avait posé sur la table de cuisine sur laquelle il avait étalé ses papiers pour essayer de comprendre comment le ministère du Revenu en arrivait à lui demander autant d'argent. Louise, pelotonnée sur le divan du salon, écoutait une radio à piles en sourdine.

****

Au réveil, le lendemain matin, la neige avait cessé et l'électricité avait été enfin rétablie. Après avoir soigné les animaux et pris le petit-déjeuner, Lacoste fut chargé de nettoyer la cour et le chemin conduisant à la route avec la souffleuse. André irait dans quelques minutes réparer l'un des portillons du silo qui fermait mal.

Pendant que Louise finissait de déjeuner, son mari alluma le petit téléviseur posé sur le comptoir pour écouter les dernières informations, surtout pour connaître l'étendue des pannes électriques de la veille et les conditions routières.

Quelques minutes plus tard, il entendit le lecteur de nouvelles de Télé-Métropole annoncer que la route avait fait trois victimes dans la province la veille. Ces accidents mortels étaient tous dus aux mauvaises conditions routières qui prévalaient durant la tempête.

André vit apparaître sur l'écran une image du pont Laviolette qui enjambe le fleuve à la hauteur de Trois-Rivières. La chaussée du pont était encombrée de voitures et de camions à l'arrêt. Un peu plus loin, le cameraman avait filmé les gyrophares de deux voitures de patrouille de la SQ ainsi que ceux d'une ambulance. Il y avait un périmètre de sécurité autour d'une voiture qui flambait près d'un énorme camion remorque.

À l'écart de la scène, un reporter disait : « Un peu après 14 heures, sur le pont Laviolette, un automobiliste a perdu la maîtrise de son véhicule à cause de la chaussée glissante et il est allé percuter violemment un fardier qui roulait dans la première voie. Sous la force de l'impact, l'auto a fait plusieurs tonneaux avant de s'enflammer. Le malheureux conducteur a péri carbonisé à l'intérieur de son véhicule. Des automobilistes ont tenté en vain de lui porter secours, mais il était trop tard. Il nous est impossible pour l'instant de vous communiquer l'identité de la personne décédée parce que ses proches n'ont pas encore été prévenus ».

André écouta le reste du bulletin d'informations d'une seule oreille avant d'aller travailler. Lorsqu'il revint à midi pour le dîner, Louise avait laissé le téléviseur allumé et ils écoutèrent les informations sans trop y porter d'attention, en mangeant. On reprenait en gros les nouvelles données le matin.

«L'identité de la personne qui a perdu la vie sur le pont Laviolette hier après-midi est maintenant connue. Il s'agit de monsieur Luc Pelletier, un résidant de Trois-Rivières âgé de cinquante-quatre ans. Monsieur Pelletier laisse dans le deuil une femme et deux grands enfants. Une enquête sera ouverte pour connaître les causes exactes de son décès.»

Il fallut un long moment avant qu'André Marcotte enregistre l'information. Il avala de travers et faillit s'étouffer sous le choc.

— Mais c'est mon gars de l'impôt! s'exclama-t-il.

— Quel gars de l'impôt? lui demanda sa femme.

— Pelletier, c'est lui qui est venu hier avant-midi. Il s'est tué en retournant à Trois-Rivières.

— Le pauvre homme! fit Louise qui avait soudainement pâli.

— On n'est pas pour se mettre à pleurer, dit André. O.K., c'est triste ce qui lui est arrivé; mais on le connaissait pas et en plus, il venait de...

André s'arrêta brusquement de parler en jetant un coup d'œil à Daniel Lacoste qui suivait l'échange sans trop comprendre de quoi ou de qui il s'agissait. Il n'était pas question que l'employé soit au courant de ses déboires avec le ministère du Revenu.

Le reste du repas se prit dans le silence. Le cultivateur semblait plongé dans des pensées si profondes que personne n'osait l'en tirer.

En fait, André Marcotte était en train de réaliser que l'accident mortel survenu au fonctionnaire venait de lui faire probablement économiser près de cinquante mille dollars. Si tout avait brûlé dans l'auto comme on le disait aux informations, les dossiers le concernant ainsi que le formulaire qu'il avait accepté de signer à contrecœur n'existaient plus. Alors, il n'y avait plus une seule preuve contre lui.

Plus il y pensait, plus il sentait monter en lui une étrange jubilation. Encore une fois, la chance avait l'air de vouloir lui sourire. Il lui fallait faire des efforts pour ne pas laisser éclater la joie qui le submergeait. Il ne se réjouissait pas de la mort de Pelletier, mais de ses conséquences. Il se sentait libéré, sauvé. Il avait soudainement envie de faire plaisir à quelqu'un.

Avant de quitter la table, André dit à sa femme :

— Au fond, t'as ben fait de pas parler à mes tantes des soixante-quinze piastres du déneigement.

— Je te l'avais dit que je le ferais pas, répliqua Louise.

— C'est aussi ben comme ça.

— Qu'est-ce qui te rend si généreux tout à coup? demanda sa femme, méfiante.

— J'y ai pensé, Pour cette année, on va laisser faire.

Louise ne comprenait rien à cette volte-face soudaine et surtout, au changement d'humeur de son mari. On aurait dit qu'il était tout joyeux. Elle haussa les épaules et finit sa tasse de thé sans dire un mot.

Chapitre 26

Le stage

Le mois de novembre et le début de décembre furent particulièrement froids et neigeux. Les journées d'ensoleillement pouvaient se compter sur les doigts d'une main. En plus, lorsqu'il ne neigeait pas, le mercure chutait brutalement.

À Saint-Anselme, on avait rarement vu un début d'hiver si rigoureux. Les piquets de clôture disparaissaient déjà à moitié sous la neige et, selon certains pêcheurs, la glace sur la Nicolet dépassait trente centimètres d'épaisseur, du jamais vu à cette période de l'année. Pourtant, cet hiver hâtif faisait des heureux. La patinoire du village située dans la cour de l'école accueillait des groupes de jeunes chaque fin d'après-midi et les motoneiges sillonnaient déjà les champs pour la plus grande joie des adeptes.

Par ailleurs, cette neige et ce froid étaient loin de représenter les préoccupations majeures de Julien

Lequerré. Le jeune homme vivait son premier stage d'enseignement à la polyvalente de Saint-Léonard. Il était conscient que tout son avenir dépendait des résultats qu'il obtiendrait.

Au début de l'automne, il avait dû faire de longues démarches pour trouver un enseignant qui accepte de le parrainer à titre de maître-hôte pour lui permettre de faire ses premières armes dans l'enseignement du français. C'était bien beau les théories pédagogiques de l'université, mais il fallait aussi passer à la pratique. Julien aurait préféré obtenir un essai auprès d'élèves de 4e ou de 5e secondaire, mais le seul enseignant de la commission scolaire qui avait accepté de le recevoir était Edmond Paré de la polyvalente de Saint-Léonard. Le quinquagénaire à la mise négligée et aux longs cheveux gris n'enseignait qu'à des élèves de 3e secondaire, un niveau que les stagiaires craignaient à juste titre parce que les adolescents étaient plus difficiles à cet âge-là.

Durant les deux mois suivants, le jeune Lequerré ne s'inquiéta pas trop de son stage à venir. Il lui semblait si lointain qu'il ne songeait qu'à ses cours à l'université et à la remise de ses travaux. Lorsque par hasard, il en parlait, il dissimulait sa timidité sous des airs un peu bravaches.

Quelques jours avant son stage d'enseignement, Julien se contenta de s'entendre avec un camarade capable de le véhiculer matin et soir. Sa sœur Carole avait besoin de la Plymouth pour continuer à se rendre à Trois-Rivières chaque jour. En comptabilité, elle n'avait pas à se soumettre à un stage, du moins pas encore.

Pour Julien, tout devint brusquement réel dans les premiers jours de novembre, particulièrement la veille du début de son stage. Ce jour-là, le jeune homme rencontra une dernière fois Marthe Clairveau, la responsable de son stage à l'université. La petite femme sèche, dont les yeux brillaient d'intelligence derrière ses lunettes à fine monture dorée, lui annonça sans ménagement qu'elle irait évaluer son enseignement à deux reprises durant son séjour d'un mois à la polyvalente. Son évaluation ainsi que celle de son maître-hôte auraient une importance déterminante dans l'obtention de son diplôme d'enseignement.

Le même jour, Julien dut aller rencontrer Edmond Paré. L'enseignant taciturne lui apprit qu'il lui accorderait trois jours d'observation dans ses classes de 3e secondaire avant de les lui confier. Avant son départ, il lui donna la matière qu'il aurait à enseigner et il lui demanda de se mettre à la préparation de ses cours sans plus tarder.

À compter de ce moment, son stage devint une réalité redoutable. Julien allait devoir affronter des groupes d'adolescents, les intéresser et les discipliner. À cette seule pensée, la sueur lui coulait dans le dos.

Ce soir-là, Julien occupa une grande partie de la soirée à réviser les directives données par sa superviseure de l'université et il prépara avec soin ses vêtements pour le lendemain. En le voyant aussi tendu, Aurore et Bruno évitèrent de questionner leur fils sur ce qui l'attendait le lendemain.

Au milieu de la soirée, Aurore répondit au téléphone. La communication était pour son fils qui se retira au fond de la cuisine pour parler à voix basse à l'appareil.

— Qui est-ce? demanda Bruno.

— La petite Charland, répondit sa femme. Je commence à avoir hâte qu'elle arrête de courir après lui. Depuis septembre, elle le lâche pas.

— C'est une belle fille et elle est intelligente, dit Bruno en surveillant la réaction d'Aurore. Je comprends que notre Julien en profite.

— Arrête donc de dire des bêtises, fit Aurore. C'est encore un enfant. Avec son stage qui commence, il a ben d'autres choses en tête.

— Tu penses ça, toi? ricana son mari. On voit bien que tu ne connais pas trop bien les hommes.

— Je vais te dire, répliqua Aurore. J'en connais un et ça me suffit. Je pense avoir fait le tour et c'est pas riche.

****

Le lendemain matin, Julien Lequerré était inquiet quand il franchit les portes de la polyvalente de Saint-Léonard à 8 heures. Il n'avait pratiquement pas dormi. Il avait passé la nuit à s'interroger sur son choix de carrière. Le spectacle qu'il avait sous les yeux n'avait rien de rassurant. Il y avait des élèves assis par terre dans les couloirs, tandis que d'autres se bousculaient. L'atmosphère était bruyante et ponctuée de cris et d'interpellations.

À son arrivée, son hôte l'entraîna dans son local et il lui désigna une place libre au fond de la classe.

Durant les trois premiers jours de son stage, Julien Lequerré, assis au fond du local où Edmond Paré donnait son cours, couvrit de notes un nombre incalculable de feuilles. Il avait toutes les difficultés du monde à se concentrer parce que son maître-hôte, un enseignant possédant vingt années d'expérience, était incapable de faire respecter la moindre discipline. Il criait du début à la fin de chaque cours pendant que les élèves faisaient pratiquement ce qu'ils voulaient. Certains jouaient même aux cartes au fond de la classe, près de l'endroit où le stagiaire était assis. D'autres s'amusaient à se lancer des boules de papier ou à faire des remarques pendant que le professeur, le dos tourné à sa classe, écrivait lentement au tableau. Un véritable cauchemar!

Le jeune homme se demandait comment il allait s'y prendre pour s'imposer aux quatre groupes d'élèves de 3e secondaire d'Edmond Paré alors que ce dernier était incapable d'y arriver avec toute son expérience. Si l'enseignement était ce qu'il voyait, il valait mieux y renoncer tout de suite. Il n'était pas fait pour ce genre de vie.

À la maison, tout le monde remarqua que l'humeur de Julien était sombre. Il était nerveux et irritable. Il ne disait pratiquement rien de son stage à la polyvalente.

Au matin du quatrième jour, son maître-hôte lui remit la clé de sa classe avec un sourire narquois en lui souhaitant bonne chance. Le quadragénaire semblait soulagé d'être déchargé durant trois semaines de sa tâche d'enseignant. Il vérifia rapidement le contenu des cours préparés par son stagiaire et il exigea qu'il soit sévère avec les élèves. Il voulait des classes disciplinées. Bref, il lui demandait ce qu'il était, de toute évidence, incapable de réaliser lui-même.

Quand la sonnerie de son premier cours se fit entendre, Julien se dirigea vers son local, le cœur battant la chamade. Paré lui avait dit qu'il irait le voir enseigner un moment durant l'avant-midi. Les élèves entrèrent dans la classe en se chamaillant et en criant. Debout derrière son bureau, le visage impassible, Julien les regarda entrer sans dire un mot. Peu rassuré, il frappa une fois ou deux sur son bureau pour obtenir un silence relatif et il attendit que tous les adolescents se taisent avant d'édicter quelques règles simples.

Le jeune homme adopta une stratégie contraire à celle utilisée par son maître-hôte. Il parlait très bas et il s'arrêtait instantanément de parler quand un élève dérangeait ou communiquait avec un voisin.

À son grand étonnement, il parvint à donner son cours sans trop de mal et surtout, à prendre une assurance qu'il était loin de ressentir au début de l'avant-midi. Edmond Paré entra dans le local au milieu du second cours et il s'installa au fond de la classe, à la place que Julien avait occupée les trois jours précédents. Il assista à la moitié du cours en prenant des notes et il quitta les lieux sans émettre le moindre commentaire.

À la fin de sa première journée d'enseignement, c'est un Julien Lequerré soulagé qui quitta la polyvalente. Après tout, l'enseignement n'était peut-être pas aussi difficile qu'il avait paru à prime abord.

Cependant, durant le reste de la première semaine de son stage, il connut des hauts et des bas. Parfois, les élèves semblaient intéressés à son cours; d'autres fois, il en avait plein les bras tant ils étaient indisciplinés. Le plus difficile était l'absence de support de son maître-hôte qui n'ouvrait jamais la bouche et qui se présentait le moins souvent possible dans la classe. Julien aurait aimé recevoir quelques conseils, des encouragements, des remarques. Rien. L'homme était comme un sphinx au fond de la classe, quand il daignait s'y présenter.

Le mercredi de la semaine suivante, la superviseure de l'université le contacta pour lui annoncer qu'elle viendrait le voir enseigner le lendemain avant-midi. Avant de quitter la polyvalente, Julien communiqua la nouvelle à ses élèves en leur demandant de l'aider le lendemain parce que son avenir dépendait de sa performance. Les jeunes n'eurent aucune réaction.

Le jeune homme passa une soirée infernale à fignoler ses cours du lendemain parce qu'il savait fort bien que Marthe Clairveau, sous des dehors aimables, avait la réputation d'être exigeante. Elle analyserait son comportement en classe et son cours dans leurs moindres détails. Ce soir-là, il pria surtout pour que les élèves se conduisent bien et participent.

Le lendemain matin, Julien était si nerveux qu'il fut incapable d'avaler quoi que ce soit au déjeuner.

Au milieu de l'avant-midi, Marthe Clairveau se glissa dans sa classe en compagnie d'Edmond Paré. Les deux enseignants s'installèrent au fond de la classe après avoir salué les adolescents. Le comportement de ces derniers changea instantanément. Ils se transformèrent en élèves modèles durant toute la période et ils permirent à Julien de donner un bon aperçu de ses capacités d'enseignant.

Quand la sonnerie se fit entendre, Edmond Paré quitta le local en même temps que les jeunes, laissant Julien Lequerré seul avec la superviseure. Ces derniers prirent place de part et d'autre du pupitre de l'enseignant.

— J'ai parlé quelques minutes avec ton hôte, dit-elle à Julien, et il est très satisfait de tes progrès. Il dit qu'il croit que tu vas devenir un bon professeur.

— Merci. C'est la première nouvelle que j'ai.

— Je connais monsieur Paré, fit Marthe Clairveau avec un mince sourire. C'est un homme peu bavard. En plus, à moins qu'il y ait eu un miracle dernièrement, sa discipline n'est pas fameuse. C'était du moins ce que racontaient ses anciens stagiaires.

— Je suis mal placé pour le critiquer, dit Julien, tout heureux de l'appréciation de son maître-hôte.

La superviseure fit un signe marquant qu'elle appréciait sa discrétion. Ensuite, elle énuméra les points à améliorer dans sa façon d'enseigner. Avant de le quitter, elle lui annonça la date de sa prochaine et dernière visite.

— Je suppose que tu avais demandé à tes élèves de t'aider quand je serais là? demanda-t-elle à Julien.

— Oui, dit-il, l'air un peu gêné.

— Tu as bien fait. Cela prouve que tu communiques bien avec les jeunes. Continue, l'encouragea-t-elle avant de lui tendre la main.

Lorsque son stage prit fin trois semaines plus tard, Julien avait chassé tous ses démons. Il ne s'interrogeait plus pour savoir s'il serait à sa place devant une classe. Il aimait la profession qu'il avait choisie tout en connaissant mieux les difficultés qui l'attendaient. Il avait remercié les élèves pour leur collaboration le lendemain de la visite de Marthe Clairveau, mais cette collaboration n'avait duré que le temps de la visite. Dès le cours suivant, il lui avait fallu se battre de nouveau pour retenir leur attention et imposer un minimum de discipline.

Son stage lui avait appris que les défis offerts par l'enseignement lui convenaient parfaitement. Il n'était pas aussi timide qu'il l'avait toujours cru. Une classe ne le terrifiait plus. Il ne se sentait plus aussi démuni devant une trentaine d'adolescents plus ou moins hostiles. Il avait découvert les bons côtés de la profession, les petits riens qui encouragent l'enseignant à poursuivre sa tâche. Il avait appris à apprécier à sa juste valeur un sourire de connivence ou un simple merci. Bref, à son retour à l'université, il n'avait plus qu'une hâte : finir ses études et faire son dernier stage. Dans quelques mois, il aurait son diplôme et il pourrait enseigner.

****

Les dernières semaines avaient aussi permis au jeune homme de réaliser à quel point les liens qui l'unissaient à Karine Charland, l'étudiante de Trois-Rivières, étaient devenus plus forts. Il avait trouvé chez elle une alliée indéfectible capable de l'appuyer et de l'encourager. La petite blonde de vingt-deux ans issue d'une modeste famille ouvrière cachait sous son aspect délicat une force de caractère peu commune. Elle était franche et déterminée. Julien la connaissait depuis assez longtemps pour savoir que cette future institutrice ne reculait jamais devant un obstacle. En général, quand elle voulait quelque chose, elle l'obtenait.

Depuis la fin du mois de juillet, Julien allait lui rendre visite chez ses parents pratiquement toutes les fins de semaine. Elle était l'aînée d'une famille de quatre enfants et les parents, des gens sévères, la surveillaient de près, même si elle était une adulte. Le fils d'Aurore et de Bruno Lequerré ne l'avait présentée à ses parents que lors de la fête du 150e anniversaire de Saint-Anselme, en septembre. Comme il avait senti l'hostilité de sa mère à l'égard de son amie, Julien avait évité de renouveler l'invitation.

Or, une semaine après la fin de son stage, un samedi soir de la mi-décembre, la jeune fille décida d'éclaircir leur situation. Après une soirée passée au cinéma, ils allèrent prendre une collation au Normandin. Karine ne tourna pas longtemps autour du pot après que la serveuse soit passée prendre leur commande.

— Bon, tu as réussi ton stage et j'ai réussi le mien, dit Karine comme si elle terminait une conversation amorcée un peu plus tôt. Est-ce que je peux connaître tes projets?

— Réussir mon dernier stage au printemps, avoir mon diplôme et signer un contrat pour l'an prochain, répondit Julien.

— J'ai les mêmes objectifs que toi, dit Karine, Mais à part ça?

— Je te comprends pas, fit Julien, intrigué.

— Je te demande si t'as des projets à long terme qui nous concernent tous les deux, demanda-t-elle en lui prenant la main sur la table. Est-ce que c'est assez clair pour toi, ça, Julien Lequerré?

— Ah! Excuse-moi, j'avais pas compris.

— Et alors?

— Oui, j'en ai. Veux-tu parler de mariage?

— Pas nécessairement, fit la jeune fille. On sort ensemble seulement depuis cinq mois. Mais on peut décider de vivre ensemble en appartement après les fêtes... J'ai des économies et t'en as un peu. On en aurait peut-être assez pour vivre jusqu'en juin. À ce moment-là, on se trouverait un emploi pour l'été avant de commencer à enseigner en septembre.

— Ce serait pas facile avec aussi peu d'argent, dit Julien d'une voix hésitante, même s'il était très tenté par la perspective de partager un appartement avec son amie.

— Qu'est-ce que tes parents en diraient?

— Mes parents sont pas très modernes. J'ai pas l'impression qu'ils accepteraient ça facilement, admit Julien.

— Les miens non plus le sont pas, dit Karine. Mais c'est de nous autres qu'il s'agit, pas d'eux. On est des adultes et on a le droit de faire ce qu'on veut de notre vie, non?

Il y eut un moment de silence avant que Karine Charland ne reprenne la parole.

— Mais on n'est pas obligés de faire ça comme ça. Il y a aussi la possibilité qu'on se fiance à l'ancienne à Noël ou au jour de l'An et on pourrait se marier durant l'été.

— ...

— À ce que je vois, tu y as pas pensé du tout, pas vrai? Je veux pas te tordre le bras. On peut aussi continuer à se voir, rien de plus...

— Non, non, fit Julien, un peu désarçonné par la volte-face de son amie. C'est que j'ai été tellement pris par le stage que j'ai pas pensé faire des projets d'avenir. Est-ce qu'on peut se donner un peu de temps pour y penser? Jusqu'à Noël, par exemple? On pourrait aussi en parler un peu dans nos familles pour voir comment ils vont réagir. D'une façon ou d'une autre, je veux vivre avec toi.

Le visage de Karine s'illumina d'un large sourire. Elle était parvenue à ses fins sans trop de mal. Elle vivrait avec Julien, avec ou sans bague au doigt.

****

Le surlendemain, Jocelyne partit faire des emplettes à Drummondville pendant que Richard allait rejoindre Cyrille Riopel dans le bois pour abattre des arbres. Les deux hommes trouvaient plus prudent de travailler ensemble avec leur scie à chaîne. À la fin de la saison, ils partageraient les cordes de bois qu'ils auraient sciées.

Dès son retour, la jeune femme s'empressa de dresser dans un coin du salon le sapin artificiel qu'elle venait d'acheter et elle le décora avec des ampoules de couleur, des boules de Noël et des cheveux d'ange. Quand Jean-Pierre et Sylvain revinrent de l'école, son travail était terminé et tous les trois attendirent le jugement de Richard.

Lorsque Richard s'arrêta à la maison pour se réchauffer quelques minutes avant d'aller faire son train, son amie lui montra l'arbre dont elle alluma les lumières.

— Qu'est-ce que t'en penses? demanda-t-elle, toute fière.

— Quelle sorte d'arbre c'est ca? Il sent rien.

— Un artificiel. Fini le temps où tu devais perdre un avant-midi à m'en trouver un beau dans le bois. Celui-là changera pas d'une année à l'autre. Il perdra pas ses aiguilles et il jaunira pas. Après le jour de l'An, on aura juste à le remettre dans sa boîte et à le ranger dans le grenier. En plus, il est pas mal plus fourni en branches que les sauvageons qu'on trouve dans le bois.

— T'as peut-être pas fait un si mauvais coup que ça, concéda Richard. En tout cas, on est débarrassés d'une corvée. Il est beau. Il va faire l'affaire. Tout ce qui manque, ce sont les cadeaux qu'on place d'habitude au pied de l'arbre; mais ça, je suis pas sûr que nos deux mousses en méritent.

Les deux jeunes poussèrent de hauts cris. Selon eux, ils en méritaient et des beaux.

— Fais donc pas exprès pour les faire crier pour rien, lui reprocha Jocelyne.

Chapitre 27

Les problèmes

Le curé Lanctôt réunit son couvert et l'apporta dans la cuisine où Laure Dubé finissait de laver les chaudrons qu'elle avait utilisés pour confectionner le repas du prêtre.

— Posez ça là, dit la cuisinière en lui montrant le comptoir à sa gauche. C'est tout ce qui me reste à laver.

— Merci, madame Dubé, comme d'habitude, votre pâté chinois était très bon.

— C'est une recette facile, monsieur le curé.

— Vous auriez dû dire à Étienne de venir dîner avec moi, ajouta le prêtre. Il y a deux minutes, je l'ai vu par la fenêtre de la salle à manger en train de pelleter le parvis de l'église.

— Il avait déjà son dîner tout prêt à la maison, ronchonna Laure Dubé. Il a pas d'affaire à traîner au presbytère.

— Si vous le dites, conclut ironiquement le curé en sortant de la pièce.

Charles Lanctôt se dirigea vers l'entrée pour mettre son manteau et chausser ses bottes.

— À demain, madame Dubé, lui cria-t-il avant de sortir.

Sa cuisinière rentrerait chez elle vers 14 heures, comme chaque jour de la semaine, lui laissant dans le réfrigérateur son souper tout préparé.

Le curé Lanctôt descendit avec précaution les marches enneigées de l'escalier avant de se diriger vers la sacristie près de la porte de laquelle deux camionnettes étaient rangées.

Il fut vite rejoint par son ami Étienne Dubé qui venait de déposer sa pelle près de la porte.

— Comment ça va, Étienne ? demanda Charles Lanctôt. Assez de neige à ton goût ?

— Si ça arrête pas ben vite, monsieur le curé, je démissionne. Au fond, ce qu'il nous faudrait, c'est une bonne souffleuse. Avec ça, j'aurais pas à m'éreinter avec une pelle du matin au soir.

— Écoute, Étienne, fit le curé, compatissant, tu es un bedeau bénévole et la fabrique a pas les moyens de te payer. T'es pas obligé de tout faire tout seul. Demande qu'on te trouve quelqu'un pour t'aider.

— Ouais, c'est une idée, répliqua Étienne, pas tellement convaincu que quelqu'un se proposerait pour le seconder.

— À part ça, la guignolée a l'air de bien marcher cette année, fit Charles Lanctôt en voyant les bénévoles prendre des boîtes de nourriture et entrer les déposer dans la sacristie.

— Si je me souviens ben de l'an passé, on dirait qu'on en a amassé autant.

— Bon, on va aller voir ça de plus près en dedans, dit le curé en entraînant son bedeau avec lui.

Les deux hommes se heurtèrent à l'incontournable Claudette Leduc en entrant dans la pièce. La présidente de la fabrique menait les opérations tambour battant. Il y avait dans la sacristie quatre hommes et six femmes qui obéissaient à ses directives. Ils déposaient les boîtes de nourriture sur de grandes tables et triaient leur contenu avant de distribuer les boîtes de conserve, les biscuits, les condiments et autres denrées dans une trentaine de boîtes de carton vides.

— Puis, madame Leduc, fit le curé, allons-nous en avoir assez pour tous nos pauvres?

Claudette Leduc prit le temps de faire une recommandation à Lucien Cadieux avant de répondre au prêtre.

— Je pense qu'on va s'en tirer, mais ça va être juste, monsieur le curé. Comme d'habitude, les gens donnent beaucoup de conserves, de pâtes et de pains; mais ils donnent pratiquement pas de viande et de petites douceurs. Une chance que la collecte que j'ai organisée dimanche passé après la messe nous a rapporté assez d'argent pour acheter à moitié prix des dindes de Victor Camirand et des gâteaux aux fruits.

— Victor Camirand a toujours été un homme généreux, fit Charles Lanctôt.

— Généreux de son argent, mais avare de son temps, par exemple, fit la présidente de la fabrique qui ne perdait jamais une occasion de diminuer son futur adversaire à la mairie. C'est pas lui qu'on voit le plus souvent s'occuper des organisations paroissiales.

Le curé Lanctôt se garda bien de faire un commentaire.

— Sais-tu, Claudette, dit Étienne Dubé avec l'air de ne pas y toucher, monsieur le curé et moi, on se demandait si la fabrique pourrait pas trouver une souffleuse usagée pour m'aider à nettoyer le parvis de l'église, le trottoir qui va de l'église au presbytère et les entrées. Ça a l'air de rien comme ça, mais ça fait du pelletage en maudit.

— Ah ben, j'aurai tout entendu! s'exclama la quadragénaire en arborant un air scandalisé. La fabrique a déjà ben assez de misère à payer le déneigement du stationnement de l'église sans, en plus, te payer une souffleuse! Si tu veux pas aider la paroisse, Étienne, dis-le tout de suite; on va trouver quelqu'un pour te remplacer.

Sous l'algarade, le sexagénaire rougit violemment et il répliqua en haussant la voix, avant même que le curé Lanctôt ait le temps d'intervenir.

— Whow! Les nerfs, Claudette Leduc! Monte pas sur tes grands chevaux et arrête de te prendre pour une autre! Pour qui tu te prends? La reine de Saint-Anselme? C'est pas parce que t'aimes jouer à la vedette que tu m'énerves, O.K.! Toi, t'es juste un marguillier et il y en a d'autres à part toi sur le conseil de fabrique. Si les autres décident qu'il faut une souffleuse, il va y en avoir une, que tu le veuilles ou pas.

Claudette Leduc avait pâli et elle demeura sans voix, observée par toutes les personnes présentes qui avaient cessé de travailler pour assister à la scène qui l'opposait au bedeau bénévole. Marie et Louise Marcotte ainsi que Brigitte Riopel et Aurore Lequerré, étonnées par la sortie du bedeau, regardèrent les autres bénévoles. Le curé lui-même demeura sans voix devant la violente sortie d'Étienne Dubé.

Mais Étienne Dubé n'en avait pas fini pour autant.

— Pour le bénévolat et l'aide à la paroisse, j'ai pas de leçon à recevoir de toi. Ce que je fais est peut-être moins visible que ce que tu fais, mais c'est au moins aussi utile. C'est pas toi qui va venir me dire de laisser ma place à un autre.

Sur ces paroles bien senties, Étienne Dubé tourna les talons et sortit de la sacristie. Les bénévoles reprirent leur travail en chuchotant entre eux. Claudette Leduc, blanche de rage, prit son manteau déposé sur une chaise.

— Vous m'excuserez, monsieur le curé, je dois partir. Je me sens pas bien, bafouilla la présidente de la fabrique avant de se diriger à son tour vers la sortie.

Sans approuver les dures paroles de son ami, Charles Lanctôt se disait en son for intérieur que cette petite leçon d'humilité allait peut-être avoir un effet bénéfique sur le comportement de sa paroissienne. En attendant, l'important était que les plus démunis de la paroisse allaient recevoir avant la fin de la semaine un panier de Noël qui leur permettrait de manger de façon décente le jour de la Nativité.

Claudette Leduc ne revint pas de l'après-midi et les bénévoles terminèrent seuls la composition des paniers de Noël. Il ne manquerait plus que les dindes avant de les distribuer et Lucien Cadieux promit de passer chez Camirand tôt le lendemain avant-midi pour en prendre livraison.

À la fin de cet après-midi-là, Louise laissa la tante Marie chez elle en passant. En apercevant le petit drapeau rouge levé, elle descendit de voiture pour vider sa boîte aux lettres, plantée au bord de la route, tout près de celle de Marie et de Mariette Marcotte.

Louise envoya la main à la tante Mariette qui la regardait par la fenêtre du salon et elle remonta dans sa voiture. Une centaine de mètres plus loin, elle arrêta sa vieille voiture près du garage où il n'y avait plus maintenant de l'espace que pour la grosse Cadillac de son mari.

Il neigeait encore un peu. Il était à peine 16 h 15 et l'obscurité arrivait déjà. Louise s'empressa de rentrer en constatant à quel point les journées de décembre étaient courtes. Elle vit dans l'entrée le sac d'école de Pascal. Comme chaque après-midi, l'adolescent s'était empressé d'aller aider à faire le train dès son arrivée à la maison.

Elle n'avait pas de temps à perdre. Il lui fallait préparer son souper. Elle laissa sur le comptoir les quelques enveloppes prises dans la boîte aux lettres avant de retirer son manteau et ses bottes. Après avoir allumé le téléviseur, elle se concentra sur son travail.

Vers 18 heures, André entra dans la maison, suivi de près par Pascal et Daniel Lacoste. Pendant qu'il se lavait les mains au lavabo de la cuisine, ces deux derniers montèrent à leur chambre. André demanda à sa femme si la guignolée avait bien fonctionné. Louise le rassura et lui raconta la scène qui avait eu lieu entre Claudette Leduc et Étienne Dubé.

— Ben, ça lui pendait au bout du nez à celle-là depuis un bon bout de temps, conclut André.

— Pourquoi dis-tu ça?

— Si elle s'occupait un peu plus de son mari et de ses enfants, ça lui arriverait pas. C'est ben beau la politique et la paroisse, mais la place d'une femme, c'est d'abord dans sa maison, à s'occuper de sa famille.

Louise ne trouva rien à répliquer.

— Y avait-il quelque chose dans la boîte aux lettres? demanda-t-il.

— Oui, c'est sur le comptoir.

André prit les trois enveloppes déposées sur le comptoir. Il jeta sans l'ouvrir un prospectus de la compagnie John Deer. Il ouvrit l'enveloppe contenant le compte d'électricité et eut une grimace en voyant le total de sa facture. Finalement, il ouvrit une enveloppe brune venant du ministère du Revenu du Canada.

— Qu'est-ce qu'ils me veulent encore? dit-il entre ses dents.

Le cultivateur déchira l'enveloppe et en tira une feuille qu'il se mit à lire en bougeant les lèvres.

— Ah ben sacrement! jura-t-il. Il manquait plus que ça! Comme cadeau de Noël, c'est pas pire!

Louise leva la tête et attendit une explication. Comme son mari demeurait silencieux, se contentant de fixer la feuille qu'il tenait dans les mains, elle finit par lui demander:

— Qu'est-ce qu'il y a?

— Je viens de recevoir un compte de l'impôt. Ça a quasiment pas d'allure: 48 652 piastres...

— C'est pas à ça que tu t'attendais? Il me semblait que tu m'avais dit...

— Laisse faire ce que je t'avais dit, la rabroua le cultivateur en élevant la voix. J'étais sûr que tout avait brûlé avec le bonhomme Pelletier dans l'accident.

Louise savait qu'il ne servait à rien de discuter avec son mari quand il était aussi enragé. Elle cria à Pascal et à Daniel de descendre souper et elle servit le repas. André ne mangea rien... Il avait perdu l'appétit. Il chipota pendant quelques instants avec la nourriture qui était dans son assiette avant de se lever brusquement de table et d'aller s'asseoir dans le salon devant le téléviseur. Il ne prononça pas un mot de la soirée. Il ne se leva de son fauteuil que pour aller se coucher.

Durant la nuit, le vent chassa les nuages et le lendemain matin, la neige tombée la veille étincelait comme des diamants sous un soleil éclatant.

Au milieu de l'avant-midi, le bruit d'une motoneige força André Marcotte à jeter un coup d'œil par la fenêtre pendant qu'il attendait qu'on le mette en communication avec Louis Dubuc, le fonctionnaire qui était maintenant responsable de son dossier au ministère du Revenu, s'il se fiait à la signature qui apparaissait au bas de la lettre explicative accompagnant la demande de cotisation.

Le quadragénaire n'avait pratiquement pas dormi de la nuit. Il avait cherché toutes sortes de subterfuges pour se soustraire à l'avis de cotisation au montant exorbitant qu'il venait de recevoir. Ce n'était qu'au petit matin qu'il avait pensé que le ministère du Revenu avait probablement perdu son dossier dans l'incendie de la voiture de Pelletier et qu'il tentait de l'avoir en bluffant. Si ça se trouvait, on n'avait plus aucun papier pour appuyer une telle exigence. Ils ne l'auraient pas comme ça!

— Oui, monsieur Marcotte.

Une voix neutre venait de s'adresser à lui.

— Monsieur Dubuc, je viens de recevoir un compte. Il y a certainement une erreur.

— Pourquoi dites-vous ça, monsieur? demanda le fonctionnaire. Je croyais que tout vous avait été clairement expliqué par mon confrère, Luc Pelletier. J'ai d'ailleurs ici, devant moi, votre dossier ainsi que le formulaire que vous avez signé quand il est passé vous voir le 10 novembre.

— Mais tout ça a brûlé avec lui dans l'accident, non?

— Mais pas du tout, répondit sèchement le fonctionnaire. Mon confrère était passé à son bureau à la fin de l'avant-midi, monsieur, et il avait réglé votre dossier, comme il vous l'avait dit.

— Je pensais...

— Vous pensiez vous en être tiré avec la mort de monsieur Pelletier, si je comprends bien, dit le fonctionnaire... Eh bien, monsieur, c'était une erreur. Comme le mentionne la note que j'ai jointe à votre compte, vous avez trente jours pour payer.

André Marcotte raccrocha, se maudissant d'avoir cru un instant qu'il aurait la possibilité de s'en tirer.

— Maudit que je suis pas chanceux! s'exclama-t-il.

Sa femme, en train de confectionner des tourtières pour le réveillon, ne dit pas un mot.

— Dis quelque chose, lui commanda-t-il avec humeur.

— Paie donc et arrête de t'en faire comme ça. T'as pas le choix.

Le bruit d'une autre motoneige passant près de la maison lui évita de laisser exploser sa colère. Le cultivateur attrapa son manteau déposé sur une chaise.

— Je suis certain que c'est un de ceux-là qui coupe mes clôtures pour pouvoir passer avec son maudit Skidoo. Si jamais je le poigne, il va payer pour les autres.

André Marcotte sortit précipitamment de la maison, au grand soulagement de sa femme. Elle en avait assez de supporter sa colère depuis la veille.

****

Deux jours plus tard, la poste laissa à André Marcotte un cadeau dont il se serait passé volontiers. Le cultivateur, catastrophé, découvrit dans son courrier un avis de cotisation du ministère du Revenu du Québec, cette fois-là. On lui réclamait 51 221,12 dollars pour les années d'imposition de 1974 à 1979.

La lecture de la lettre lui coupa bras et jambes et les larmes lui montèrent aux yeux. Où allait-il prendre cent mille dollars? Ce n'était pas possible; ils voulaient «le mettre dans le chemin», ne cessait-il de se répéter. Il était pris au piège et il ne voyait aucune issue à la situation.

Cette fois-ci, nul besoin de la visite d'un fonctionnaire et inutile de chercher à se défendre. De toute évidence, le fédéral avait communiqué ses renseignements au provincial.

On était en train de ruiner une vie de travail. Il allait vider son compte de banque et peut-être être obligé de vendre une partie de ses vaches et de son quota de lait. Il ne lui resterait presque rien de tout ce qu'il avait amassé.

Sans dire un mot, André mit les deux avis de cotisation devant Louise. Sa femme blêmit en voyant le second compte. Elle comprit brusquement le drame que vivait André.

Après un long moment de silence, elle finit par lui dire en lui serrant le bras:

— C'est difficile à prendre, mais on finira ben par passer à travers.

André Marcotte se contenta de secouer la tête et il ne dit rien, trop désemparé pour réagir. Ce second coup du sort en quelques jours l'avait vraiment sonné.

Louise réalisa subitement à quel point son mari était affecté. Pendant un instant, elle crut qu'il venait chercher son soutien. Mais cette impression ne dura pas. André reprit ses deux factures avec brusquerie.

— Ben sûr! Tout va s'arranger comme par miracle! Il y a rien qu'à prier.

— En as-tu parlé à ton père? Après tout, lui et ta mère étaient tes partenaires et ils ont profité de l'argent que tu as fait avec le sirop d'érable.

— J'ai pas parlé au père de cette facture-là, mais je lui ai parlé de l'autre. Il m'aurait peut-être aidé si ma mère avait pas été là. Mais avec elle dans le portrait, il est pas question qu'il me donne une cenne. C'est de l'argent qu'ils ont ramassé pour leurs vieux jours. Ma mère a dit que j'étais ben assez vieux pour me débrouiller tout seul sans qu'ils soient obligés de s'en mêler.

— Voyons donc! s'exclama Louise. Ta mère est capable de comprendre que la moitié de l'amende devrait être payée par elle et par ton père. Ils ont pris la moitié des profits...

— Essaie donc d'aller lui expliquer ça. Il y a pas un chrétien qui va faire sortir une cenne noire du porte-feuille de ma mère si ça lui tente pas.

Chapitre 28

Noël

La veille de Noël, la température demeura inchangée. Le froid se maintenait depuis plusieurs jours et on n'annonçait aucune chute de neige dans les jours à venir.

Au village, la plupart des maisons étaient décorées de lumières multicolores. Certains villageois avaient même posé devant leur résidence une crèche ou un père Noël. Mais c'était le château de Victor Camirand qui attirait le plus l'attention. Le boucher avait fait installer un énorme traîneau conduit par un père Noël hilare et tiré par quatre rennes. Ce décor en contreplaqué assez terne le jour devenait féerique à la tombée de la nuit à cause des centaines d'ampoules colorées qui l'illuminaient.

En cette année 1980, pour on ne sait quelle raison inconnue, même les gens qui habitaient dans les rangs avaient été gagnés par une folle envie de décorer leur maison pour marquer la période des fêtes. Sous les guirlandes de lumières, la campagne prenait un air de fête dès le coucher du soleil.

L'avant-veille de Noël, Louis Bergeron et Carmen vinrent chercher Isabelle chez leur neveu Cyrille après le souper dans l'intention d'aller voir en voiture les décorations de Noël de Saint-Anselme et de Sainte-Monique.

— C'est ben beau, fit Isabelle assise sur le siège arrière de la vieille Chevrolet de son frère, mais c'est pas comme les Noëls qu'on a connus.

— Ça, c'est sûr, répondit le sexagénaire en accélérant pour escalader la côte qui menait au village.

— Te rappelles-tu quand p'pa et m'man vivaient? Pendant toute la semaine avant Noël, Colette et moi, on travaillait comme des folles avec m'man pour que tout soit prêt pour le réveillon. Les tourtières, les tartes, le ragoût, la dinde, le gâteau aux fruits, le sucre à la crème... Seigneur, ce qu'on a pu cuisiner sur le vieux poêle à bois de la cuisine d'hiver!

— Pendant ce temps-là, on allait porter notre lait à la fromagerie, beau temps mauvais temps, on coupait de la glace sur la rivière et on bûchait dans le bois... C'était le bon temps, ajouta Louis, nostalgique.

— Pas si bon que ça, corrigea Carmen en se tournant vers sa belle-sœur. On faisait aussi de la misère. On n'avait jamais une cenne noire et on se cassait la tête pour essayer de donner un cadeau.

— C'est vrai, admit Isabelle. Tu vois, j'avais oublié ça.

— En tout cas, il y a une chose qui aura pas changé, dit Carmen en ricanant. Tu vas voir à minuit que l'église va se remplir comme un œuf. C'est le seul temps de l'année où tu vois tant de monde. D'habitude, l'église est au quart pleine et il y a juste des têtes blanches. À la messe de minuit, il va falloir arriver une demi-heure avant l'heure si on veut être capable de trouver une place.

— Au moins, on a une messe de minuit, lui dit sa belle-sœur. As-tu pensé que les gens de Sainte-Monique en auront pas? S'ils veulent aller à la messe, il va falloir qu'ils se trouvent une place ici ou à Saint-Cyrille.

En cette veille de Noël, chez André Marcotte, la maison était étrangement silencieuse. Daniel Lacoste était parti à Montréal pour trois jours à la fin de l'après-midi.

Sans nouvelles de sa fille Nicole depuis près d'un mois, Louise lui avait téléphoné au début de l'avant-midi pour l'inviter à venir passer les fêtes en famille. La jeune fille avait répondu à sa mère qu'elle tenterait de venir, mais que ce serait difficile parce qu'elle avait trouvé un emploi de serveuse dans un restaurant pour la durée de ses vacances. Elle travaillait tous les jours de fête.

Vers 21 heures, Louise alla faire sa toilette, déposa quelques cadeaux au pied de l'arbre et dressa la table du réveillon en attendant l'heure de partir pour la messe de minuit. Une heure plus tard, voyant son mari encore affalé devant le téléviseur du salon, elle lui demanda:

— Tu vas pas te préparer pour la messe?

— J'y vais pas, dit André d'un ton tranchant. J'ai un commencement de grippe. Je vais aller me coucher de bonne heure.

— Et le réveillon? Est-ce que je l'ai préparé pour rien? demanda Louise.

— Il y a rien qui vous empêche de réveillonner, toi et Pascal.

— Et la distribution des cadeaux?

— La même chose.

Devant cet égoïsme manifesté par son mari qui avait l'air bien décidé à gâcher le Noël des siens, Louise sentit se dissoudre la compassion qu'elle ressentait à son endroit depuis quelques jours. Son visage se ferma et elle ne fit aucun commentaire. Elle se contenta de se tourner vers son fils.

— Es-tu prêt, Pascal? On part dans dix minutes.

À leur arrivée à l'église, Louise et son fils se précipitèrent à l'intérieur, pressés de se mettre à l'abri du vent sibérien qui soufflait.

Même s'il restait plus de trente minutes avant le début de la messe de minuit, l'église était déjà presque pleine et bruissait des conversations entretenues à voix basse entre voisins pendant que la chorale, cantonnée dans le jubé, s'exerçait une dernière fois avant le début de la messe.

La mère trouva une place libre près de Mariette et de Marie Marcotte assises aux côtés du vieux notaire Deschamps, tandis que son fils allait s'asseoir un peu plus loin, à côté de Donald Boutin, un ami du rang Sainte-Marie.

— Où est ton mari? demanda Mariette à Louise après avoir salué sa nièce par alliance.

— Il est resté à la maison. Un début de grippe.

— Les Marcotte seront pas trop nombreux dans l'église ce soir, dit Mariette. Émilie est venue chercher ton beau-père et ta belle-mère pour passer Noël avec sa famille à Drummondville. Il reste juste nous autres.

— Oh! Mais la famille va ben finir par s'agrandir, fit remarquer Louise avec un clin d'œil en désignant à la tante Marie le vieux notaire en train de parler à un voisin assis dans le banc situé derrière eux.

— Es-tu sérieuse, toi? chuchota Marie. J'ai 67 ans et Émile est encore plus vieux que moi. C'est un ami, rien de plus. T'oublies que c'est un vieux garçon tricoté au crochet. S'il était pas bon à marier il y a trente ou quarante ans, penses-tu qu'il s'est amélioré avec le temps? À ton âge, tu devrais connaître assez les hommes, ma fille, pour savoir qu'ils empirent avec les années.

— O.K., ma tante, j'ai rien dit, fit Louise en feignant le regret, mais il me semble qu'il ferait un beau parti.

— Je suis prête à le laisser à n'importe quelle vieille de la paroisse qui serait prête à l'endurer vingt-quatre heures par jour, chuchota Marie. Depuis la fin de l'été, il vient à la maison deux fois par semaine pour jouer aux cartes et la plupart du temps, Mariette et moi, on est ben contentes quand il part.

Soudainement, l'organiste plaqua quelques accords et la chorale entama le premier chant liturgique. Le curé Lanctôt remonta l'allée centrale, en compagnie de deux adultes de l'équipe de pastorale chargés de servir la messe. Une paroissienne portant un bébé et son mari, habillés comme Marie et Joseph, précédaient l'officiant et allèrent prendre place dans le chœur, à gauche de l'autel.

— Tiens, on a encore droit cette année, à une crèche vivante, chuchota Mariette à sa nièce. C'est drôle, l'année passée, c'était encore la petite Chicoine qui faisait Marie. Ma foi du bon Dieu! elle accouche tous les ans exprès juste pour être dans la crèche.

Louise réprima un fou rire.

La cérémonie dura moins d'une heure dans une chaleur d'étuve. Les prières du curé Lanctôt étaient ponctuées par les pleurs des enfants qui auraient dû être au lit depuis longtemps. Finalement, quand un chantre entonna le «Minuit, chrétiens», le flot des fidèles commença à s'écouler lentement vers la sortie. Il n'y eut que de brefs échanges de vœux entre parents, connaissances et amis sur le parvis tant la température était glaciale. La pleine lune éclairait la rue Principale comme en plein jour.

Pascal, tout excité, vint rejoindre sa mère, à la fin de la messe.

— M'man, est-ce que je peux aller au party chez les Boutin? Il va y avoir de la danse. Donald dit qu'on va avoir du fun toute la nuit.

— Et qui est-ce qui va aider ton père à faire le train ce matin? Il est déjà 1 heure. Daniel est en vacances.

— Envoyez donc, m'man, on va être une gang de jeunes. Je vais demander à quelqu'un de venir me reconduire pour le train. Je dormirai après.

Louise se dit que son fils aurait sûrement plus de plaisir chez les Boutin qu'à la maison. Elle attendit un instant pour voir s'il s'inquiéterait du fait que sa mère soit seule pour le réveillon et la distribution de cadeaux. Quand elle vit qu'il ne s'en souciait pas, elle lui dit:

— Vas-y, mais oublie pas le train.

L'adolescent s'empressa d'aller rejoindre son ami en manifestant bruyamment sa joie.

Louise monta dans sa voiture, permit au moteur de chauffer durant une minute ou deux et elle reprit le chemin de la maison.

À son arrivée chez elle, elle remarqua que toutes les lumières étaient éteintes. Seules les guirlandes d'ampoules de couleur étaient demeurées allumées à l'extérieur. Elle laissa sa voiture près du garage et elle rentra dans la maison.

Son cœur lui fit mal à la vue de la table dressée pour le réveillon. Elle monta à l'étage et entra sans bruit dans la chambre à coucher où André ronflait déjà. Elle mit ses vêtements de nuit et une robe de chambre confortable avant de descendre. Pendant que l'eau bouillait pour une tasse de thé, elle entreprit de vider la table de son contenu et elle mit les tourtières au réfrigérateur. Ensuite, elle prit sa tasse et elle alla s'asseoir dans le salon où elle alluma les lumières qui ornaient l'arbre de Noël qu'elle avait décoré au début du mois. Au pied de l'arbre, il n'y avait que les cadeaux qu'elle avait déposés au milieu de la soirée.

— Je vivrai pas une autre fois un Noël comme ça, se dit-elle à voix basse. Tous des égoïstes! Personne pense à moi dans cette maison. J'ai couru comme une folle pour leur acheter des cadeaux. J'ai fait la cuisine durant une semaine. J'ai décoré la maison. Pas un merci! Ils sont même pas là. Je compte pas ici. Je suis pas obligée d'endurer tout ça. Ça va changer! Ils vont arrêter de me prendre pour leur servante.

Pour la première fois en vingt ans, elle caressa durant de longues minutes la possibilité de quitter son foyer et d'aller vivre ailleurs, d'aller vivre pour elle-même.

La quadragénaire pleura silencieusement durant de longues minutes dans la pénombre, le cœur meurtri par l'ingratitude des siens. Elle finit tout de même par s'endormir.

Quand André se leva quelques heures plus tard pour aller traire les vaches, il découvrit sa femme recroquevillée sur le divan. Il allait la réveiller quand le claquement d'une portière à l'extérieur le fit bifurquer vers la cuisine. Pascal entra.

— D'où est-ce que tu sors, toi, à cette heure-ci?

— De chez Boutin. J'ai demandé la permission à m'man avant.

— Bon, arrive, on va aller faire le train avant que tu dormes debout. Tu iras te coucher après. Fais pas de bruit. Ta mère dort encore.

****

Chez les Riopel, Brigitte décida de regarder la messe de minuit à la télévision avec Isabelle. Sa belle-mère avait eu des étourdissements toute la journée et il n'était pas question de la laisser seule la veille de Noël. Cependant, elle poussa Cyrille à aller à l'église avec Éric et Marc. À leur retour, tout le monde se réunit au pied de l'arbre de Noël pour la remise des étrennes et on mangea quelques sandwiches en guise de réveillon. À 2 heures, tout le monde était couché. On voulait être en forme pour le souper de Noël que Brigitte et Aurore avaient organisé en commun pour toute la famille.

****

Le jour de Noël, le soleil se leva dans un ciel sans nuages. Quand André revint de l'étable vers 8 heures, le déjeuner n'était pas prêt et la table n'était pas dressée. Pascal, épuisé par sa nuit d'insomnie, ne remarqua rien. Il était si fatigué qu'il monta directement à sa chambre pour aller se coucher. Au moment où il y pénétrait, sa mère sortait de la salle de bain, coiffée et maquillée. Louise descendit l'escalier et se dirigea vers la patère d'un pas décidé.

— Est-ce que je peux savoir où tu t'en vas? demanda son mari en la voyant endosser son manteau.

— Je m'en vais voir Nicole, à Montréal.

— Et les repas?

— Tu te débrouilleras. Il y a du manger plein le frigidaire.

— T'es fine en maudit, pour un jour de Noël! Tu sacres ton camp!

— Aussi fine que t'as été fin hier soir. Je sais pas si tu te souviens, mais j'avais préparé un réveillon... Si ça te tente, tu peux toujours le faire réchauffer.

— Est-ce que je peux savoir à quelle heure tu vas revenir?

— Non, je le sais pas moi-même.

Tout en parlant, Louise avait mis ses bottes. Sans plus se préoccuper de son mari, elle sortit de la maison en claquant la porte et elle se dirigea vers sa voiture stationnée près du garage.

Louise Marcotte ne revint de Montréal que vers 23 heures, insatisfaite de la visite qu'elle avait rendue à sa fille. Elle n'avait pu passer que quelques minutes en compagnie de Nicole sur son lieu de travail. Lorsqu'elle s'était présentée à son appartement, sa colocataire lui avait indiqué le restaurant où sa fille travaillait. Cette dernière avait sursauté en découvrant sa mère assise à l'une de ses tables. Bien sûr, elles s'étaient parlé, mais Louise sentait qu'elle la dérangeait et qu'elle avait hâte de la voir quitter la place. La jeune fille jetait de fréquents coups d'œil à son patron qui affichait un air mécontent, debout derrière la caisse.

Finalement, Louise avait embrassé sa fille en feignant une joie qu'elle était loin d'éprouver. Elle ne voulait pas rentrer à Saint-Anselme si tôt. Comme il faisait vraiment très froid, elle décida d'aller se réfugier dans un cinéma de la Place Versailles. On aurait dit que les cinémas et les restaurants étaient les seuls endroits ouverts au public en cette journée de fête. Après avoir visionné un film, elle alla souper dans un restaurant voisin avant de s'engouffrer à nouveau dans le même cinéma pour voir un autre film projeté dans une autre de ses salles. Ce n'était qu'à 21 heures qu'elle s'était décidée à rentrer à Saint-Anselme.

À son retour, la maison était aussi silencieuse que lorsqu'elle était revenue de la messe de minuit, la veille. Tout le monde dormait déjà. Avant de monter à sa chambre, elle prit les cadeaux qui étaient demeurés sous l'arbre et elle les monta dans sa chambre à coucher. Avant de se mettre au lit pour la nuit, elle les déposa au fond de sa garde-robe. Puisqu'ils n'avaient l'air d'intéresser personne, elle les rapporterait aux magasins où elle les avait achetés quand ils rouvriraient leurs portes.

****

Chez les Lequerré, la maison s'était remplie dès le début de l'après-midi. Clément Leroux avait été le premier à se présenter à leur porte, porteur de quelques cadeaux, tant pour Carole que pour Bruno et Aurore qui le recevaient à souper. Julien arriva quelques minutes après lui. Le jeune homme était allé chercher sa Karine à Trois-Rivières. Momon, pour sa part, était installé devant le petit téléviseur de la cuisine et il regardait avec un plaisir non déguisé des dessins animés.

Quand Bruno s'absenta quelques minutes avec Aurore pour aller choisir le vin qu'ils apporteraient chez Brigitte pour le souper, Carole demanda à voix basse à Julien et à Karine :

— Puis, qu'est-ce que vous avez décidé ? Vous vous mariez ou vous allez rester ensemble ?

— Je pense qu'on va se marier, dit Karine. Moi, ça me dérange pas de pas me marier, mais mes parents veulent rien savoir. Quand j'ai parlé à la maison que Julien et moi, nous voulions aller rester ensemble, mes parents m'ont dit qu'ils nous renieraient tous les deux. Mon père est ancien. Il acceptera jamais que je m'en aille rester avec un gars sans être mariée.

Carole se tourna vers son frère.

— Quand est-ce que tu vas en parler à maman et à papa?

— Là, dans une minute. J'attends seulement qu'ils s'assoient. On va en entendre des vertes et des pas mûres, dit Julien à son amie en lui serrant la main pour se donner du courage. Tiens-toi bien, ça va donner un gros coup.

— Ne t'inquiète pas pour moi, répliqua la petite blonde. Je suis pas grosse, mais je suis capable d'en prendre.

Quelques minutes plus tard, Bruno et Aurore montèrent de la cave, aménagée depuis belle lurette en cave à vins par le cultivateur français. Ils déposèrent six bouteilles de vin sur la table de cuisine.

Bruno s'avança vers le salon pour demander si quelqu'un boirait une coupe de vin pour bien amorcer la journée de Noël. Tout le monde accepta.

— Servez-vous et donnez à maman une double ration, conseilla Julien à son père. J'ai une nouvelle importante à vous apprendre.

Aurore jeta un regard inquiet vers son mari et elle vint s'asseoir dans le salon, prête à entendre son fils. Bruno suivit avec une bouteille de vin débouchée.

— Bon, et cette nouvelle, c'est quoi? demanda-t-il.

Le grand Clément Leroux fredonna les premières notes de la marche nuptiale et il se mérita par le fait même un coup de coude magistral de Carole.

— Karine et moi voulions vous annoncer que nous voulons nous marier l'été prochain.

Aurore jeta un coup d'œil désemparé à son mari.

— Si vite que ça? demanda-t-elle. Il me semble que vous venez à peine de commencer à vous fréquenter.

— Maman, tout va vite aujourd'hui, répliqua Julien. Je dois dire qu'on avait d'abord pensé louer un appartement à Trois-Rivières ce printemps et vivre ensemble un an ou deux pour savoir si on s'entendrait. Après, on aurait pu se marier.

— Voyons donc, Julien, c'est pas comme ça qu'on t'a élevé, le réprimanda Aurore, scandalisé par cette perspective. On veut ben être modernes, ton père et moi, mais il faut pas exagérer. Une fille, c'est pas une auto. Il y a pas une période d'essai avant de l'acheter.

— Énervez-vous pas avec ça, maman, la calma son fils. J'ai dit qu'on y avait pensé. Mais après coup, on s'est aperçus que les parents de Karine et vous ne seriez pas d'accord et on a préféré faire ça dans les règles.

— Quoique..., commença Bruno.

— Quoique quoi? demanda sa femme, le regard mauvais.

— Je me demande si l'idée des jeunes d'une sorte de mariage à l'essai n'est pas la meilleure. Il me semble que c'est une sorte de garantie que pendant la durée de l'essai, la femme est gentille. Je trouve ça déjà pas mal et c'est toujours ça de pris, comme on dit.

Aurore se rendit brusquement compte qu'elle était en train de perdre son sens de l'humour et elle éclata de rire. Bonne joueuse, elle reconnut que la situation échappait à son contrôle. Alors, elle se leva spontanément et alla embrasser Karine, sa future bru. La jeune fille n'avait pas osé dire un seul mot de tout l'échange entre Julien et ses parents et elle fut grandement soulagée par l'issue heureuse de la discussion.

— Et moi alors, on m'oublie! s'exclama Bruno en embrassant à son tour Karine.

— Attention, ma fille, la prévint Aurore. Mon mari est un ratoureux qui trouvera toujours cinquante-six raisons pour t'embrasser. Surveille-le.

— Et pour les fiançailles? demanda Bruno redevenu sérieux.

— Nous en avons parlé aux parents de Karine, dit Julien. Ils seraient d'accord pour les célébrer au jour de l'An, si vous êtes d'accord. Ils veulent organiser un petit souper à la maison.

— J'espère, Julien, que t'as pas parlé d'aller vivre avec Karine en appartement sans la marier à ses parents.

— Non, maman, pas moi. Mais Karine en a dit deux mots à son père. Il a failli avoir une attaque cardiaque. Quand j'ai parlé de mariage après ça, il a tout de suite été d'accord, comme vous.

Aurore s'aperçut alors que son fils les avait habilement manipulés, elle et Bruno. En parlant d'union libre, il les avait incités à accepter sans broncher l'idée d'un mariage hâtif.

— Avec quoi allez-vous vivre? demanda Aurore qui n'avait pas perdu pour autant son sens pratique.

— Nous finissons tous les deux au mois de mai et nous sommes certains d'enseigner l'an prochain. En attendant, nous avons assez d'économies pour nous débrouiller au début, en attendant nos premières payes.

— T'as l'air ben intéressé par ce qu'on se dit, Clément, dit Aurore en se tournant vers l'ami de sa fille qui écoutait religieusement tout ce qui était dit.

— C'est certain que ça m'intéresse, madame Lequerré. Je m'aperçois qu'il va falloir que je me prépare en pas pour rire quand je vais décider de me mettre la corde au cou. En tout cas, je me rends compte que je me trompais pas mal.

— Comment ça? demanda Aurore.

— Ben, je pensais que les parents de la fille étaient tellement contents de se débarrasser de leur fille qu'ils étaient prêts à donner un gros montant au gars qui la demandait en mariage... C'est plate que ce soit pas comme ça. Je comptais sur cet argent-là, moi, pour monter un petit commerce.

Il y eut un moment de silence avant que tous éclatent de rire.

— Bon, c'est ben beau tout ça, dit Aurore en se levant, mais on a des plats à préparer pour le souper chez Brigitte. Il faut pas oublier qu'on donne le souper avec elle.

Karine se leva en même temps que Carole.

— Si vous me prêtez un tablier, madame Lequerré, je peux vous donner un coup de main.

Cet après-midi-là, Aurore dut admettre que Julien allait épouser une fille capable de se débrouiller dans une cuisine et à qui le travail ne faisait pas peur.

****

À la fin de l'après-midi, tout le monde se rendit chez Cyrille Riopel. Les hommes aidèrent Cyrille et ses garçons à dresser deux longues tables et on alla chercher des bancs au fond de la remise pour permettre à tous de s'asseoir. Un peu intimidé, Momon s'assit près de l'arbre de Noël. Brigitte avait exigé qu'Aurore amène leur employé à la fête, même s'il ne venait que pour le repas. Momon pourrait toujours retourner à la maison après le souper.

Peu à peu, les invités se mirent à arriver. Pierre et Diane furent les premiers arrivés. Bernard les accompagnait. C'était le premier Noël de ce dernier depuis la mort de Pauline et il était heureux de venir le passer avec sa sœur Isabelle. Anne-Marie et son mari étaient la seule enfant du couple à être venue. Paule et Frédéric avaient été invités chez des amis de Drummondville. Louis et Carmen arrivèrent peu après avec Colette et Ulric Gagné qu'ils étaient allés chercher chez leur fils Gilles.

Brigitte allait suggérer à son monde de passer à table quand Marc signala à ses parents que l'oncle Alain venait d'arriver. Cinq minutes plus tard, la porte s'ouvrit sur Lise, Alain et leur Josée. Lise étrennait avec ostentation un nouveau manteau de vison, tandis que son mari et leur fille étaient habillés avec recherche. Comme il se devait, on ne fut pas plus avare de compliments sur le manteau que d'allusions sur la fortune d'Alain qui, de toute évidence, buvait du petit lait.

— Il faut ce qu'il faut, dit-il avec hauteur, les mains enfoncées dans les poches de son pantalon.

— Sacrifice que t'as une femme qui te coûte cher, mon jeune, fit Ulric Gagné en clignant de l'œil. Si la mienne était comme ça, il y a longtemps que je l'aurais échangée pour une ou deux plus jeunes.

— Aïe! mon oncle! commencez pas à faire l'haïssable, vous, protesta Lise en le menaçant du doigt.

— Je pense que t'es mieux d'aller enlever ton beau manteau neuf, fit Isabelle, malicieuse. On va te le remplacer par un beau tablier tout propre et tu vas pouvoir nous aider à servir le souper.

Pendant le souper, Bruno annonça les fiançailles de Julien et de Karine et on porta un toast à la santé des futurs mariés. Brigitte et Aurore avaient préparé un repas traditionnel. Tout le monde apprécia les tourtières, la dinde, le ragoût de boulettes et les tartes au sucre.

Après le souper, les jeunes décidèrent d'aller faire une balade en motoneige pendant que les plus âgés rappelaient, avec un rien de nostalgie, l'époque où on dansait jusqu'aux petites heures du matin à l'occasion de Noël et du jour de l'An. On passa la soirée à évoquer des souvenirs et à se rappeler les disparus. La soirée aurait pu être assez triste si Ulric Gagné n'avait pas entonné quelques chansons à réponses.

Chapitre 29

Le jour de l'An

Durant la semaine entre Noël et le jour de l'An, il ne tomba pas un flocon de neige et la température s'adoucit progressivement. Tous les jours, les jeunes envahirent la patinoire du village pour disputer de longues parties de hockey tandis que certains adolescents ouvraient une piste de ski de randonnée à travers les champs, le long de la rivière.

Chez André Marcotte, l'atmosphère de la maison s'était un peu améliorée au jour de l'An. Le lendemain de Noël, Louise avait fini par donner leurs cadeaux à André et à Pascal au lieu de les rapporter dans les magasins où elle les avait achetés, comme elle en avait l'intention le soir de Noël. André avait alors sorti une enveloppe contenant un chèque-cadeau d'une boutique de vêtements, tandis que Pascal avait offert à son père et à sa mère une paire de gants. Il avait oublié de mettre ses cadeaux sous l'arbre. Cet échange tardif de cadeaux se fit sans réel plaisir.

Louise Marcotte fit tout de même des efforts louables pour créer un peu de joie dans son foyer. Elle reçut ses beaux-parents, sa belle-sœur Émilie et son mari ainsi que Claude, son beau-frère célibataire, médecin à Saint-Cyrille. Elle avait aussi invité Daniel Lacoste, mais ce dernier, faisant preuve de sa discrétion habituelle, avait prétexté une sortie pour ne pas s'imposer à la soirée familiale. Par ailleurs, elle aurait aimé que les deux tantes d'André viennent, mais les deux vieilles dames étaient déjà invitées à souper ce soir-là dans un restaurant de Drummondville par Émile Deschamps.

— Avec lui, comme on va être invitées juste une fois par année, lui avait dit la tante Mariette, on est aussi ben d'en profiter quand ça passe.

Nicole avait tout de même appelé ses parents le matin même pour leur souhaiter une bonne année. Évidemment, elle travaillait ce jour-là au restaurant qui l'employait.

Le souper du jour de l'An fut assez guindé et on ne s'y amusa guère. André raconta en détail ses démêlés avec les ministères du Revenu fédéral et provincial et on parla abondamment de la Floride et de son climat à cette époque de l'année. Maurice et Henri, les frères aînés de Jocelyn Marcotte, étaient là depuis un mois. Suzanne et son mari, Paul Biron, étaient allés les rejoindre trois jours auparavant.

À 10 heures 30, tout le monde était parti et Louise, fatiguée, décida de remettre le rangement au lendemain matin.

****

Chez Cyrille Riopel, le jour de l'An commença, comme chaque année depuis deux ou trois ans, par la dispute traditionnelle entre Marc et sa mère. Brigitte tenait absolument à ce que son fils aîné demande à son père la bénédiction paternelle, bénédiction que son frère aîné avait toujours demandée à son père à l'époque où il vivait.

— M'man, plus personne fait ça! s'exclama l'adolescent pour la troisième fois.

— C'est pas important, répliqua sa mère. Ça fait plaisir à ton père et nous, on y croit à cette tradition-là, pas vrai, madame Riopel?

Isabelle hocha la tête.

— Fais donc ça pour tes parents, Marc. C'est pas la fin du monde, après tout, lui dit sa grand-mère.

— Ça me gêne. J'ai l'air de quoi à genoux dans la cuisine? Pourquoi c'est pas Sylvie qui la demande? C'est la plus vieille.

Sa sœur se garda bien de dire un mot pour ne pas envenimer le débat. Elle savait que son frère allait plier devant la volonté de leur mère.

— C'est au garçon le plus vieux de faire ça, trancha Brigitte. Bon! C'est assez! Voilà ton père qui revient de l'étable. Grouille-toi et qu'on en finisse.

Comme chaque année, Marc finit par obéir en se promettant que ce serait la dernière année qu'il le faisait. Quand Cyrille eut enlevé son manteau et ses bottes, Marc, l'air boudeur, s'avança vers lui et lui demanda sa bénédiction en son nom et au nom de sa sœur et de son jeune frère.

Instantanément, le visage du père devint grave pendant que ses enfants s'agenouillaient devant lui. Cyrille récita une courte prière à voix basse. Comme son père et son grand-père l'avaient fait avant lui le premier jour de chaque année, il imposa ses mains sur la tête de chacun avant de les relever et de leur serrer la main.

Pour la famille, ce jour de l'An de 1981 fut une journée calme. On se limita à faire une visite de politesse à quelques voisins et aux parents de la paroisse qui étaient à la maison pour leur offrir des vœux.

C'est au cours de cette brève tournée, cet après-midi-là, que le cousin, Pierre Bergeron, leur apprit qu'à compter de l'année suivante, toute la famille, proche et éloignée, serait conviée à se réunir la veille du jour de l'An dans une salle louée à Drummondville ou ailleurs. Les Bergeron, les Marcotte et les Riopel, des familles plus ou moins apparentées, pourraient ainsi célébrer ensemble l'arrivée de la nouvelle année avec des amis et des voisins s'ils le désiraient. Pour une cotisation minime, on aurait droit à une disco mobile et à un buffet. Au dire de Pierre, l'idée venait de sa sœur Suzanne qui avait déjà retenu la salle pour l'an prochain, avant son départ pour la Floride.

****

Pour leur part, les Lequerré avaient quitté la maison au début de l'après-midi en laissant Momon seul responsable du train du soir. Cyrille Riopel avait promis à son beau-frère de venir jeter un coup d'œil pour vérifier que tout se passait bien.

Aurore, Bruno et leurs enfants furent reçus par les parents de Karine, à Trois-Rivières. Les Lequerré s'entendirent à merveille avec Jean Charland et sa femme. Ils partageaient, de toute évidence, les mêmes craintes à propos de l'avenir du jeune couple et ils pensaient tous les quatre que le mariage était un peu précipité. Ils ne l'acceptaient que parce qu'ils ne souhaitaient pas voir Julien et Karine vivre en union libre. Le souper de fiançailles fut une réussite et chacun s'empressa d'admirer la modeste bague offerte par Julien à sa future femme.

Après avoir remercié les Charland pour leur hospitalité et les avoir invités à leur rendre visite quand ils passeraient par Saint-Anselme, Bruno et sa famille rentrèrent chez eux à la fin de la soirée. À leur retour, la maison était plongée dans le noir. Seule brillait une lampe de chevet dans la chambre de Raymond Patenaude qui avait une peur bleue de s'endormir dans l'obscurité.

Il faisait encore noir le lendemain matin quand Bruno, Momon et Julien se levèrent pour aller traire les vaches. Le jour commençait à se lever au moment où ils revenaient de l'étable.

— Où est-ce que Carole est partie à cette heure-ci? demanda Julien à son père.

— Pourquoi veux-tu qu'elle soit partie? répliqua Bruno en accélérant le pas pour rentrer plus rapidement à la maison.

— La Plymouth est pas à côté de la remise.

— Je ne l'ai pas entendue partir.

Tous les trois entrèrent dans la maison envahie par l'odeur du bacon qui rissolait dans la poêle. Aurore finissait de dresser le couvert.

— Carole est partie? lui demanda Bruno.

— Non, elle dort. J'ai même pas voulue la réveiller pour le déjeuner. Qu'elle profite un peu de ses vacances.

— Où est la Plymouth ?

Aurore alla à la fenêtre.

— Elle est plus là. Ben, voyons donc! Qui a ben pu venir nous emprunter une vieille bagnole comme ça? Est-ce que quelqu'un l'a vue hier soir en rentrant?

Personne ne l'avait vue.

— Et toi, Momon? T'as rien vu? demanda Aurore à l'employé.

Momon affirma que personne n'était venu pendant leur absence, sauf Cyrille Riopel qui n'était resté que cinq minutes avant de retourner chez lui.

Alors, Julien monta rapidement à l'étage réveiller sa sœur pour lui demander si elle avait prêté le véhicule à quelqu'un... Non. Deux minutes plus tard, la jeune fille descendit en compagnie de son frère et elle se précipita vers la fenêtre, l'air catastrophé.

— J'espère que c'est une farce, dit-elle sans trop y croire. Si on a pas la Plymouth, comment on va aller à l'université dans une semaine ?

— On va appeler la SQ, trancha Bruno. En attendant que la police arrive, on ferait mieux de déjeuner avant que ça refroidisse.

Près d'une heure plus tard, une voiture patrouille de la Sûreté du Québec s'arrêta dans la cour des Lequerré et deux policiers se présentèrent à leur porte. Julien les fit entrer et l'un des policiers entreprit de dresser un procès verbal détaillé du vol de la voiture.

— C'est surprenant qu'on soit venu voler une vieille Plymouth 1971, mais ça arrive qu'on vole des chars aussi vieux pour se procurer des pièces, dit un des policiers en faisant signer au jeune homme le rapport qu'il venait d'écrire. Pouvez-vous me montrer l'endroit où il était stationné, on va y jeter un coup d'œil avant de partir. On sait jamais.

Julien et son père mirent leur manteau et accompagnèrent les deux policiers à l'extérieur. Ils leur indiquèrent l'endroit près de la remise où la Plymouth était toujours stationnée. Les deux agents regardèrent autour pour s'assurer qu'il n'y avait aucun indice laissé par le ou les voleurs.

C'est à ce moment précis que Bruno leva la tête et s'aperçut que la porte conduisant à la cave de sa maison était entrouverte.

— Mais il y a quelqu'un qui est entré dans la maison! s'exclama-t-il en montrant la porte du doigt. Il n'y a jamais personne qui passe par là durant l'hiver. Il y a des pistes tout autour de la porte.

Les quatre hommes se dirigèrent rapidement vers l'entrée de la cave.

— Allez donc voir ce qui peut manquer dans votre cave, ordonna le plus vieux des policiers. Si vous trouvez quelque chose, prévenez-nous.

Les deux Lequerré repoussèrent la porte et n'eurent à descendre que quelques marches avant qu'une forte odeur de vin ne les assaille.

— Mon vin! s'écria Bruno en se précipitant dans le noir, à la recherche de l'interrupteur situé au pied de l'escalier.

Lorsque la lumière s'alluma, le quinquagénaire se rendit compte avec horreur de l'ampleur des dégâts. Le sol de «sa» cave à vins était jonché de tessons d'une douzaine de bouteilles de vin.

— Les maudits sauvages! hurla le cultivateur.

Le cri poussé par Bruno alerta aussi bien les deux policiers à l'extérieur qu'Aurore et Carole demeurées dans la cuisine. Pendant que les policiers descendaient précipitamment l'escalier, les femmes ouvraient la porte intérieure qui communiquait avec la cave et descendaient la volée de marches. En quelques secondes, l'endroit fut envahi par ces quatre personnes.

— Seigneur! veux-tu ben me dire ce qui s'est passé? Qu'est-ce que t'as à crier comme ça? demanda Aurore à son mari.

Ce dernier était trop en état de choc pour lui répondre. Julien montra les dégâts à sa mère et à sa sœur.

— Des voleurs sont entrés dans la maison pendant qu'on dormait ou pendant qu'on était à Trois-Rivières, hier. En tout cas, ils ont brisé des bouteilles de vin et...

— Et ils sont partis avec une quarantaine de mes meilleures bouteilles! hurla Bruno en proie à une rage incontrôlable. Regardez-moi ça! dit-il en montrant les rayons vides aux policiers. Hier matin, c'était rempli de bonnes bouteilles. Si jamais je mets la main sur celui qui a fait ça, je vais lui faire passer le goût du pain, dit le cultivateur avec une lueur meurtrière dans le regard.

— Selon vous, ont-ils pris autre chose dans votre cave? demanda l'un des policiers, peu impressionné par le nombre de bouteilles de vin disparues.

On fit un tour rapide des lieux avant de se retrouver au pied de l'escalier intérieur.

— À part le vin, il y a pas grand-chose à prendre ici, dit Aurore. On met dans la cave les légumes, les conserves et il y a la cave à vins.

— Une question délicate, fit le même policier. Avez-vous une entière confiance dans votre employé?

— En Momon? Bien sûr. Pourquoi demandez-vous ça? fit Bruno.

— Le vol aurait pu se faire hier après-midi, pendant que vous étiez partis. Il aurait même pu aider le ou les voleurs.

— Pas Momon. Vous avez remarqué que Momon, c'est un innocent. Pour lui, l'argent a pas d'importance. Ça lui viendrait jamais à l'idée de prendre une cenne qui est pas à lui, dit Aurore.

— O.K., si vous le dites, c'est que ça doit être vrai, concéda le policier qui avait posé la question. Vous avez l'air de le connaître depuis assez longtemps pour le savoir.

Les policiers revinrent dans la cuisine pour compléter le rapport de vol et ils promirent de contacter les Lequerré aussitôt qu'ils auraient des nouvelles.

Après leur départ, Bruno conseilla à Julien de téléphoner à son assureur pour l'aviser du vol après avoir lui-même appelé son agent d'assurances. Quelques minutes plus tard, le jeune homme raccrocha, l'air assez découragé.

— Puis ? demanda Carole.

— Il nous dit que la valeur de notre Plymouth est d'environ 750 piastres. Si on la retrouve pas dans les soixante jours, c'est le montant que l'assurance va nous donner.

— Est-ce qu'il va falloir attendre si longtemps ?

— On n'aura pas le choix, lui répondit son frère. Ils se donnent soixante jours pour la retrouver. De toute façon, qu'est-ce que tu veux qu'on se paie avec 750 piastres ? La Plymouth avait bien plus de valeur que ça pour nous autres. En plus, ça tombe bien ! Juste au moment où il faut que j'économise pour me marier. Il va falloir que je trouve un moyen de voyager soir et matin à Trois-Rivières.

— Moi aussi, répliqua sa sœur.

— Comment je vais faire pour aller voir Karine ?

— Énerve-toi pas avec ça, fit sa mère. Tu finiras ben par trouver un moyen. En attendant, on peut dire que c'est toute une façon de commencer la nouvelle année, dit Aurore.

En quelques heures, la nouvelle du vol dont avait été victime la famille Lequerré fit le tour de la paroisse. On déterra les quelques vols qui avaient eu lieu durant les dernières années à Saint-Anselme et on se promit d'être encore plus vigilant. Il n'était plus question de laisser la porte de la maison déverrouillée durant une courte visite chez les voisins ou encore, de laisser tourner le moteur d'une voiture dans la cour. On se rappelait très bien le vol à main armée à l'épicerie Gagnon survenu l'année précédente et, encore tout récemment, le vol d'essence qui avait eu lieu chez Cadieux. Dans ce dernier cas, on avait même scié les cadenas qui protégeaient les pompes pour remplir gratuitement le réservoir d'un ou de plusieurs véhicules.

Malgré tout, la chance était du côté de Julien et Carole Lequerré. Moins de quarante-huit heures après avoir signalé le vol de leur vieille auto, un officier de la SQ les prévint que leur véhicule venait d'être retrouvé dans un fossé sur une petite route qui reliait Sainte-Monique à Nicolet. La voiture venait d'être remorquée à l'arrière du poste de police et ils étaient invités à passer pour clore le dossier.

Bruno accompagna ses deux enfants à Drummondville où le sergent Réal Lafond les reçut. Le policier les amena à l'arrière du bâtiment où ils découvrirent avec joie la Plymouth.

— Vous êtes chanceux, affirma le sergent. S'il y a des dommages, ils seront pas trop graves. Le mieux serait que vous fassiez remorquer votre char dans un garage pour le faire examiner par un bon mécanicien. S'il y a des réparations à faire à la direction ou à la trans-mission, votre assurance devrait payer.

Les deux jeunes hochèrent la tête. C'était ce qu'ils avaient l'intention de faire.

— Monsieur Lequerré, il y a aussi une bonne nouvelle pour vous, je pense, dit le policier à Bruno.

— Ah oui ?

— Il faut croire que les jeunes qui ont volé votre vin étaient pas des grands amateurs ou ils ont pas eu le temps d'en boire beaucoup. En tout cas, ils ont oublié de l'apporter après avoir pris le fossé. Il y a juste une dizaine de bouteilles qui se sont cassées dans la valise. Le reste est correct. En rentrant dans le poste, je vais vous montrer la trentaine de bouteilles qu'on a récupérées.

Le visage de Bruno arbora tous les signes d'une intense satisfaction. Il n'aurait perdu qu'une quinzaine de bouteilles dans l'aventure.

En retournant à l'intérieur, le sergent Lafond raconta aux victimes qu'un cultivateur avait assisté à la perte de contrôle qui avait conduit la Plymouth dans le fossé. L'homme avait vu deux jeunes hommes sortir tant bien que mal du véhicule. Lorsqu'il s'était avancé pour leur proposer son aide, ils avaient pris la fuite à pied. C'est alors qu'il avait alerté la SQ. Les policiers envoyés sur place avaient vite identifié la voiture volée, mais ils n'avaient retrouvé aucune trace des voleurs.

Avant de quitter le poste, Bruno laissa aux policiers trois bouteilles de vin et il appela René Cadieux pour qu'il vienne remorquer la Plymouth. On transporta ensuite le vin dans la Dodge familiale avant de rentrer à la maison.

Le lendemain avant-midi, René Cadieux apprit à Carole et à son frère que leur Plymouth n'avait besoin que d'un bon alignement de roues et qu'il en avait profité pour ajuster les freins. Il leur conseilla tout de même de trouver un bon produit nettoyant capable de faire disparaître l'odeur entêtante de vin qu'il y avait dans leur auto.

— Ça sent tellement fort, dit le garagiste, qu'il y a de quoi se saouler juste à respirer dans votre char.

Chapitre 30

Le début de l'année

Une lueur d'inquiétude passa dans le regard de Brigitte quand elle s'aperçut que sa belle-mère touchait à peine, encore une fois, au contenu de son assiette. Pourtant, elle adorait habituellement le spaghetti. Depuis deux semaines, Isabelle ne mangeait pratiquement plus. Durant quelques jours, la sexagénaire avait souffert d'étourdissements, puis peu à peu, son appétit avait diminué. Elle chipotait dans son assiette pendant quelques minutes et elle finissait par ne manger qu'une bouchée ou deux.

— Vous êtes pas raisonnable, madame Riopel, lui reprocha sa bru. Il faut manger plus que ça. Vous êtes en train de fondre.

— Ben non, Brigitte, tu t'en fais pour rien.

— Je suis pas aveugle, belle-mère, vous mangez presque rien. Qu'est-ce qu'il y a qui va pas ? Avez-vous mal quelque part ?

— Non. C'est juste que j'ai moins faim que d'habitude.

— Vous me cachez rien, j'espère ?

— Ben non, inquiète-toi pas.

— En tout cas, si ça continue, il va falloir aller voir le docteur Babin. On le sait pas ; vous avez peut-être juste de la misère à contrôler votre taux de sucre. Les remèdes qu'ils vous ont donnés à l'hôpital le printemps passé font peut-être plus d'effets. On va prendre un rendez-vous. Qu'est-ce que vous en pensez ? Ce serait plus prudent.

— On va pas recommencer encore, dit Isabelle qui n'avait jamais aimé les médecins.

— Voyons, madame Riopel, c'est pas en se fermant les yeux qu'on règle ce genre de problème.

Quand Cyrille rentra à la maison à la fin de l'après-midi, sa femme lui parla de l'état de santé de sa mère et elle lui dit avoir pris un rendez-vous pour le lendemain chez le docteur Babin.

— Où est-ce qu'elle est ? demanda Cyrille.

— Elle est partie se reposer dans sa chambre une heure ou deux. Elle est faible. Elle pourrait dormir la moitié de la journée si elle s'écoutait.

— Si ça te dérange pas, je vais te laisser y aller avec elle, fit Cyrille. J'ai promis à Richard qu'on bûcherait demain toute la journée.

Depuis la mi-décembre, la température avait été particulièrement clémente. Il n'y avait eu aucune chute importante de neige. Cyrille Riopel et son cousin, Richard Bergeron, étaient allés couper du bois de chauffage trois ou quatre fois par semaine durant le dernier mois.

— C'est pas certain que tu puisses y aller, affirma Brigitte. J'ai entendu à la radio qu'on aurait une bonne tempête de neige la nuit prochaine.

— Ils se trompent une fois sur deux, fit Cyrille, insouciant.

— En tout cas, si c'est vrai, je connais deux gars qui vont être contents de pas aller à l'école demain. Tu peux être certain qu'ils vont surveiller si l'autobus scolaire va passer.

Durant la soirée, Aurore et Bruno vinrent faire une courte visite à Cyrille et à sa femme, surtout pour voir si l'état de santé d'Isabelle s'améliorait un peu. Aurore fut parfaitement d'accord avec sa belle-sœur quand elle lui apprit qu'elle avait pris un rendez-vous chez le médecin pour sa mère le lendemain.

Au moment où les Lequerré s'apprêtaient à rentrer à la maison, Cyrille ne put s'empêcher de taquiner son beau-frère dont la haine pour la neige et le froid était bien connue.

— J'espère, Bruno, que t'as pas mis ta pelle trop loin. On va avoir toute une bordée de neige cette nuit. Demain matin, il paraît qu'il va être tombé un pied et demi de neige et on va avoir du vent aussi.

— Un pied et demi de neige... C'est combien ça? Allez, Cyrille, Ça fait dix ans que le système métrique est utilisé. Moi, j'ai jamais rien compris à votre affaire de pieds et de verges.

Cyrille jeta un regard interrogateur à sa femme.

— Ben, cinquante, cinquante-cinq centimètres de neige, dit Cyrille, hésitant, en montrant l'épaisseur avec les deux mains.

— Belle saloperie! s'exclama le Français. Je devais être malade quand j'ai décidé de venir m'installer dans ce pays de misère. Dire que je pourrais être au soleil en train de chauffer mes vieux os au lieu de me les geler la moitié de l'année, à jouer au con avec une pelle...

— Quand t'auras fini de te lamenter, comme chaque fois qu'on annonce un peu de neige, on pourra peut-être rentrer, fit Aurore en faisant un clin d'œil à son frère. Si t'as choisi de rester ici, c'est parce que tu voulais la plus belle fille de la place. Tu l'as eue aussi. À cette heure, endure.

Bruno fit une grimace à sa femme.

— Attention en sortant, la prévint-il. J'ai peur que ta tête ne passe pas.

Aurore donna une bourrade à son mari et tous les deux rentrèrent à pied à la maison qu'ils apercevaient à quelques centaines de mètres à leur gauche, de l'autre côté de la route.

Étrangement, la température était devenue beaucoup moins froide que durant la journée.

Au milieu de la nuit, Isabelle fut tirée du sommeil par les hurlements du vent. Elle se leva sur la pointe des pieds et alla à la fenêtre dont elle écarta les rideaux. À la lueur de la sentinelle, elle vit devant elle un véritable mur blanc constitué de gros flocons poussés à l'horizontale par un vent déchaîné. «Si le vent se calme pas, on va finir par perdre le courant» se dit-elle à mi-voix. La vieille dame savait que le sommeil ne reviendrait pas rapidement et elle descendit au rez-de-chaussée sans faire de bruit. Elle se prépara une tasse de thé et s'installa dans la chaise berçante placée près de la fenêtre. Durant de longues minutes, elle essaya inutilement de percer l'épais rideau blanc qui tombait.

Isabelle finit par s'endormir parce qu'elle s'éveilla en sursaut dans sa chaise berçante vers 3 heures, quand la charrue municipale passa avec fracas dans le rang Sainte-Anne. Elle ne vit du camion que les clignotants jaunes et le nuage blanc qu'il soulevait sur son passage. Elle quitta péniblement sa chaise et elle regagna son lit.

À 5 heures, Cyrille se leva à son tour, suivi quelques instants plus tard par Brigitte dont le premier réflexe fut d'écarter les rideaux de l'une des fenêtres de la cuisine.

— As-tu vu le temps qu'il fait? demanda-t-elle à son mari qui essayait de syntoniser le poste de radio de Drummondville. On voit ni ciel ni terre.

— Oui, je sais.

Cyrille se prépara une tasse de café instantané pendant que sa femme allait à l'étage réveiller Marc et Éric pour qu'ils aillent aider à faire le train.

Quand les deux adolescents mal réveillés descendirent l'escalier, leur père était déjà habillé, prêt à sortir à l'extérieur.

— J'aurais dû être une fille, ronchonna Marc. Sylvie est chanceuse ; elle peut rester couchée, elle.

— Laisse faire ta sœur, le réprimanda Cyrille. Tu commenceras à dégager la cour avec la souffleuse. Pendant que le moteur du tracteur chauffera, dégage à la pelle les deux entrées de la maison. Je sais que ça servira pas à grand-chose de sortir la souffleuse, mais il faut ouvrir le chemin au camion de lait. Ça en enlèvera au moins une couche. Durant ce temps-là, ton frère et moi on va faire le train. Si t'as le temps, viens nous rejoindre.

— Pensez-vous qu'on va avoir de l'école aujourd'hui ? demanda Éric, plein d'espoir.

— Il est encore trop de bonne heure pour qu'ils l'annoncent. Ta mère va écouter la radio pour le savoir.

Quand Cyrille sortit, il reçut une bourrasque de neige qui l'obligea à baisser la tête. Il traversa péniblement la cour, de la neige à mi-jambes. Le vent semblait souffler dans toutes les directions à la fois et il repoussait en mugissant la neige contre tous les obstacles qui se présentaient. Cyrille repoussa du pied la neige qui arrivait pratiquement à la poignée de la porte de l'étable et il entra dans le bâtiment.

Quelques minutes plus tard, il entendit la porte s'ouvrir et il vit entrer Éric qui secoua la neige qui couvrait ses épaules et sa tuque. L'adolescent alla chercher du foin et commença à le distribuer aux bêtes. Un peu plus tard, Cyrille leva la tête vers l'une des fenêtres sales de l'étable que les phares du tracteur venaient d'éclairer. Il s'avança pour voir comment son fils s'en tirait avec le déneigement de la cour. Il ne vit rien tant la neige qui tombait était dense.

Le jour avait commencé à se lever quand la traite du lait prit fin. À leur sortie de l'étable, Cyrille et Éric se rendirent compte que la tempête était loin de s'être calmée. Ils rentrèrent à la maison. Marc venait à peine de les précéder.

— Le vent est tellement fort qu'on a de la misère à se tenir debout. On dirait jamais que Marc vient de passer la souffleuse, dit Cyrille à sa femme en enlevant son manteau.

— C'est pour ça que j'ai laissé le tracteur proche de la maison, dit Marc. Ça sert à rien de le mettre dans la grange. Je pense qu'il va servir toute la journée. Puis, m'man, est-ce que les écoles sont fermées?

— La polyvalente est fermée. Ils viennent de l'annoncer. Mais ils ont pas parlé encore de ton école.

Cette nouvelle fut saluée par un cri de victoire d'Éric.

— Pour moi, fit grand-mère Isabelle, l'œil malicieux, comme c'est une école privée où vous payez, ils fermeront pas. Ils savent que vous aimez trop ça.

— Il faut pas exagérer, grand-mère, protesta l'adolescent en lui jetant un regard noir. On aime ça, mais pas comme des fous. On n'est pas pour risquer de se tuer sur les routes pour y aller.

— Tu vois pas que ta grand-mère te tire la pipe, lui dit son père. Il y a pas un autobus scolaire qui va prendre le chemin dans des conditions pareilles. Les charrues fournissent pas.

En effet, quelques minutes plus tard, la lectrice des nouvelles informait ses auditeurs que toutes les maisons d'enseignement de Drummondville et de la région fermaient leurs portes pour la journée. À Radio-Canada, on annonçait que plusieurs routes du sud et du centre de la province étaient fermées à la circulation à cause de la tempête qui faisait rage. On recommandait aux automobilistes de demeurer sagement à la maison.

Jusqu'à la fin de l'après-midi, toute activité extérieure sembla subitement être suspendue. La fumée des cheminées n'était souvent que l'unique preuve visible de vie. À Saint-Anselme, les deux charrues municipales étaient les seuls véhicules qui sillonnaient les rues et les rangs dans un vacarme infernal.

Vers 16 heures, le vent tomba et la neige cessa progressivement. Aussitôt, la vie reprit ses droits. Dans le village, les gens s'activèrent à repousser la neige avec des pelles et des souffleuses, rageant quand Fernand Turcotte ou Richard Miron, à bord de leurs charrues, obstruaient l'entrée qu'ils venaient péniblement de dégager. Dans le rang Sainte-Anne, on voyait un spectacle identique dans le jour finissant, soit celui de hautes colonnes de neige soufflées par des souffleuses.

****

Le lendemain, la vie avait repris son cours normal. Isabelle Riopel ne put échapper une seconde fois à la visite médicale chez le docteur Babin et dès 13 heures, elle entrait dans le bureau du praticien pendant que sa bru prenait un siège dans la salle d'attente.

Quelques minutes plus tard, la sexagénaire quittait l'endroit avec une feuille où était noté un rendez-vous pour le surlendemain, le 23 janvier, à l'hôpital Sainte-Croix. Elle devait se soumettre à une batterie de tests. Le médecin n'avait pas du tout aimé son état de santé et il l'avait blâmée d'avoir tant tardé.

— Qu'est-ce qu'il vous demande? fit Brigitte en pointant du doigt la feuille que sa belle-mère tenait.

— Oh! test de sang, test d'urine, électrocardio-gramme... Tout le bataclan. Le pauvre, il veut absolument me trouver une maladie. Il va finir par m'en inventer une s'il en trouve pas, dit la vieille dame, beaucoup plus inquiète qu'elle ne voulait le laisser voir.

****

Chez André Marcotte, l'atmosphère n'avait guère changé depuis le début de la nouvelle année. Le cultivateur n'ouvrait pratiquement plus la bouche, sauf pour critiquer. Il n'avait rien expliqué à sa femme, mais de toute évidence, il était parvenu à payer les cotisations dues à l'impôt sans vendre quoi que ce soit. Il avait dû racler les fonds de tiroir pour y parvenir, mais Louise n'avait pas la moindre idée de l'endroit où il avait trouvé l'argent. Peut-être avait-il un ou deux comptes cachés dans des banques de Drummondville. Tout ce qu'elle savait, c'est que son mari avait encore sa grosse Cadillac noire et qu'il se murait dans un silence inquiétant.

Les beaux-parents étaient venus leur rendre une courte visite la semaine précédente. Pierrette et Jocelyn avaient dû remarquer l'état de leur fils parce qu'ils lui avaient offert, un peu à contrecœur, de se charger de la ferme s'il voulait aller se reposer une quinzaine de jours en Floride, comme il le faisait depuis cinq ans. André les avait à peine remerciés de leur offre et il l'avait repoussée – sans consulter sa femme – en prétextant manquer d'argent pour se payer une telle folie. Comme le père et la mère n'avaient pas proposé de lui en prêter, on avait vite changé de sujet de conversation.

Louise comprenait que son mari soit en colère contre ses parents qui avaient refusé de payer la moitié des cent mille dollars alors qu'ils avaient profité de la moitié des profits générés par la vente du sirop à titre de partenaires. C'était injuste, mais non surprenant. Quand on connaissait bien Pierrette Marcotte et son mari, on savait que l'argent avait toujours été leur première priorité dans la vie... Et leur fils aîné avait de qui tenir! Mais pourquoi s'en prenait-il à sa propre famille?

Ne voyait-il pas les effets de sa conduite sur sa propre fille? Nicole ne leur avait pas rendu visite une seule fois depuis la mi-novembre. Elle avait toujours des excuses à leur offrir pour ne pas venir les voir.

Le cas de Pascal était encore plus pathétique. L'adolescent avait travaillé tout l'été avec son père pour un montant d'argent de poche dérisoire. Le garçon de seize ans ne s'était jamais plaint. Élève de 5ᵉ secondaire depuis septembre, il s'était fait une petite amie qui habitait Saint-Cyrille. Il avait demandé à son père la permission de passer son permis de conduire comme cadeau de Noël. La réponse avait été brutale et sans appel: non. Inutile de dire que le fils obéissant s'était cabré et il boudait ostensiblement depuis ce refus.

Pour sa part, Louise était celle qui était prise entre tous les feux. Elle encaissait les sautes d'humeur de chacun. Selon les apparences, tout ce qu'on lui demandait, c'était d'être là, d'entretenir la maison, de cuisiner les repas et de parler le moins possible.

Peu à peu, ses deux sorties hebdomadaires au cinéma ne lui suffirent plus. Elle se sentait inutile quand elle s'enfermait durant tout un après-midi dans une salle à peu près déserte fréquentée surtout par des personnes âgées à cette heure de la journée. Alors, elle se mit à penser que trouver un emploi lui permettrait de rencontrer des gens intéressants et surtout, de passer plus de temps à l'extérieur de son foyer étouffant.

Quelques jours après la tempête, Louise fut bien servie par la chance. Elle faisait des emplettes sur la rue

Lindsay quand elle remarqua une offre d'emploi affichée dans la vitrine de chez Leblanc, marchand de papier peint, de tissu, de tapis et de divers types de revêtements de sol. Sans trop réfléchir, elle poussa la porte et demanda à voir le gérant de l'établissement.

Roger Lemay, un sexagénaire souriant, lui expliqua qu'il avait besoin d'une employée qui possédait des talents de vendeuse et de décoratrice d'intérieur. Il cherchait une personne pourvue d'une voiture et capable d'aller rencontrer des clients pour les conseiller et leur suggérer des choix. Le salaire proposé était décent. Le gérant offrait en plus un petit pourcentage sur les ventes réalisées au domicile des clients.

Louise affirma que ce travail était dans ses cordes. Son aplomb et son apparence soignée parlèrent en sa faveur. Lemay lui proposa de commencer à l'essai dès le lendemain matin. Elle accepta avec joie.

De retour chez elle, Louise attendit après le souper pour annoncer la nouvelle à André.

— Es-tu devenue folle ? lui demanda-t-il. T'as jamais travaillé de ta vie.

— Elle est bonne celle-là ! s'exclama Louise. J'ai jamais travaillé ?

— Je veux dire que t'as jamais travaillé pour un boss, en dehors de la maison. Ce que t'as fait là, ça a pas d'allure. T'oublies que t'as une maison à entretenir et des repas à faire.

— Je serai pas la première femme à travailler dehors et à s'occuper de sa maison en plus.

— Mais pourquoi t'as fait ça? Pourquoi tu m'en as pas parlé avant?

— Je m'ennuie à la maison. C'est plus comme au temps où les enfants allaient à l'école du village.

Je t'en ai pas parlé parce que tu me parles jamais de tes affaires toi non plus.

— Si je comprends ben, j'ai rien à dire. T'as déjà tout décidé, dit son mari en colère.

— En plein ça, répliqua-t-elle sur le même ton. J'ai fait ce que tu fais tous les jours avec moi.

André sortit du salon sans se retourner et il ne fut plus question de l'emploi de Louise.

La semaine suivante, son mari essaya bien, sans avoir l'air d'y toucher, de connaître le montant de son salaire et ce qu'elle en avait fait. Louise se contenta de lui dire de ne pas se mêler de ça... Elle-même ne s'en préoccupait pas trop, tant elle aimait le travail qu'elle avait trouvé chez Leblanc. Elle adorait aller chez les clients, examiner leur intérieur et leur conseiller des agencements de couleurs et des choix de papiers peints, de tapis ou de couvre-planchers. Lorsqu'elle les quittait, ils étaient généralement contents de ses services. En tout cas, Roger Lemay semblait assez satisfait pour lui avoir déclaré, la veille, que l'essai était terminé et qu'il l'engageait.

Lorsqu'elle demeurait au magasin, Louise laissait tout le temps nécessaire aux clients pour se faire une idée de ce qu'ils désiraient. Elle attendait en retrait, sans les importuner, prête à leur faire des suggestions s'ils le désiraient.

La quadragénaire ne se souvenait pas d'avoir été aussi heureuse depuis longtemps. Elle se sentait appréciée par les gens avec qui elle travaillait. Quand elle rentrait chez elle après sa journée de travail, elle ne ressentait aucune fatigue. Elle avait aménagé son horaire pour que les siens souffrent le moins possible de son absence du foyer. Elle avait limité au maximum les inconvénients causés par son absence le jeudi et le vendredi soir, où le magasin ne fermait ses portes qu'à 21 heures.

Malgré tout, André trouvait toutes sortes de raisons pour se plaindre de son absence de la maison et il ne ratait pas une occasion de lui faire remarquer que sa place était chez elle et non à courir à gauche et à droite. Il ne le disait pas ouvertement, mais il craignait surtout qu'on le dise incapable de faire vivre convenablement sa femme. Il connaissait suffisamment les gens de Saint-Anselme pour savoir qu'on n'allait pas se gêner pour en déduire qu'il était en difficulté au point d'envoyer sa femme travailler comme simple vendeuse.

Chapitre 31

L'accident

Le mois de février débuta très mal pour les Lequerré et les Riopel. Dix jours après qu'Isabelle fut allée passer ses tests à l'hôpital, le docteur Babin l'invita à passer à son bureau sans trop tarder.

Le mardi matin, Aurore vint prendre sa mère chez sa belle-sœur et elle la conduisit chez le praticien, au village. Il faisait −25 °C et la petite neige folle tombée durant la nuit précédente avait rendu la chaussée très glissante.

— On va enfin savoir ce que vous avez, m'man, dit Aurore en entrant dans la salle d'attente avec sa mère. En un mois et demi, vous avez dû perdre quinze livres.

— Perdre un peu de poids m'a juste fait du bien. Tu vas pas me dire, comme ton père le faisait de son vivant, qu'être maigre, ça fait pauvre?

— Non, mais je peux vous dire que dans votre cas, ça a pas l'air ben en santé. Est-ce que je peux entrer avec vous dans le bureau?

— Pourquoi? As-tu peur que j'entende pas ce que le docteur Babin va me dire? Je suis pas encore sourde, tu sais.

— Non, mais je m'inquiéterais moins si j'étais avec vous.

Isabelle garda le silence un instant avant de dire à sa fille:

— Tu peux ben venir; j'ai rien à cacher.

Quelques minutes plus tard, les deux femmes auxquelles s'était jointe Jacqueline Gadbois, la femme du restaurateur, virent sortir le curé Lanctôt du bureau du médecin.

— Je suis à vous dans quelques minutes, dit le médecin à ses clientes en refermant la porte de son bureau.

Le prêtre prit la peine de saluer chaleureusement ses paroissiennes avant de mettre ses couvre-chaussures et son manteau. Quand il fut sorti, l'épouse du restaurateur, une grande femme sèche à la langue acérée, dit à Aurore:

— Notre pauvre curé doit être venu chercher une prescription pour soigner sa tension.

— Pourquoi ça? Il a pourtant pas l'air malade, dit Isabelle.

— Il a pas la vie facile ces temps-ci, le pauvre homme.

— Comment ça? demanda Aurore, curieuse.

— Non seulement il doit endurer le caractère de cochon de Laure Dubé; mais voilà que Claudette Leduc vient de lâcher sa job de présidente de la fabrique et même de marguillière.

— Voyons donc! Qu'est-ce qui lui arrive à notre belle Claudette? demanda Isabelle, moqueuse.

— Il lui arrive, fit l'autre en baissant le ton, qu'elle a été vue sortant de l'Auberge Universelle de Drummondville, la main dans la main, avec un fonctionnaire de la MRC. C'est venu aux oreilles des autres marguilliers. Le notaire Deschamps a pas pu se retenir de lui parler des bruits qui couraient sur son compte. Il paraît que la Claudette est tout de suite montée sur ses grands chevaux et qu'elle a remis sa lettre de démission au curé sans une explication.

— J'ai ben de la misère à croire ça de Claudette Leduc, fit Aurore. C'est une femme qui a du plomb dans la tête et qui est ambitieuse sans bon sens. Ça me surprendrait qu'elle ait risqué de ruiner tout ce qu'elle a fait juste pour sauter la clôture. C'est pas son style. J'ai l'impression que quelqu'un essaie plutôt de lui nuire en partant des rumeurs sur son compte.

— C'est ben possible, dit la femme du restaurateur qui ne se sentait nullement visée par l'allusion d'Aurore. Mais, en plus, il paraît qu'elle était pas aux deux dernières réunions du comité d'école. Pour moi, elle est à la veille de lâcher ça aussi.

— Et son mari? demanda Isabelle.

— On n'en a pas entendu parler, conclut Jacqueline Gadbois. Si ça se trouve, cet innocent-là a pas entendu parler de rien et il se fie encore à sa sainte femme.

— Et c'est ça qui rend notre curé malade? demanda Aurore, un peu étonnée.

— Non, pas juste ça. D'abord, il paraît que le bordel est pris à Sainte-Monique. Les paroissiens sont pas contents d'avoir à se partager notre curé et ils veulent forcer l'évêque à leur trouver un prêtre à eux. Quelqu'un m'a dit qu'ils sont bêtes sans bon sens avec notre curé Lanctôt. Ils voudraient qu'il passe une semaine sur deux dans leur presbytère.

— Ils comprennent pas qu'il y a presque plus de prêtres? demanda Aurore.

— On le dirait. En plus, fit Jacqueline Gadbois, imaginez-vous que le curé et le mari de Laure ont construit au mois de décembre une petite cabane qu'ils ont installée sur la rivière, en face de la future maison du curé, au Carrefour des jeunes. Ils ont mis une petite fournaise à bois là-dedans et ils vont là une fois ou deux par semaine pour pêcher sur la glace.

— Il y a pas de mal à ça, fit Aurore.

— Non, mais ça fait trois fois en quinze jours que le curé retrouve sa cabane à l'envers. Il y a des malfaisants qui s'amusent à la renverser en la tirant avec leurs Skidoo. Étienne Dubé a essayé de passer là une nuit ou deux pour poigner les malfaisants qui font ça, mais il a pas été capable de rester toute la nuit. Il faisait ben trop froid. S'il avait pu chauffer, ça aurait été une autre histoire.

****

L'apparition du docteur Babin à la porte de son cabinet mit fin abruptement au bavardage de la femme du restaurateur. Le médecin invita Isabelle à entrer. Aurore suivit sa mère. Sitôt la porte refermée, le médecin pria les deux femmes de s'asseoir et il passa derrière son bureau. Il prit un air soucieux.

— Madame Riopel, j'ai reçu les résultats de vos tests et ils ne sont pas très encourageants.

— Comment ça? demanda la sexagénaire, la voix un peu vacillante.

— On est parvenu à contrôler votre diabète avec les médicaments que je vous ai prescrits. Là n'est pas le problème. Le problème, c'est votre cœur.

— Il a rien mon cœur, protesta faiblement Isabelle. Je m'essouffle un peu vite, mais vous l'avez dit vous-même, c'est un souffle. Personne meurt d'un souffle au cœur.

— Malheureusement, madame Riopel, d'après le cardiologue Demers qui a examiné votre électro-cardiogramme, il va falloir envisager un triple pontage. Vos artères sont trop bouchées et elles ne permettent pas à votre cœur de pomper suffisamment de sang.

Le visage d'Isabelle était devenu blanc et elle avait du mal à fixer son attention sur ce que le docteur Babin lui expliquait.

— Est-ce que c'est une opération dangereuse ? demanda Aurore.

— Pas particulièrement. Les cardiologues d'aujourd'hui font des pontages pratiquement tous les jours. En plus, avec les médicaments actuels, la durée de l'hospitalisation est pas mal plus courte qu'avant.

— Ça se ferait quand ? demanda la vieille dame en essayant de reprendre son aplomb.

— Là, on a un petit problème. Jérôme Demers pourrait vous faire hospitaliser à l'Institut de Cardiologie de Montréal au début de la semaine prochaine. Il opère là trois jours par semaine. Il m'a dit que si vous entriez dimanche après-midi, on vous ferait passer d'autres tests et on vous préparerait pour l'opération lundi et mardi. Mercredi, s'il n'y a rien de spécial, il pourrait vous opérer. Après l'opération, on va s'occuper de vous renforcir et de vous redonner un peu d'appétit. Perdre un peu de poids, c'est bon pour le cœur, mais il ne faut pas exagérer.

— J'espère que vous vous êtes pas mis dans la tête de me refaire en neuf, dit Isabelle, pas très rassurée par tout ce que lui disait son médecin.

— Non, non, ne vous inquiétez pas, madame Riopel, dit le docteur Babin en se levant. On va juste s'organiser pour que vous deveniez une centenaire en santé.

— Je sais pas si je dois souhaiter vivre aussi longtemps que ça, fit Isabelle en se levant à son tour.

— Pourquoi pas? Au fond, vous auriez à nous endurer qu'une trentaine d'années encore.

— C'est ben ça qui me fait le plus peur, répliqua Isabelle avec un pauvre sourire en prenant congé.

Le retour à la maison fut particulièrement triste. Quand Cyrille et sa famille apprirent la mauvaise nouvelle, le comportement de chacun changea involontairement. On prit un ton feutré et on évita de faire trop de bruit. Ce fut au point qu'Isabelle laissa éclater sa mauvaise humeur dès le lendemain.

— Aïe! Ça va faire! s'exclama-t-elle, à bout de patience. On se croirait dans un salon funéraire ou au cimetière. Je suis pas encore morte!

Le dimanche après-midi, la maison de Cyrille et de Brigitte s'emplit de membres de la famille venus souhaiter bonne chance à la sexagénaire. Avant son départ, Isabelle savait déjà qu'Alain et Lise allaient la conduire à l'Institut de Cardiologie de Montréal, que son frère Louis et sa femme viendraient la voir le lendemain. En outre, il était prévu que le surlendemain, Aurore et Bruno la visiteraient et que Cyrille et sa femme seraient à son chevet le jour de son intervention. Pour leur part, Colette et Ulric Gagné ainsi que son frère Bernard en compagnie de Pierre et Diane se proposaient d'aller la voir avant la fin de la semaine.

Vers 15 heures, Alain prit la petite valise préparée par sa mère et la mit dans le coffre de sa Chrysler. Après une distribution à la ronde de baisers, la vieille dame monta à l'arrière en compagnie de sa bru en faisant un dernier au revoir de la main. La grosse voiture quitta la cour sous une petite neige qui venait de se mettre à tomber doucement.

Ce soir-là, durant le souper, Brigitte ne put se retenir de dire à son mari :

— Ta mère a jamais fait ben du bruit, mais Seigneur, ce que la maison a l'air vide quand elle est pas là !

Il neigea ainsi toute la soirée et toute la nuit. Le lendemain matin, la neige avait cessé et il faisait passablement plus froid.

****

Après leur déjeuner, Cyrille et son cousin Richard se retrouvèrent dans la cour de ce dernier à bord de leur motoneige respective. Richard déposa dans le traîneau tiré par l'engin de son cousin un cinq litres d'essence, sa hache et sa scie à chaîne. Les deux hommes avaient l'intention de couper du bois tout l'avant-midi, comme ils le faisaient souvent depuis le début décembre.

Au commencement de l'hiver, ils avaient convenu de nettoyer ensemble leur boisé, au bout de leur terre. Par mesure de prudence, ils avaient décidé de travailler ensemble. C'est ainsi qu'ils abattaient des arbres et sciaient tantôt chez l'un, tantôt chez l'autre, accumulant les cordes de bois de chauffage qu'ils laisseraient sécher tout l'été et vendraient à l'automne.

Vers 9 heures 30, les deux hommes étaient occupés à ébrancher un vieil érable mort quand la scie à chaîne de Richard se coinça. Dans son effort pour la retirer du sillon où elle était bloquée, le quadragénaire brisa un maillon de la chaîne. Le moteur émit une plainte et la chaîne tomba dans la neige. Richard se mit à jurer tant qu'il put, mais le mal était fait. Il devait retourner à la maison pour réparer ou pour remplacer la chaîne.

Cyrille arrêta sa scie quand il vit son compagnon à genoux dans la neige, près de l'arbre.

— Qu'est-ce qu'il y a? demanda-t-il en s'essuyant le front.

— Ma maudite scie vient de me lâcher. La chaîne est cassée. Je vais être obligé de retourner à la maison pour la réparer.

— En as-tu une de spare au cas où tu serais pas capable de la réparer? Si t'en as pas, proposa Cyrille, tu peux aller dans ma remise, il y en a une pendue au mur, au-dessus de l'établi.

— Je pense que j'en ai une, dit Richard avec humeur. Je serai pas long.

Sur ces mots, il attacha sa scie à l'arrière de sa motoneige. Il enfourcha cette dernière et il la fit démarrer. Il disparut ensuite dans un nuage de neige soulevé par l'engin. Cyrille reprit seul le travail.

Une heure plus tard, comme son cousin n'était pas encore revenu, Cyrille commença à s'inquiéter. La réparation ou la pose d'une nouvelle chaîne n'était l'affaire que de quelques minutes. Ce n'était tout de même pas ce travail tout simple qui retardait à ce point Richard. Il laissa encore passer un quart d'heure.

Finalement, Cyrille décida de retourner à la maison pour voir ce qui se passait. Il remit sa scie et le bidon d'essence dans le traîneau et il reprit lentement le chemin de sa ferme. À la sortie du boisé, il accéléra durant la traversée d'une portion plane du champ qui s'ouvrait devant lui. Puis, il ralentit parce qu'il savait qu'une côte assez prononcée l'attendait quelques mètres plus loin. C'est en arrivant au sommet de cette côte qu'il aperçut la motoneige renversée de Richard.

Le cœur de Cyrille eut un raté. Le cultivateur accéléra pour s'arrêter près de l'engin tombé sur le côté dans la neige profonde, hors du sentier que leurs nombreux va-et-vient avaient tracé. Il regarda anxieusement autour de lui. Pourquoi son cousin n'avait-il pas relevé sa motoneige? Il était pourtant robuste. Même si le véhicule était pesant, Richard Bergeron était fort capable de le relever seul.

Brusquement, Cyrille réalisa que ce qu'il voyait devant lui, c'était des empreintes de pas, des pas qui se dirigeaient vers la ferme. Il accéléra en suivant les traces de pas. Deux minutes plus tard, il aperçut Richard qui marchait péniblement, enfonçant presque jusqu'aux genoux dans la neige.

Richard entendit son cousin arriver derrière lui et il s'arrêta.

— Qu'est-ce qui t'est arrivé? demanda Cyrille en regardant le visage ensanglanté de son cousin.

Au moment où Richard allait lui raconter ce qui s'était passé, Cyrille réalisa dans quel état était son cousin.

— Laisse faire, tu me raconteras ça plus tard. Embarque! On s'en va à la maison. Je m'occuperai plus tard de ton Skidoo.

Cyrille conduisit prudemment jusqu'à la maison de Richard et il l'accompagna à l'intérieur.

— Vous revenez ben de bonne heure, leur cria Jocelyne de la salle de bain où elle était occupée à plier des vêtements fraîchement séchés.

— On a eu un petit problème, répondit Cyrille qui aidait Richard à retirer son manteau.

— Quel petit problème? demanda Jocelyne en entrant dans la cuisine. Mon Dieu! s'exclama-t-elle en apercevant le visage couvert de sang de son ami, qu'est-ce qui s'est passé? Assieds-toi, Richard, lui commanda-t-elle. Je vais aller chercher une serviette pour te nettoyer le visage.

— Je sais pas ce qui s'est passé, répondit Cyrille pendant que Richard grimaçait de douleur en se tenant le bras.

Jocelyne essuya le visage de son compagnon et elle mit à jour deux coupures peu profondes au front et à une joue. Elle les nettoya avec de l'alcool et les couvrit avec du sparadrap.

— Où as-tu mal? demanda-t-elle.

— Au bras droit et à l'épaule, dit-il en grinçant des dents. Le Skidoo m'est tombé dessus. Je peux presque plus bouger le bras. Je roulais normalement quand j'ai pas braqué assez vite sur une lame de neige durcie. Au lieu de monter sur la lame, la maudite machine l'a poignée de côté. J'ai pas été capable de le relever. J'ai été obligé de marcher un bon bout...

— Bon, on s'en va à l'hôpital tout de suite, décida Jocelyne. Ils vont te faire des radiographies et on va savoir ce que t'as.

— Attends, fit Cyrille. Je vais y aller avec vous autres. Je téléphone tout de suite à Brigitte de s'occuper de tes deux gars si on est pas revenus avant 4 heures.

— Aïe! On va être revenus! s'exclama Richard en grimaçant. Il est même pas 11 heures.

— Cyrille a raison, fit Jocelyne. On est aussi ben de pas prendre de chance. On sait jamais. Des fois, on attend pas mal longtemps à l'urgence de l'hôpital.

Comme pour donner raison à Jocelyne, Richard Bergeron passa l'après-midi à l'urgence de l'hôpital Sainte-Croix de Drummondville en compagnie de son amie et de Cyrille. On radiographia son épaule et son bras et on l'envoya attendre plus d'une heure au service d'orthopédie où l'orthopédiste Robert Lahaie finit par le recevoir.

Pendant que Jocelyne et son mari entraient dans le bureau du spécialiste, Cyrille attendait avec de plus en plus d'impatience.

Quelques minutes plus tard, le couple sortit du bureau, la mine défaite.

— Tu parles d'une maudite malchance, jura Richard dont le bras avait été mis dans une attelle. Ils sont obligés de m'opérer à l'épaule. Il paraît que la tête de l'os du bras a éclaté. Le docteur sait même pas s'il va devoir me poser une boule en plastique ou s'il pourra installer un crochet avec des cordes en dacron. En tout cas, il veut m'opérer dès demain après-midi et je dois coucher à l'hôpital.

— C'est pas vrai! s'exclama Cyrille.

— Ben oui, fit Jocelyne, la mine inquiète. Ils vont le garder à peu près une semaine et après, il va être obligé de faire de la physiothérapie pendant six mois, six jours par semaine.

— Bon, mais là, qu'est-ce que vous faites?

— On va aller remplir sa fiche d'entrée et ils vont lui donner une chambre. Après, il va falloir se dépêcher à revenir à la maison pour le train et après le souper, je vais revenir avec les enfants pour apporter à Richard une valise avec ses affaires.

— Dépêchez-vous pas pour rien, dit Cyrille. Pendant que vous allez remplir toute la paperasse de l'entrée de Richard, je vais aller appeler Brigitte pour qu'elle fasse mon train avec mes gars. Elle demandera à Aurore d'envoyer Momon faire ton train.

Richard fut rapidement installé dans une chambre commune qu'il partageait avec trois autres patients. L'infirmière lui donna un puissant analgésique, ce qui n'empêcha nullement le quadragénaire de pester contre la petite jaquette bleue qu'on lui avait passée avant de le mettre au lit.

— J'ai le derrière à l'air avec cette affaire-là. Apporte-moi un pyjama au plus sacrant, commanda-t-il à Jocelyne avant de sombrer peu à peu dans le sommeil.

— Je vais lui apporter aussi des pantoufles et surtout une robe de chambre, dit la jeune femme à Cyrille en sortant à ses côtés de l'hôpital. Je connais Richard. Après l'opération, il sera pas tenable et il va passer son temps à vadrouiller à gauche et à droite comme une queue de veau dans tout l'hôpital jusqu'à temps où il trouvera une place pour fumer. Je suis pas pour le laisser se promener nu-pieds dans les couloirs et il pourra jamais endurer de porter une veste de pyjama à cause de son épaule. Pour lui, ça va être dur.

— Il va s'en relever, dit Cyrille pour lui remonter le moral.

— Il va surtout se lamenter du matin au soir, dit Jocelyne avec un pauvre sourire. Richard est pas endurant pour cinq cennes. Le pire, c'est quand il va revenir à la maison après l'opération. Lorsqu'il va s'apercevoir qu'il peut presque rien faire juste avec un bras, ça va être l'enfer dans la maison.

Ils rentrèrent à Saint-Anselme sans problème. Jocelyne retrouva ses fils attablés devant une collation chez Brigitte. Sylvie était allée les chercher au moment où l'autobus scolaire les déposait devant leur porte.

Une heure plus tard, Cyrille téléphona à sa voisine pour lui dire de ne pas s'en faire avec les soins à donner aux animaux, Pierre Marcotte, Bruno Lequerré et lui allaient s'en charger aussi longtemps que ce serait nécessaire. Ça ne posait pas de problème puisqu'ils avaient la chance d'avoir tous les trois de l'aide. Momon aidait Bruno, Pierre avait l'aide de son fils Frédéric et lui pouvait toujours compter sur Marc et Éric avant et après les classes. Jocelyne le remercia chaleureusement et elle raccrocha, grandement soulagée par cette générosité de ses voisins. Il lui vint bien à l'idée de vérifier si on avait demandé sa contribution à André Marcotte puisque c'était un cousin de Richard, puis elle y renonça. Cela n'aurait servi à rien.

Le lendemain matin, Cyrille était dans l'étable de son cousin dès l'aube. Il y fut rejoint par Jocelyne qui ne voulait pas laisser toute la corvée aux autres. Cyrille la renvoya rapidement à la préparation du déjeuner de Jean-Pierre et de Sylvain. Avant de quitter la ferme, il s'arrêta un instant pour lui souhaiter bonne chance et rappeler aux garçons de se faire déposer par l'autobus scolaire devant chez lui à la fin de l'après-midi. Cyrille supposait que Jocelyne voudrait assister au réveil de son compagnon quand on le ramènerait dans sa chambre, après l'intervention chirurgicale.

— Presse-toi pas de revenir, lui conseilla Cyrille. On est capables de les faire souper et même de les garder à coucher, si ça te convient. On a de la place. Je comprends que tu te sentes énervée. Ma mère est opérée demain à Montréal et ça me met sur les nerfs, moi aussi.

****

Vers 18 heures, Brigitte vit Jocelyne descendre de son auto devant sa porte et elle s'empressa d'aller lui ouvrir.

— Entre et enlève ton manteau, lui dit-elle. T'arrives juste à temps pour souper avec nous autres.

— Voyons donc, mon souper est prêt. Je l'ai préparé avant de partir à midi, protesta Jocelyne en enlevant son manteau tout de même.

Marc alla chercher une autre chaise dans la cuisine d'été et il la déposa près de la chaise de Sylvain qui s'était immédiatement levé à l'arrivée de l'amie de son père, pour avoir des nouvelles de ce dernier.

— C'est pas grave, tu le serviras demain midi, dit Brigitte en lui indiquant une place pendant que Sylvie servait un morceau de bœuf et des légumes à la nouvelle arrivée.

Tout le monde se rassit, soudainement attentif aux nouvelles que Jocelyne apportait.

— Puis, comment ça s'est passé ? fit Brigitte.

— Pas trop mal. D'après le docteur Lahaie, l'opération a ben réussi. Il ne lui a pas posé une boule de plastique en fin de compte. Il a pris la chance de lui poser un crochet et des cordes en dacron. Il paraît que ça va être beaucoup mieux. En tout cas, Richard devrait pouvoir sortir de l'hôpital lundi ou mardi prochain.

— Est-ce qu'il est resté longtemps sur la table d'opération ? demanda Cyrille.

— Trois heures. Il est sorti à 4 heures de la salle d'opération. Une demi-heure après, il s'est réveillé à peu près deux minutes avant de se rendormir. Quand je suis partie, la garde-malade m'a dit qu'il dormirait comme ça toute la soirée. J'aurais voulu rester là toute la soirée, mais elle m'a dit que c'était inutile, qu'il se rendrait même pas compte que j'étais là.

— L'important, c'est que tu nous apportes des bonnes nouvelles. C'est déjà ça de pris, fit Brigitte.

Après un souper rapide, au moment où Jocelyne s'apprêtait à rentrer chez elle, Cyrille lui dit:

— Ah! j'oubliais de te dire. Pierre et moi, on est allés chercher le Skidoo de Richard cet après-midi. Il a rien de brisé. On l'a mis dans la remise.

— Vous êtes ben fins tous les deux, dit la jeune femme reconnaissante. Hier soir, Richard avait l'air pas mal soulagé quand je lui ai dit que Pierre, Bruno et toi, vous vous chargiez du train. Mais vous aurez pas trop longtemps à le faire. Je suis arrêtée en revenant chez le beau-père au Petit Foyer et il m'a dit qu'il allait s'en occuper dès demain après-midi. Tout ce qui l'empêche de venir demain matin, c'est que Cadieux est en train de réparer son char et qu'il a pas de moyen de transport.

— Dis-moi pas que t'avais pas encore raconté à mon oncle Louis l'accident de Richard? demanda Brigitte, étonnée.

— Non, je voulais pas l'inquiéter pour rien. J'ai attendu que Richard soit opéré et que tout soit fini avant de lui en parler.

****

Deux heures plus tard, Aurore et Bruno s'arrêtèrent quelques minutes chez Cyrille et Brigitte pour leur donner les dernières nouvelles de l'état de santé d'Isabelle.

— M'man a l'air d'aller un peu mieux, affirma Aurore après avoir avalé une gorgée de la tasse de café que sa belle-sœur venait de lui servir. Elle avait l'air contente de nous voir arriver et elle vous attend demain. Elle était ben désolée pour Richard. Elle nous a demandé de lui donner de ses nouvelles après son opération. Je pense que je vais l'appeler tout à l'heure pour lui dire que tout s'est ben passé. Ça va la soulager.

— Et ses tests? demanda Cyrille.

— D'après l'infirmière que j'ai vue, tout est correct. Rien l'empêche d'être opérée demain matin, à moins que le cardiologue soit pris ailleurs par une urgence. Quand on est partis, la garde-malade lui a donné un somnifère. Elle devrait ben dormir cette nuit. En tout cas, l'opération a pas l'air de trop l'énerver. Elle a surtout hâte de revenir à la maison.

— On va être là de bonne heure demain, assura Cyrille.

— Ça ne servirait pas à grand-chose d'arriver trop tôt, fit Bruno. Il paraît que même si l'intervention a lieu au début de l'avant-midi, elle sera placée aux soins intensifs au moins jusqu'à la fin de l'après-midi, sinon plus. Je pense que le mieux serait de téléphoner avant de faire le voyage.

— Surtout qu'on annonce une autre bordée de neige d'une quinzaine de centimètres pour demain, ajouta Brigitte. Ça va être une drôle de Saint-Valentin pour tout le monde. C'est de valeur qu'elle ait pas pu être opérée ici, à Drummondville.

— En tout cas, j'ai l'impression qu'ils vont se souvenir pendant un petit bout de temps d'Isabelle Riopel, fit Aurore en affichant un petit sourire en coin.

— Qu'est-ce qu'elle a encore fait? demanda Cyrille.

— Elle a pas fait de mauvais coup, mais elle s'est organisée pour se faire remarquer, comme d'habitude. On la changera pas. Il paraît que pas une garde-malade a pu la convaincre de se laisser aider pour faire sa toilette. M'man s'est fâchée et les a envoyées promener. Quand l'aumônier est passé cet après-midi pour l'encourager, elle l'a traité d'oiseau de malheur.

— En plus, fit Bruno en riant, elle a critiqué tous les repas qu'on lui a servis depuis son arrivée dimanche. L'infirmière-chef m'a dit qu'on lui avait offert d'aller manger à la cafétéria si elle n'était pas satisfaite. La belle-mère lui aurait répondu qu'elle payait déjà pour les soins de santé, que ça comprenait les repas, qu'elle n'avait pas à payer deux fois et que c'était à l'institut de s'organiser pour lui donner quelque chose de mangeable.

— Il faut ben qu'elle soit ailleurs pour vouloir manger, fit remarquer Brigitte. Ça faisait un mois qu'elle mangeait presque rien ici.

— Bah! Tu connais m'man, dit Aurore. Quand elle se met dans la tête d'être haïssable, elle est capable de l'être, juste pour faire enrager le monde. Bon, c'est ben beau tout ça, mais on n'est pas encore à la maison et il nous reste à téléphoner aux autres pour leur donner des nouvelles.

Sur ces mots, Aurore et Bruno rentrèrent chez eux.

Ce soir-là, avant de s'endormir, les Lequerré et les Riopel eurent une pensée pour Isabelle qui, seule, à Montréal, allait passer sous le bistouri le lendemain matin.

****

Le lendemain matin, à l'aube, il neigeait faiblement quand Aurore écarta les rideaux de sa chambre.

— Là, je commence à être écœurée de la neige, fit la quadragénaire, en remettant en place les rideaux. Il neige encore. Il me semble que ça tombe comme ça depuis des mois et des mois.

Bruno s'abstint de tout commentaire. Il s'empressa de se diriger vers la salle de bain quand il entendit Julien et Momon bouger à l'étage.

Quand les trois hommes se présentèrent à la cuisine, ils burent rapidement une tasse de café avant de sortir à l'extérieur.

— Carole et moi, on n'a pas de cours à l'université ce matin, dit Julien à son père. Je vais donner un coup de main à Momon, puis j'irai vous rejoindre chez Richard pour finir son train.

Bruno acquiesça avant de se diriger vers sa vieille Dodge pendant que Julien rejoignait Momon qui entrait déjà dans l'étable.

Chapitre 32

Isabelle

Qui aurait pu prévoir ce qui arriverait en cette Saint-Valentin de 1981? Personne. La journée, commencée à peu près normalement, allait tourner au drame sans que quiconque puisse intervenir pour en changer le cours.

Ce matin-là, il tombait une faible neige, mais la météo annonçait des précipitations plus importantes durant le courant de la journée. On parlait d'une quinzaine de centimètres de neige qui viendraient s'ajouter à tout ce qui était déjà tombé depuis le début de l'hiver.

Un peu après 8 heures, chez les Riopel, le calme était revenu dans la maison. Les jeunes avaient quitté la maison les uns après les autres. Paule avait fait monter Marc en passant pour le laisser devant l'église où l'autobus de l'école Casgrain le prendrait. Sylvie était partie au cégep avec son amie qui passait la prendre chaque matin. Enfin, Éric venait de monter à bord de l'autobus scolaire. Brigitte finissait de ranger la cuisine et Cyrille s'apprêtait à sortir quand ils entendirent une voiture s'arrêter dans leur cour. Le mari et la femme eurent tous les deux le même réflexe, celui de se tourner vers une fenêtre pour identifier leur visiteur aussi matinal.

— Alain! Qu'est-ce qu'il fait dehors si de bonne heure? demanda Brigitte à son mari.

— Attends. Donne-lui une chance d'entrer. On va ben finir par le savoir, répondit Cyrille en allant ouvrir la porte à son frère.

La mine sombre de son cadet le surprit un peu.

— Sacrifice! On dirait que t'as perdu un pain de ta fournée, monsieur le gérant.

Alain eut un sourire contraint et embrassa sa belle-sœur avant d'enlever son manteau et ses couvre-chaussures.

— Boirais-tu une tasse de café?

— Ce serait pas de refus, fit Alain.

— Qu'est-ce qui t'amène de bonne heure comme ça? finit par lui demander Cyrille, tout de même un peu intrigué par l'air de son frère.

— Je viens de recevoir un coup de téléphone de Montréal, dit Alain à voix basse.

— De l'Institut de Cardiologie? demanda Brigitte.

— Oui.

— Ils retardent l'opération, c'est ça, hein? demanda Cyrille. Envoye, accouche! s'exclama-t-il avec humeur. Est-ce qu'il va falloir une paire de pinces pour savoir?

— Non, finit par dire Alain. L'opération sera pas nécessaire...

— Comment ça, pas nécessaire? Ils viennent de lui faire passer toutes sortes de tests et hier, ils ont dit à Aurore que m'man allait être opérée aujourd'hui. Savent-ils ce qu'ils font, eux autres? s'emporta Cyrille.

Soudainement, la vérité se fit jour dans l'esprit de Brigitte qui pâlit subitement et étreignit le bras de son mari.

— Tu veux tout de même pas dire qu'elle est...

Alain, les yeux plein d'eau, regarda son frère et sa belle-sœur et il hocha la tête.

— Elle est pas morte? Ça se peut pas! fit Cyrille. Elle était correcte hier soir, on devait aller la voir aujourd'hui. Elle peut pas être morte toute seule, comme un chien. Comment ça se fait?

— On le sait pas trop. L'infirmière de garde dit qu'elle dormait à 4 heures cette nuit et qu'elle respirait normalement. Quand elle a fait sa tournée, une heure plus tard, m'man respirait plus. Son cœur s'était arrêté. Elle m'a dit qu'ils ont tout fait pour la faire revenir à elle, mais c'était trop tard.

Il y eut plusieurs longues minutes de silence dans la cuisine où seuls s'entendaient les tic-tac de l'horloge. Chacun essayait de surmonter son chagrin. Finalement, Cyrille alla s'essuyer le visage dans la salle de bain et revint s'asseoir aux côtés de son frère.

— Comment ça se fait qu'ils t'ont appelé?

— C'est Lise et moi qui étions avec elle dimanche après-midi quand elle est entrée à l'Institut. On a laissé notre numéro de téléphone en cas d'une urgence.

— As-tu averti Aurore?

— Pas encore. J'espérais que tu viendrais avec moi. Ça va être difficile en maudit de lui apprendre la nouvelle.

— On va y aller ensemble, dit son frère. Est-ce que Lise a prévenu quelqu'un de la famille?

— Non. Elle pense que Brigitte connaît les Bergeron et les Marcotte ben mieux qu'elle et qu'elle va savoir comment leur parler.

— Je les appellerai quand on sera revenu de chez Aurore, décida Brigitte.

Quand tous les trois se présentèrent à la porte des Lequerré quelques minutes plus tard, c'est Aurore qui vint leur ouvrir.

— Mon Dieu! De la grande visite! s'exclama-t-elle. Qu'est-ce qui me vaut l'honneur?

Puis les paroles suivantes moururent sur ses lèvres lorsqu'elle remarqua la mine attristée de ses visiteurs.

— Qu'est-ce qu'il y a? Qu'est-ce qui est arrivé? demanda-t-elle, soudainement alarmée. Bruno! cria-t-elle en se tournant vers la chambre à coucher où son mari achevait de changer de vêtements.

Ce dernier sortit de la pièce en bouclant la ceinture de son pantalon.

— Qu'est-ce qui se passe?

Brigitte prit sa belle-sœur par les épaules et lui dit:

— C'est ta mère, Aurore.

— Quoi, ma mère? Elle est pas déjà opérée. Il est ben trop de bonne heure pour ça.

— Non, elle est pas opérée. Elle est partie pendant qu'elle dormait aux petites heures à matin. Ils ont rien pu faire pour la sauver.

— Non, c'est pas possible! Pas m'man! éclata Aurore, au bord de la crise de nerfs. On l'a vue hier soir, elle était en pleine forme et elle avait hâte de sortir de l'hôpital...

Bruno prit sa femme par les épaules et la serra contre lui pendant qu'elle était secouée de sanglots convulsifs. Il avait lui-même du mal à dissimuler sa peine. Sa belle-mère avait toujours été comme une seconde mère pour lui. Elle l'avait accueilli à son arrivée en 1956. Elle l'avait hébergé et soigné durant plusieurs semaines après son accident. C'est elle qui avait poussé Aurore à le fréquenter et à l'épouser. C'était une femme extraordinaire dont l'humour allait cruellement lui manquer.

— Aurore, finit par dire Brigitte qui avait du mal à contrôler son émotion, occupe-toi pas de la parenté, je vais la prévenir. Je vais aussi m'informer à l'Institut de Cardiologie pour savoir quand on doit aller signer des papiers et ramener ta mère ici.

Aurore pleurait à fendre l'âme et ne sembla même pas avoir entendu sa belle-sœur.

— Essaie tout de même de prendre un peu sur toi, fit Brigitte avec toute la compassion dont elle était capable. Je reviendrai te voir cet après-midi.

Sur ces mots, Brigitte fit signe à Cyrille et à Alain, demeurés silencieux depuis leur entrée chez leur sœur, de la suivre.

À leur retour à la maison, Brigitte appela sans plus attendre à l'Institut de Cardiologie de Montréal. On l'informa qu'elle pouvait passer signer les papiers et reprendre les effets de la personne décédée quand elle le désirerait.

Cyrille et son frère décidèrent d'y aller immédiatement au cas où les conditions routières empireraient plus tard avec la neige qui s'était mise à tomber.

Au moment de leur départ, Brigitte était déjà en communication téléphonique avec l'oncle Bernard qui, six mois auparavant, avait perdu sa Pauline. Diane vint au téléphone quand elle se rendit compte que son beau-père demeurait sans réaction au bout du fil. La quadra-génaire lui expliqua que sa belle-mère était décédée subitement quelques heures auparavant. Elle eut à peu de chose près la même réaction que Colette et Louis, la sœur et le frère de sa belle-mère. Ils ne parvenaient pas à comprendre que la plus jeune d'entre eux soit disparue si rapidement. Louis, qui avait été son voisin durant plus de trente ans, semblait inconsolable et c'est Carmen, sa femme, qui dut venir remercier Brigitte de son appel.

À l'heure du dîner, Cyrille et son frère sortirent de l'Institut de Cardiologie. Ils avaient signé tous les formulaires qu'on leur avait tendus, mais ils avaient refusé qu'on autopsie le corps de leur mère. Cette dernière serait transportée le soir même chez Albert Duchesne de Saint-Cyrille, s'ils parvenaient à se rendre à son salon funéraire.

Alain et Cyrille déneigèrent la Chrysler et décidèrent de rentrer sans dîner dans un restaurant. La chaussée était de plus en plus glissante et ils craignaient d'avoir du mal à traverser le pont-tunnel Louis-Hippolyte-Lafontaine s'ils tardaient trop à l'emprunter. En plus, ils étaient trop bouleversés pour avoir faim.

Ils revinrent de Montréal à 90 km/h par l'autoroute Jean-Lesage. À Saint-Cyrille, ils s'arrêtèrent chez l'entrepreneur de pompes funèbres et ils choisirent le cercueil dans lequel leur mère serait exposée à compter du lendemain soir.

— Le corps sera-t-il enterré ou incinéré? demanda Albert Duchesne de sa voix apaisante.

— Ben, je suppose qu'elle aurait aimé être enterrée, fit Cyrille, incertain.

— Avez-vous eu le temps de vérifier dans ses papiers? La plupart du temps, vous savez, les personnes âgées pensent à notifier par écrit leurs dernières volontés.

— Ça me surprendrait. Ma mère est morte subitement. C'est pas comme quand on meurt d'une longue maladie, dit Alain.

— Quand même, fit l'entrepreneur. Remarquez, pour moi, ça ne fait pas une grande différence. Mais si vous avez à cœur de respecter les dernières volontés de votre mère...

— O.K., fit Cyrille. En rentrant, on va regarder dans ses papiers. On sait jamais.

— En même temps, peut-être pourriez-vous vous informer auprès du curé de votre paroisse quand auront lieu les funérailles.

— On va faire ça aussi, assura Alain en se levant.

À leur sortie du salon funéraire, en prenant place dans la Chrysler noire de son cadet, Cyrille proposa:

— Un coup partis, on est aussi ben de s'arrêter en passant au presbytère pour savoir quand le curé Lanctôt pourra célébrer les funérailles.

Les deux frères commençaient lentement à apprivoiser leur douleur et à imaginer que leur mère n'était plus.

— Est-ce qu'on réserve aussi un buffet? demanda Alain. Ça redevient à la mode de réunir toute la famille et les amis après les funérailles.

— Oui, je sais, fit Cyrille, mais je suis pas pour ça. Je trouve que c'était nécessaire quand les gens venaient de loin et qu'il fallait les nourrir avant qu'ils rentrent chez eux, mais pour m'man, toute la famille et les connaissances restent à Saint-Anselme et autour.

— Le problème, c'est que ça a l'air cheap en maudit de rien offrir au monde après les funérailles.

— Ben, ça aura l'air cheap, fit Cyrille. Les gens penseront ce qu'ils voudront. Il me semble que c'est facile à comprendre qu'après des funérailles, la famille a pas le goût de fêter, ni même de parler...

— O.K., O.K., énerve-toi pas, dit Alain sur un ton conciliant. Je disais ça en passant.

Cyrille et Alain s'arrêtèrent au presbytère de Saint-Anselme et ils eurent la chance de tomber sur le curé Lanctôt qui se préparait à partir avec Étienne Dubé. Le prêtre prit tous les renseignements nécessaires et prévint les deux frères qu'il irait prier au corps le lendemain soir. Pour les funérailles, il fut entendu qu'elles auraient lieu le samedi matin, à 10 heures.

À leur sortie du presbytère, la neige avait enfin cessé de tomber, mais le froid était devenu plus vif. Cyrille dit à son frère :

— Si ça continue, je vais finir par haïr le samedi. En deux ans, ça va faire les troisièmes funérailles que j'ai ce jour-là. Le beau-père l'an passé, ma tante Pauline cet été et maintenant, m'man.

Alain laissa son frère chez lui avant de rentrer à Nicolet. Chez Cyrille, Marc et Éric retenaient difficilement leurs larmes. Ils venaient d'apprendre que leur grand-mère, celle avec qui ils avaient toujours vécu, était morte. Après le train, les deux adolescents s'étaient retirés dans leur chambre.

Après le souper, Brigitte et son mari explorèrent les tiroirs d'Isabelle. Nulle part, ils ne découvrirent un document où elle expliquait quoi faire de son corps. Par contre, ils mirent la main sur une police d'assurance-vie dont une partie de la prime allait servir à défrayer le coût de ses funérailles.

Les Riopel se rendirent au début de la soirée à Saint-Cyrille chez Duchesne avec la plus belle toilette de la disparue et ils firent savoir à l'entrepreneur que faute d'un document exprimant une volonté précise, Isabelle Riopel serait inhumée aux côtés de son mari, dans le cimetière paroissial.

Au retour, le couple s'arrêta quelques minutes chez Aurore. Cette dernière dormait. Bruno l'avait forcée à prendre un somnifère. Carole et Julien vinrent offrir leurs condoléances à leur oncle et à leur tante. Eux aussi éprouvaient beaucoup de peine.

— Ton cousin Pierre et ton oncle Bernard sont venus avec Diane avant le souper pour tenter de consoler Aurore, dit Bruno. Ça lui a fait un peu de bien.

Le reste de la semaine se déroula comme dans un rêve pour les familles en deuil. Durant deux jours, le salon funéraire Duchesne accueillit une foule de gens de 14 heures à 22 heures. Les familles Lequerré, Bergeron et Riopel assuraient une présence permanente près du cercueil d'Isabelle.

Aurore, le visage blême et vêtue d'une stricte robe noire, s'était appropriée le premier fauteuil situé près du cercueil de sa mère adoptive. Elle ne parvenait pas à détacher ses yeux du visage de celle qui avait été pour elle plus qu'une mère. Elle résista farouchement à toutes les tentatives de son entourage pour l'éloigner un peu. Elle ne parvenait pas encore à concevoir sa vie sans elle.

Les frères et la sœur de la disparue n'étaient toujours pas remis du choc de son départ subit. Dans le salon funéraire, ils formaient un petit groupe avec leurs conjoints et leurs connaissances.

— C'est la relève de la garde, on dirait, dit tristement Ulric Gagné, le mari de Colette. Les plus vieux partent les uns après les autres et laissent la place aux plus jeunes.

Bernard, frappé par un second deuil en moins de six mois, se contenta de secouer la tête.

— C'est vrai ce que tu dis là, Ulric, approuva Louis. Il y a pas si longtemps, on trouvait presque normal de voir partir nos oncles, nos tantes et nos parents. On les trouvait vieux. C'est maintenant notre tour. Quand ben même on voudrait pas, c'est ça qui va arriver.

— Ben, ça presse pas, fit sa femme, Carmen, dont la peur de la mort était bien connue de tous.

— Voyons, Carmen, y penser fait pas crever plus vite, tu sais, dit Colette.

— Je le sais ben, mais j'aime pas ça en entendre parler. Ça me fait peur.

Le vendredi soir, après la dizaine de chapelet que le curé Lanctôt était venu réciter avec la famille éprouvée, il y eut un moment émouvant. Les enfants et les petits-enfants se mirent à rappeler à mi-voix les bons mots et les blagues dont Isabelle avait été l'auteure. Les rires et sourires suscités n'étaient pas loin des larmes qui perlaient au coin des yeux de certains.

Le samedi matin, c'est sous un ciel gris et au son du glas qu'on se massa sur le parvis de l'église Saint-Anselme pour accueillir le corbillard dans lequel était transporté le corps d'Isabelle Riopel.

La petite foule s'engouffra frileusement derrière les porteurs à l'intérieur du temple où le curé Lanctôt célébra des funérailles émouvantes. Durant la cérémonie toute simple, Marc et Julien vinrent, à tour de rôle, rappeler aux fidèles quelle femme extraordinaire avait été leur grand-mère et lui dire un dernier adieu.

Chapitre 33

Une fin d'hiver pénible

Mars arriva et l'hiver ne relâcha pas son étreinte. Si la dernière semaine de février avait été marquée par des froids records, les dix premiers jours de mars connurent des chutes de neige quasi quotidiennes. Les gens aspiraient au printemps, mais aucun signe encourageant n'était entrevu.

Ce mardi matin-là, à l'hôtel de ville de Saint-Anselme, Jeannine Lambert était en colère. Depuis une heure, la secrétaire municipale cherchait à joindre Richard Miron et Fernand Turcotte. Les deux employés municipaux n'étaient pas chez eux et ils ne s'étaient pas présentés à l'hôtel de ville, comme ils étaient tenus de le faire chaque matin.

Finalement, la chance sourit à la secrétaire quand René Cadieux, venu chercher un formulaire, lui apprit avoir vu la charrue arrêtée devant l'épicerie Gagnon. La secrétaire s'empressa d'appeler Marcel Gagnon.

— Monsieur Gagnon? Ici, Jeannine Lambert. Pourriez-vous demander à monsieur Miron ou à monsieur Turcotte de passer de toute urgence à l'hôtel de ville?

— Voulez-vous les avoir tous les deux? demanda Marcel Gagnon. Ils sont tous les deux ici.

— Ce serait encore mieux! s'exclama la secrétaire. Oui, tous les deux, s'il vous plaît... Et dites-leur que ça presse. Merci beaucoup, monsieur Gagnon.

La secrétaire reposa l'écouteur et se mit à tambouriner sur son bureau en attendant avec une impatience croissante l'arrivée des deux employés.

Miron et Turcotte arrivèrent sans se presser. L'inspecteur s'accouda au comptoir derrière lequel officiait Jeannine Lambert.

— Qu'est-ce qui se passe encore? demanda-t-il d'un ton peu amène.

— Monsieur Miron, depuis que je suis entrée ce matin, j'arrête pas de recevoir des plaintes des cultivateurs des rangs Sainte-Anne, Sainte-Marie, Saint-Joseph et Saint-Édouard qui disent que le chemin a pas été nettoyé par la charrue depuis hier soir et qu'il est dangereux. Comment ça se fait?

— Ah! ça, c'est pas mon problème, ma bonne dame. Moi, j'ai passé la charrue dans le village et dans le rang Saint-Louis trois fois dans la soirée et ce matin. C'est pour ça que je suis pas venu voir à l'hôtel de ville s'il y avait quelque chose à faire. Je manquais pas d'ouvrage.

— Vous êtes l'inspecteur municipal, non ?

— Oui et je fais ma job. Pour Fernand, je vous ai avertie il y a trois semaines qu'il avait décidé de prendre en journées de congé tout l'overtime fait depuis le début de l'hiver et que le conseil a pas voulu lui payer. Je l'ai calculé avec lui : ça lui fait six jours de congé à prendre. Il m'a averti hier après-midi qu'il commençait à les prendre aujourd'hui. J'ai rien à dire. C'est par hasard que je l'ai rencontré chez Gagnon ce matin. Le chanceux, il est en vacances.

— Voyons donc, ça a pas de bon sens ! On a besoin des deux charrues pour nettoyer les routes de la municipalité ! Qui va conduire l'autre charrue ? s'énerva la secrétaire.

— Il va falloir que le conseil trouve un autre homme. Moi, je peux pas me diviser en deux. Je peux en conduire juste une à la fois.

— C'est fin, ça ! dit la secrétaire en claquant le registre ouvert devant elle. Bon, je vais appeler le maire. On va ben voir ce qu'il va en dire.

Comme à son habitude, Fernand Turcotte demeura silencieux, debout derrière son patron qui se tourna discrètement vers lui pour lui adresser un clin d'œil plein de sous-entendus.

Jeannine Lambert resta au téléphone moins d'une minute pour expliquer la situation à Adrien Beaulieu. Elle raccrocha.

— Monsieur Miron, le maire veut que vous preniez une charrue et que vous alliez tout de suite la passer dans le rang Saint-Édouard et le rang Sainte-Anne. Pour ce qui est de vous, monsieur Turcotte, il aimerait que vous l'attendiez. Il va être ici dans moins de dix minutes.

Richard Miron remit sa tuque de laine verte, donna une tape dans le dos de son employé en lui souhaitant ironiquement un bon congé et il sortit.

Par l'une des deux fenêtres de la façade de l'hôtel de ville, Fernand Turcotte vit son patron monter à bord du camion et prendre la direction du pont. L'homme se sentait beaucoup moins sûr de lui, privé du soutien de l'inspecteur. C'était ce dernier qui lui avait suggéré de mettre le couteau sur la gorge des responsables de la municipalité pour les obliger à lui payer toutes les heures supplémentaires travaillées depuis le début du mois de janvier.

Quelques minutes plus tard, Adrien Beaulieu stationna sa camionnette devant l'hôtel de ville et entra dans le petit édifice. Il salua la secrétaire et fit signe à Fernand Turcotte de le suivre dans son bureau. Le maire ferma la porte et enleva son manteau et ses bottes avant de se glisser derrière son bureau. Comme d'habitude, le cultivateur du rang Sainte-Marie alla directement au but. Il n'offrit même pas un siège à l'employé municipal.

— Ça fait combien d'années que tu travailles pour la municipalité, Fernand?

— Douze ans.

— Bon, on tournera pas autour du pot. Depuis douze ans, tu travailles pour Saint-Anselme et on t'a pas trop maganné, pas vrai?

— Oui.

— On va régler tout de suite et une fois pour toutes cette histoire de temps supplémentaire. Ici, c'est pas une grosse municipalité. Il y a trois employés: Jeannine Lambert, Richard Miron et toi. Quand il y a quelque chose à faire, il faut que ce soit l'un de vous trois qui le fasse, c'est normal, non?

— Oui.

— Ça, ça veut dire que pour l'entretien des chemins en hiver, on n'a pas le choix: il faut que ça se fasse sinon quelqu'un pourrait se tuer ou se blesser et on pourrait nous poursuivre devant les tribunaux si on prouvait qu'on a mal entretenu la route. Tu comprends ça?

— Oui, répondit Fernand Turcotte de plus en plus mal à l'aise au fur et à mesure que le ton du maire montait et se faisait plus incisif.

— Nous autres, on n'a pas assez d'argent pour payer des heures supplémentaires à nos employés. Mais on sait qu'ils sont pas fous et qu'ils travailleront pas pour rien. C'est pour ça qu'on a décidé de payer tout le temps supplémentaire en journées de vacances le mois passé.

— C'est ça que je fais aussi, osa faiblement répliquer Turcotte.

— Non, c'est pas ça que tu fais. Tu essaies de nous prendre à la gorge pour nous obliger à te payer parce que tu choisis le jour exact où on a le plus besoin de toi pour prendre ton temps de congé accumulé.

— ...

— Bon, on va régler ça tout de suite et ça va être clair. À partir d'aujourd'hui, c'est la secrétaire municipale qui te dira quand tu pourras prendre tes journées de congé. Elle va toujours choisir des jours où on a moins besoin de toi. Si ça te convient pas, t'es libre. T'as juste à me remettre ta démission et à te chercher un job ailleurs. On en engagera un autre qui acceptera ces conditions-là. Décide-toi tout de suite. J'ai pas de temps à perdre. J'ai encore une maudite réunion de la MRC après le dîner.

— O.K., fit Fernand Turcotte.

— O.K., quoi? demanda le maire.

— O.K., j'accepte.

— Parfait. À cette heure, prends l'autre charrue et grouille-toi d'aller nettoyer les rangs qui l'ont pas été depuis hier soir avant que quelqu'un se tue dans ces chemins-là.

Fernand Turcotte, rouge d'humiliation, quitta l'hôtel de ville en claquant la porte derrière lui.

Avant de partir, Adrien Beaulieu dit à sa secrétaire en boutonnant son manteau:

— Madame Lambert, vous me rappellerez de dire un mot à Miron quand il repassera ici. Je pense qu'il s'est servi de cet innocent de Turcotte pour voir si on plierait pas pour les heures supplémentaires. Lui aussi, il en a pas mal d'accumulées.

— Ça veut dire quoi, monsieur le maire? demanda la secrétaire qui n'avait pourtant pas eu à tendre l'oreille bien fort pour entendre tout ce qui s'était dit dans le bureau de son patron.

— Ça signifie que si j'ai offert à Turcotte de le mettre dehors s'il recommençait son petit jeu. Je peux aussi le faire avec l'inspecteur municipal. Après tout, personne est indispensable ici. À compter de demain, c'est vous qui direz à Turcotte et à Miron quand prendre leurs journées de congé.

— Bien, Monsieur le maire.

****

Plus de deux semaines étaient passées depuis les funérailles d'Isabelle Riopel et on cherchait, sans trop y parvenir, à combler le vide que son départ avait laissé.

Chez Cyrille, Brigitte avait attendu plusieurs jours avant de placer dans des boîtes de carton les maigres possessions de sa belle-mère. La quadragénaire avait choisi avec soin des périodes de la journée où son mari et ses enfants étaient absents. Elle-même avait beaucoup de mal à supporter le fait d'avoir à toucher à une foule d'objets qui lui rappelaient tant de souvenirs. Par ailleurs, elle n'avait eu aucun mal à persuader Cyrille et son frère de demander au notaire Deschamps de remettre au début du mois d'avril la lecture du testament. L'état d'Aurore justifiait amplement cette demande.

****

Chez Bruno Lequerré, Aurore n'était pas encore parvenue à se remettre du choc de la mort de sa mère. Celle qui l'avait adoptée à sa naissance après le décès en couches d'Élise Riopel, sa mère naturelle, avait toujours vécu à ses côtés. Ne plus la voir et ne plus entendre sa voix lui semblaient inconcevables. Elle avait perdu sa mère et sa meilleure amie et elle demeurait inconsolable. Brigitte, Bruno, ses frères et ses enfants avaient beau tenter de la sortir de sa torpeur, Aurore restait apathique, incapable de s'intéresser à quoi que ce soit. À sa manière, même Momon Patenaude participait au deuil familial. Il n'osait dire un mot et il prenait un air terriblement malheureux quand Aurore se mettait à pleurer sans raison apparente.

Cela aurait pu continuer longtemps si un certain soir de la mi-mars, Carole ne s'était pas mise en colère en voyant sa mère, assise sans réaction devant le téléviseur et pleurant à chaudes larmes.

— M'man, ça va faire! s'exclama la jeune fille à bout de patience. Il va falloir que vous finissiez par prendre sur vous. Grand-maman est morte depuis un mois. On l'aimait tous. Elle nous manque, c'est vrai. Bon, mais il y a un bout! La vie continue. Nous autres, on est vivants et on a besoin de vous. Arrêtez-vous de pleurer comme une Madeleine. C'est pas ça qui va la faire revenir. Si elle était encore vivante, je pense qu'elle vous engueulerait. Moi, je vous avertis, m'man, si vous êtes pour passer votre temps à pleurer, je m'en vais rester avec une colocataire à Trois-Rivières, je suis plus capable d'endurer ça.

Aurore regarda longuement sa grande fille sans réagir.

— À soir, on commence une vie nouvelle. Vous mettez votre manteau et on va aller toutes les deux se geler les pieds dans le rang en faisant une bonne marche. Ça va faire les lamentations inutiles, vous trouvez pas?

Carole alla chercher le manteau et les bottes de sa mère et elle l'obligea à s'habiller. Toutes les deux sortirent dans l'air froid et se dirigèrent vers la ferme de Pierre Bergeron. Bruno sortait de l'étable au moment où les deux femmes quittaient la cour. Il n'osa pas leur demander où elles allaient. Qu'Aurore accepte de sortir de la maison était déjà une victoire.

Dès le lendemain matin, tous les Lequerré remarquèrent que la maîtresse de maison s'était reprise en main. Le déjeuner était prêt à temps et malheur à celui qui laissait traîner un vêtement ou un livre.

****

Chez Richard Bergeron, le deuil de la tante Isabelle passa bien après l'intervention chirurgicale de Richard. Le cultivateur sortit de l'hôpital trois jours après l'inhumation de sa tante. Le petit homme de 43 ans avait beaucoup maigri et il possédait maintenant plus de cheveux gris que la simple mèche grise qu'il avait avant son accident.

Dès le lendemain de son retour, Jocelyne dut le conduire chaque matin dans une clinique de Drummondville où un physiothérapeute le soumettait durant plus d'une heure à des exercices qui devaient redonner du tonus musculaire à son bras et à son épaule. Richard revenait épuisé de ces séances quotidiennes et il rageait de ne pouvoir faire son travail habituel. Il se rendait compte qu'il ne pouvait pratiquement rien faire avec une seule main.

Quand il voyait son père arriver du village le matin pour venir faire son train, il s'empressait de s'habiller pour l'accompagner à l'étable. Mais il ne servait pratiquement à rien. Il nuisait au septuagénaire plus qu'il ne l'aidait et il finissait par rentrer à la maison en jurant. À ce moment-là, il valait mieux que Jocelyne ou les deux garçons se tiennent loin de lui et n'attirent pas son attention. Il ne cherchait qu'une occasion pour laisser éclater sa mauvaise humeur.

Philosophe, Jocelyne essayait de le comprendre et supportait tout avec une patience angélique... Quand il exagérait vraiment, la jeune femme finissait par le menacer de le planter là et de le laisser se débrouiller seul. À ces moments-là, Richard se calmait durant quelques heures. Alors, Jocelyne en profitait pour aller passer l'après-midi à bavarder avec Diane Bergeron, sa deuxième voisine. Parfois, quand Paule, la fille de cette dernière, était présente, elle lui demandait de la coiffer.

****

À côté, la grande maison bleu-gris aux auvents bleu marine d'André Marcotte offrait l'image extérieure d'une belle réussite. Pourtant, ses habitants étaient loin de vivre le bonheur paisible auquel ils aspiraient. La grande maison n'était plus un foyer, mais une sorte d'hôtel où chacun essayait d'éviter d'entrer en contact avec les autres. Chaque habitant semblait s'être transformé en îlot inabordable coupé de toute communication.

Le mois de janvier avait pris fin de façon inattendue par le départ surprise de Daniel Lacoste qui, de toute évidence, avait de plus en plus de mal à supporter l'étrange atmosphère de la maison. Avec lui disparaissait, sans qu'on s'en soit rendu compte, un élément stabilisateur dans la maison. Le menuisier avait trouvé un emploi beaucoup plus payant à Drummondville, chez un fabricant de maisons préfabriquées. Il avait donné quelques jours de préavis à son patron afin de lui permettre de lui trouver un remplaçant. Finalement,

Marcotte avait engagé un nommé Jacques Thivierge de Sainte-Monique. L'homme ne prenait que ses repas à la maison. Il rentrait coucher chez lui chaque soir.

Les semaines suivantes, Louise avait eu l'occasion de croiser à quelques reprises l'ancien employé de son mari et elle avait même accepté, à une occasion, son invitation d'aller boire une tasse de café en sa compagnie dans un restaurant voisin.

Pascal représentait aussi un îlot. L'adolescent continuait sa bouderie et il ne parlait pratiquement plus à ses parents. S'il en voulait à son père pour son avarice, il reprochait aussi à sa mère ne n'être pas intervenue en sa faveur auprès de son père quand il avait voulu suivre des cours de conduite automobile. Il n'avait toujours pas pardonné à son père de lui avoir refusé ces cours. Ce refus l'humiliait d'autant plus que sa petite amie de Saint-Cyrille venait le chercher régulièrement au volant de la voiture de sa mère. Par ailleurs, ses notes à la poly-valente avaient sérieusement baissé, mais pas au point de mettre en danger son année scolaire. Le garçon obéissant et plein de bonne volonté avait cédé sa place à un adolescent chez qui la révolte grondait.

Pour sa part, André Marcotte représentait le facteur de division du foyer. Le quadragénaire économisait comme jamais il ne l'avait fait auparavant. Il s'était mis en tête de prouver à ses parents et aussi à lui-même qu'il était capable de se débrouiller seul en affaires.

Il avait acheté récemment pour une bouchée de pain un lot de contenants pour le sirop d'érable dans un encan. Il était certain de pouvoir flouer l'impôt avec cet achat puisqu'il n'avait rien signé. Après son abattement du temps des fêtes, il avait trouvé en lui des raisons de reprendre confiance en ses moyens.

Il était fier de n'avoir pas cédé à Pascal. Il n'avait pas reculé non plus devant Nicole. Si elle voulait faire sa vie seule à Montréal, qu'elle la fasse, mais sans son aide. Il lui restait à remettre sa femme à sa place, dans le droit chemin, et il n'avait pas renoncé à y arriver. Il n'acceptait pas ses petits airs indépendants et ses allures d'affranchie depuis qu'elle travaillait à l'extérieur. La voir arriver de chez Leblanc avec le sourire le mettait en rogne. Elle ne lui manifestait sûrement pas tout le respect qu'il était en droit d'attendre de celle qui vivait sous son toit.

Au fil des jours, André Marcotte découvrit peu à peu que les soirées passées seul devant le téléviseur le poussaient à réfléchir. Il en vint à réaliser qu'il était anormal que sa femme soit absente de la maison non seulement les jeudis et vendredis soirs, soirs d'ouverture du magasin, mais aussi les mardis et samedis soirs, soirées consacrées au cinéma et aux emplettes. Sa femme fuyait-elle sa maison? L'évitait-elle? Le trompait-elle avec un autre homme? Ce ne serait pas la première fois qu'une femme au début de la quarantaine aurait besoin de se rassurer sur sa capacité de séduire encore.

Les soupçons de l'homme étaient renforcés par le fait qu'ils n'avaient pas fait l'amour depuis plus d'un mois. Habituellement, l'un et l'autre éprouvaient le besoin de se retrouver au lit deux ou trois fois par mois. Mais depuis plusieurs semaines, sa femme se couchait toujours plus tard que lui ou souffrait d'une migraine, d'un début de grippe, d'une trop grande fatigue ou encore, c'était la mauvaise période du mois. Bref, les excuses classiques!

La veille, les doutes avaient été si forts qu'il était allé espionner sa femme à Drummondville durant quelques heures pour en avoir le cœur net. Une pure perte de temps qui ne prouvait rien. Elle n'était sortie de chez Leblanc qu'à une seule occasion durant un peu plus d'une heure en compagnie d'un vieux type, probablement le mesureur dont elle avait parfois parlé. Ils étaient allés dans une nouvelle boutique de la rue Lindsay dont on était à refaire la décoration.

Pendant quelques instants, les pensées d'André Marcotte dérivèrent vers un autre sujet de préoccupation: le sirop. Les érables étaient à la veille de se remettre à couler et il avait engagé à nouveau le jeune Gagnon le matin même pour s'occuper, avec l'aide de Thivierge, de l'installation du pipeline et du nettoyage de tout le matériel à la cabane. Sa période préférée de l'année allait commencer bientôt et il guettait avec une impatience croissante le moindre signe d'adoucissement de la température.

En ce vendredi soir, le quadragénaire avait surveillé sans en avoir l'air l'heure de rentrée de sa femme: 21 heures 45. Rien d'anormal. Cheveux bien coiffés et figure légèrement maquillée, Louise avait l'air encore assez fraîche malgré sa longue journée de travail. Ils se demandèrent des nouvelles de leur journée respective sans marquer un intérêt véritable et l'échange mourut avant même de commencer. Pascal avait passé la soirée dans sa chambre à écouter de la musique et il ne sortit pas de la pièce quand sa mère rentra. Il ne l'avait probablement pas entendue arriver.

Du coin de l'œil, André regarda sa femme se déplacer dans la cuisine, se préparer une tasse de thé puis feuilleter sans entrain L'Équipe, le journal régional. Cette indifférence apparente de sa femme ne fit qu'exacerber le désir qu'il sentait monter en lui depuis qu'elle était entrée dans la maison quelques instants plus tôt. Un peu avant 23 heures, comme Louise ne semblait pas intéressée à le rejoindre au salon devant le téléviseur, André finit par éteindre ce dernier et il alla se coucher. Dans le noir, il l'attendit avec impatience.

Beaucoup plus tard, il entendit l'eau couler longue-ment: Louise prenait une douche. De longues minutes passèrent encore avant que la lumière de la veilleuse de la salle de bain ne pénètre dans la chambre à coucher, signe que Louise entrait dans la pièce. André la sentit se glisser dans le lit et se réfugier à une extrémité, évitant ainsi de le toucher.

Le quadragénaire allongea la main pour l'attirer à lui, Louise la repoussa. Il se rapprocha et l'encercla de l'un de ses bras, elle chercha à se dégager.

— Qu'est-ce qu'il y a encore? demanda-t-il à voix basse, en essayant de glisser sa main sous la robe de nuit de sa compagne.

— Il y a que je suis fatiguée et que ça me tente pas, répondit-elle sans détour, en cherchant à se libérer.

— Ça fait plus qu'un mois qu'on n'a rien fait ensemble, ajouta-t-il pour la raisonner, tentant toujours de la caresser malgré elle.

— Et puis après! dit-elle sur le même ton, en se débattant. Je suis fatiguée. J'ai passé treize heures debout à servir des clients. Peux-tu comprendre ça?

André sentit fondre brusquement le peu de patience qu'il avait. Il n'avait pas le goût de discuter. Il ne désirait qu'une chose: faire l'amour. Il en avait le droit. Après tout, c'était sa femme qui était allongée près de lui dans le noir. La sentir se débattre et le repousser ne faisaient que l'exciter encore plus. Il y eut un long moment de lutte silencieuse. Elle essaya de se relever, il la retint. Il finit par utiliser tout son poids et sa force pour la clouer sous lui et, dans sa hâte d'arriver à ses fins, il déchira sa robe de nuit. Louise avait beau serrer les cuisses et tenter de le désarçonner en le repoussant avec ses mains, il était beaucoup trop lourd. Elle aurait voulu crier, mais à quoi cela aurait-il servi? Pourquoi faire peur à Pascal?

André parvint à lui écarter les cuisses et il la pénétra brutalement, ne songeant qu'à assouvir un désir trop longtemps contenu. Louise demeura inerte sous lui. Quand il eut fini et qu'il roula sur le côté, cherchant à retrouver son souffle, sa femme se leva précipitamment, plongea la main sous les couvertures en désordre pour retrouver les restes de sa robe de nuit et elle entra dans la salle de bain sans un mot.

André entendit encore couler l'eau de la douche. Quand sa femme rentra dans la chambre, il s'empressa de se précipiter dans la salle de bain enfin libérée. Il se sentait bien. Il allait faire la paix avec elle et lui expliquer ce qu'il ressentait en revenant se mettre au lit. Elle comprendrait.

Lorsqu'il revint dans la pièce, Louise était partie. Elle avait probablement eu envie de manger quelque chose, comme cela lui arrivait parfois après avoir fait l'amour. Au fond, elle avait probablement apprécié qu'il l'ait un peu obligée. Cela mettait un peu de fantaisie dans leur vie de couple. Ils allaient en parler quand elle reviendrait se coucher. André attendit quelques minutes et il finit par s'assoupir.

Vers 2 heures du matin, inquiet de ne pas sentir la présence de sa femme à ses côtés, André Marcotte se leva et descendit. Louise n'était ni dans la cuisine, ni dans le salon. Il remonta sur la pointe des pieds pour ne pas réveiller Pascal et il ouvrit la porte de l'ancienne chambre de ses parents et de celle occupée auparavant par Daniel Lacoste: les deux pièces étaient vides. Quand il tourna la poignée de la chambre de Nicole, la porte résista. Elle était verrouillée de l'intérieur. Louise était couchée là.

Il n'osa pas frapper. Il décida de la laisser dormir. On verrait bien dans quelques heures. Il lui parlerait avant qu'elle ne parte travailler.

Vers 6 heures 30, le samedi matin, André Marcotte réveilla Pascal et il sortit de la maison au moment où Thivierge arrivait pour commencer sa journée de travail. Les deux hommes se dirigèrent sans tarder vers l'étable.

Pascal les rejoindrait dans quelques minutes pour aider à faire le train.

L'adolescent n'avait pas encore quitté la maison que sa mère était à faire sa toilette dans la salle de bain. Louise but debout une tasse de café, mit son manteau et partit avant même que les hommes ne soient de retour de l'étable. Ce matin-là, ils allaient se débrouiller seuls pour leur déjeuner.

Louise ne revint à la maison qu'un peu après 13 heures. André s'apprêtait à faire sa sieste quotidienne lorsqu'il vit par la fenêtre la Ford de sa femme s'arrêter près de la maison. Pascal venait de partir pour Saint-Cyrille dans la voiture de sa petite amie. Il y eut le claquement d'une portière et il entendit la porte d'entrée s'ouvrir.

— Qu'est-ce qui se passe? demanda-t-il à sa femme. Tu travailles pas?

— Non, pas aujourd'hui, répondit-elle sèchement en enlevant son manteau et en le laissant tomber sur une chaise de cuisine.

— Qu'est-ce qui t'a pris de partir sans faire le déjeuner à matin? Qu'est-ce qui pressait tant que ça? Il y avait pas le feu, non?

— Ça pressait.

— Comment ça?

— Écoute-moi ben, André Marcotte, lui dit-elle en se plantant devant son mari. T'auras plus jamais la chance de me violer comme tu l'as fait hier soir, tu m'entends?

— Whow! Calme-toi les nerfs! Tu sauras que je t'ai pas violée, à part ça. T'es ma femme et j'ai le droit de te faire l'amour quand ça me tente. C'est à ça que ça sert le mariage.

— Ah oui! Eh ben! j'ai des nouvelles pour toi, répliqua Louise, furieuse. C'est pas parce que t'as un contrat de mariage que t'as le droit de me traiter comme un chien. C'est fini.

— Comment ça, fini?

— J'ai passé l'avant-midi à me chercher un appartement. J'en ai trouvé un. Je pars. Je déménage. J'en ai assez. Ce qui s'est passé hier soir a été la goutte qui a fait déborder le vase.

— Mais t'es complètement folle. Tu peux pas laisser tout ça, dit André, sidéré, en désignant la maison, pour aller t'enfermer dans un petit appartement miteux de Drummondville. T'as juste un petit salaire.

— Inquiète-toi pas pour mon salaire. J'en ai assez pour vivre. Oublie pas que j'ai hérité de mon père et que j'ai un peu d'argent à la banque.

— T'as aussi des enfants.

— Les enfants n'ont plus l'air d'avoir besoin de moi.

— Attends-toi pas, en tout cas, à ce que je te donne quoi que ce soit. Si tu pars, tu remettras plus les pieds ici-dedans.

— Je reviendrai pas, affirma Louise. Là, je viens seulement chercher mes affaires.

— Va surtout pas t'imaginer que tu vas emporter des meubles, la prévint André.

— J'en veux pas de tes meubles. Je prends ce qui est à moi : un set de vaisselle, des chaudrons, des livres, des disques, la télé portative et mon linge. Mais va pas croire que tu vas t'en tirer à si bon compte. Mon avocat te fera savoir ce que tu vas avoir à me donner. Tu vas t'apercevoir, André Marcotte, que j'ai pas travaillé pour rien pendant vingt ans.

Sur ces mots, Louise planta là son mari et elle monta à sa chambre.

Désemparé, André tourna en rond dans la cuisine et dans le salon pendant un long moment, guettant le bruit des pas de sa femme à l'étage supérieur. Il finit par mettre son manteau et sortir de la maison. Il monta à bord de sa Cadillac et il prit le chemin du village. Il avait besoin des conseils de son père et de sa mère pour savoir comment faire face à la crise qui venait de faire éclater son foyer.

Pendant qu'il s'épanchait auprès de Jocelyn et de Pierrette Marcotte, Louise finissait d'empiler dans sa Ford tous ses vêtements et ses avoirs : bien peu de choses, si on considérait le nombre d'années consacrées à sa famille. Elle se fit même aider par Thivierge et Gagnon, désœuvrés en l'absence de leur patron.

Elle fit un dernier tour du propriétaire avant de quitter définitivement le toit qui l'avait abritée depuis le mois de juillet 1960. Elle laissait derrière elle quelques bons souvenirs et une foule de frustrations qu'elle n'avait plus la force de supporter. Pendant un court instant, elle se rappela que ses beaux-parents avaient posé le même geste qu'elle quelques mois auparavant.

À la fin de l'après-midi, elle se mit au volant de son auto et se dirigea vers Drummondville. En traversant le village, elle vit son mari s'apprêter à monter dans sa voiture devant le Petit Foyer où habitaient ses parents. Elle ne tourna même pas la tête. En laissant derrière elle le clocher de l'église de Saint-Anselme, elle avait l'impression de respirer à pleins poumons une bouffée d'air pur. Une nouvelle vie commençait. Avant la fin de la soirée, elle serait installée dans son trois pièces et demie meublé de la rue Saint-Pierre et plus rien ne viendrait l'empêcher de vivre sa vie comme elle l'entendait.

Chapitre 34

L'héritage

Le printemps de 1981 ne connut pas de période de transition durant laquelle les gens auraient pu s'habituer lentement au retour de l'air doux et au réveil de la nature.

Après un mois de mars particulièrement froid et peu ensoleillé, le mercure se maintint à plus de 10 degrés Celsius dès les premiers jours d'avril, bouleversant du même coup toutes les prévisions et tous les projets. Avant même qu'on le réalise, les corneilles étaient revenues et croassaient dans les arbres dépouillés encore de leurs feuilles. Les vols d'oies blanches s'abattaient bruyamment sur les champs.

La période des sucres fut un échec quasi total, au grand dam des cultivateurs qui comptaient sur une bonne récolte de sirop d'érable pour boucler leur budget. L'eau d'érable ne coula presque pas durant la dernière quinzaine de mars, et en avril, la chaleur soudaine fit monter la sève et apparaître trop rapidement les bourgeons. À compter de ce moment-là, il n'y avait plus rien à espérer. La plupart des acériculteurs en furent quittes pour tout remettre en place après avoir fabriqué quelques misérables gallons de sirop.

La hausse brutale de la température eut un impact encore plus grand sur la fonte des neiges. On n'avait pas connu un nombre particulièrement élevé de tempêtes durant l'hiver précédent, mais les chutes de neige avaient été nombreuses et régulières. Par conséquent, quand l'importante couverture de neige se mit à fondre, elle produisit d'énormes quantités d'eau.

Personne n'eut le temps d'admirer les cernes délicats autour des arbres ou de se réjouir d'entendre enfin le doux bruissement de l'eau dans les fossés. En moins de deux jours, les champs devinrent de véritables lacs et les fossés débordèrent partout, transformant les routes en marécages. Toute cette eau dévalait la moindre pente et se frayait un chemin vers la rivière dont les glaces étaient à la veille de se disloquer.

Au village, les vieux désœuvrés se retrouvaient chaque après-midi à côté de l'épicerie Gagnon ou en haut de la pente, devant le garage Cadieux, en train de scruter les glaces de la rivière. On supputait s'il y aurait un embâcle important ou non cette année encore. Les vieillards ressemblaient le plus souvent à un groupe de mauvais oracles qui tiraient des informations du présage le plus anodin. Chacun semblait avoir ses points de repère personnels et cherchait à persuader ses inter-locuteurs de la justesse de ses prédictions.

Miron et Turcotte, pour leur part, étaient omni-présents au volant des deux camions de la municipalité.

On les voyait partout à toutes heures du jour. Tout en gardant un œil sur la rivière, ils sillonnaient les rangs pour répondre aux urgences les plus pressantes. L'eau montait partout et causait des dégâts.

Au début de ce samedi après-midi du 9 avril, les Lequerré et les Riopel se retrouvèrent dans la petite salle d'attente de l'étude du vieux notaire Deschamps située en face à l'église pour la lecture du testament d'Isabelle Riopel, née Bergeron.

Émile Deschamps avait dû finalement insister auprès de Cyrille pour que cette lecture se fasse sans plus de délai. Il y avait eu déjà deux remises autant parce qu'Aurore ne se sentait pas prête à supporter l'épreuve que parce que l'un ou l'autre des petits-enfants d'Isabelle ne pouvait pas assister à l'événement.

Émile Deschamps, toujours aussi strictement vêtu d'un costume bleu marine et cravaté, annonça aux onze personnes entassées dans la salle d'attente que la lecture se ferait dans cette pièce légèrement plus grande que son bureau. Sans plus attendre, le sexagénaire exhiba une enveloppe scellée en disant :

— Si vous voulez bien porter attention, je vais maintenant vous lire les dernières volontés de madame Isabelle Riopel, votre parente, dit le notaire en s'assoyant sur une chaise libre.

Il ouvrit l'enveloppe avec précaution et il en tira deux feuillets manuscrits. Après avoir ajusté ses lunettes qui avaient glissé sur son nez, l'homme de loi se mit à lire d'une voix monocorde le testament.

« Moi, Isabelle Riopel, saine de corps et d'esprit, désire que mes biens soient répartis de la façon suivante. Je veux qu'on donne à la paroisse trois cents dollars pour faire chanter des messes pour le salut de mon âme. Une somme de cinq mille dollars devra être remise à ma bru, Brigitte Riopel, qui m'a toujours soignée et traitée comme si j'avais été sa propre mère. Je lègue à chacun de mes petits-enfants une part égale de mes économies. Enfin, mes enfants Aurore, Cyrille et Alain pourront se partager, comme ils l'entendront, tous mes autres biens. »

Émile Deschamps arrêta là sa lecture. Il ajouta :

— Ce document a été rédigé et signé le 3 août 1978, en ma présence. Monsieur Louis Bergeron et madame Carmen Bergeron l'ont contresigné à titre de témoins.

L'assistance garda un long moment de silence après la lecture effectuée par le notaire.

— Est-ce qu'on peut savoir le montant qui revient à chacun des petits-enfants ? demanda Lise en tentant de prendre le ton le plus neutre possible.

L'homme de loi consulta rapidement une feuille du dossier d'où il avait tiré l'enveloppe.

— À 6 023,37 dollars exactement, madame.

— Pas plus que ça ? fit la femme d'Alain en faisant l'étonnée.

Alain, assis à ses côtés, lui jeta un regard réprobateur qui l'incita à mettre fin à son échange avec Émile Deschamps.

Finalement, Aurore, à titre d'aînée, se leva pour remercier le vieux notaire de ses services, aussitôt imitée par ses deux frères et leurs conjointes. Avant de quitter l'étude, Brigitte et Cyrille invitèrent toute la famille à se réunir immédiatement chez eux.

Durant les jours précédents, avec l'aide d'Aurore, ils avaient fait un inventaire complet de tout ce que possédait la mère de Cyrille et ils avaient réparti ses biens en lots de valeur égale.

En cours de route, Lise ne se gêna pas pour faire savoir à son mari qu'elle trouvait anormal que sa mère ait doté Brigitte d'un montant aussi important que cinq mille dollars. À son avis, c'était donner plus à la famille de Cyrille qu'aux deux autres familles... déjà que personne ne pouvait dire si elle ne remettait pas à Cyrille sa pension de vieillesse, en tout ou en partie quand elle vivait. Son frère et sa femme ne l'avaient sûrement pas gardée tant d'années sans en avoir tiré profit, d'une façon ou d'une autre.

Alain ne prononça pas un mot durant presque tout le trajet, se concentrant sur la conduite de son véhicule. Mais au moment où il s'arrêta dans la cour de Cyrille, il retint sa femme par un bras et il fit signe à sa fille de rester un instant de plus à l'intérieur de la Chrysler.

— Une minute, toutes les deux, dit-il, les dents serrées. Je vous avertis qu'on va pas se battre pour quatre guenilles. Les affaires qui vont être données étaient à ma mère, à ma mère, vous m'entendez? Il y a rien là-dedans qui vous est dû. Est-ce que j'ai été clair?

Josée hocha la tête, surprise que son père hausse le ton soudainement.

— Moi, en tout cas, fit Lise en pinçant les lèvres, j'accepterai pas que ma fille soit privée de ce qui lui revient.

— Elle aura ce que ma mère a voulu lui donner, pas plus, trancha Alain. Bon, on y va. Ils vont finir par se demander ce qu'on fait dans le char.

Lise descendit de la grosse voiture noire en pestant contre la boue qui salissait ses bottillons en suédine.

— Ils pourraient au moins faire asphalter leur cour, dit-elle entre ses dents. On est toujours crottés comme des cochons quand on sort d'ici.

Alain lui fit signe de se taire en posant la main sur la poignée de la porte d'entrée.

Brigitte et Sylvie servirent du café et des rafraîchissements à ceux et celles qui en voulaient pendant que Cyrille disparaissait dans le salon durant quelques instants.

Après quelques minutes de conversation générale à bâtons rompus, Cyrille dit à son frère et à sa sœur que les affaires de leur mère avaient été divisées à tout hasard en six lots de valeur à peu près égale parce qu'on ne connaissait pas les dispositions exactes de son testament avant aujourd'hui. Il venait de jumeler ces lots de manière à en former trois et le tout était dans le salon. Il restait à décider comment on allait procéder pour le choix.

Brigitte suggéra d'écrire les noms de Cyrille, d'Alain et d'Aurore sur trois billets et de piger au hasard. Chacun prendrait le lot désiré et si on voulait plus tard faire des échanges, ce serait toujours possible.

— De toute façon, dit Brigitte qui avait confectionné les lots avec Aurore et Cyrille, c'est surtout du linge et quelques bijoux qu'on lui a donnés les années passées. Vous le savez aussi ben que moi que votre mère était pas gaspilleuse. Le plus important était l'argent et ça, le notaire va s'occuper d'envoyer les chèques à chacun dans quelques jours.

Aurore ne perdit pas de temps. Elle tira un calepin de sa bourse, en arracha trois pages et écrivit son prénom et celui de chacun de ses deux frères. Après avoir plié en quatre les trois feuillets, elle les tendit à Éric.

— Mêle les billets, mon beau Éric, lui demanda-t-elle.

L'adolescent passa les billets de l'une de ses mains à l'autre et il les lança sur la table.

— Bon, vas-y, Sylvie, suggéra Alain à sa nièce. Pige le nom de celui ou de celle qui va avoir le premier choix.

Sylvie s'exécuta.

— Ma tante Aurore, dit la jeune fille après avoir laborieusement déplié un billet.

— À ton tour, Carole, dit Brigitte à sa nièce.

Carole s'avança vers la table et prit l'un des deux billets qui restaient sur la table.

— Mon oncle Alain, dit Carole en montrant le billet aux autres.

— Ça a tout l'air que je vais être le dernier, dit Cyrille, sans rancœur. Si ça vous dérange pas, Alain, Aurore et moi, on va passer au salon et on va prendre le lot qui nous convient.

Les trois adultes se dirigèrent vers le salon, suivis par leurs conjoints et leurs enfants qui s'arrêtèrent sagement à l'entrée de la pièce. Il était impossible de savoir à quoi ressemblaient les lots originaux formés par Aurore, Brigitte et son mari. Les trois lots formés finalement par Cyrille avaient été déposés sur des chaises.

Sans se préoccuper du contenu du paquet empilé sur la première chaise, Aurore choisit immédiatement le lot qui contenait, entre autres choses, le missel et les deux ou trois livres préférés de sa mère.

Alain regarda durant quelques instants les deux lots qui restaient. Des yeux, Lise essayait de le pousser à prendre le paquet de droite au sommet duquel étaient déposées une bague et trois chaînes en or offertes autrefois par Alain à sa mère. Le quadragénaire se détourna finalement de ce lot pour prendre possession de l'autre sur le dessus duquel on voyait deux colliers, une bague et le chapelet d'Isabelle.

Le dernier lot alla à Cyrille.

Quand la sélection fut terminée, les conjoints et leurs enfants pénétrèrent dans le salon et assistèrent, intéressés, à l'inventaire de chacun des lots.

Alain fut le premier à affirmer qu'il laisserait à qui le voulait toute la lingerie de sa mère dont il venait d'hériter. Puis, il prit le chapelet et il le donna à Aurore.

— Aurore, je sais que ce chapelet-là venait de ta vraie mère. P'pa l'avait donné à m'man qui disait souvent qu'il te reviendrait un jour. Il est à toi.

Aurore en eut les larmes aux yeux.

— Je vais te faire un échange. Tiens, voilà la montre de p'pa, celle qu'il ne mettait que le dimanche et pour les grandes sorties. M'man l'avait gardée. Elle est à toi, lui dit la sœur aînée en tendant une grosse montre Bulova à son frère.

Alain prit l'un des deux colliers ayant appartenu à sa mère et il en fit l'objet d'un tirage au sort entre sa fille Josée et ses deux cousines. Carole le gagna.

Brigitte dit quelques mots à l'oreille de Cyrille avant de prendre les trois fines chaînes en or dont son mari venait d'hériter. Elle en tendit une à sa fille Sylvie, une à Carole et la dernière à Josée. Les trois jeunes filles acceptèrent le cadeau avec reconnaissance.

Pendant de longues minutes, on se montra des trouvailles et il y eut de nombreux échanges de photos retrouvées dans les affaires de la disparue. Avant de se quitter, il fut décidé que tous les vêtements de la sexagénaire seraient donnés au vestiaire communautaire du village. L'organisme garderait ce qui pouvait être utile à des personnes de Saint-Anselme et il remettrait à la Saint-Vincent-de-Paul de Drummondville ce qui resterait.

À la fin de l'après-midi, on remercia Brigitte de son invitation à souper, mais chacun préféra rentrer à la maison où des obligations l'attendaient.

Alain n'avait pas parcouru cent mètres à bord de sa Chrysler que Lise laissait éclater sa mauvaise humeur.

— T'avais ben besoin de donner le chapelet de ta mère à ta sœur et surtout de faire tirer un de ses colliers.

— C'était à moi et j'avais le droit d'en faire ce que je voulais, non ? Quand ta mère est morte il y a cinq ans, est-ce que je t'ai dit quoi faire de ton héritage, moi ?

Lise garda le silence durant quelques instants avant de dire :

— En tout cas, on m'arrachera pas de l'idée que ta sœur et ta belle-sœur se sont servies avant de faire les lots. Je suis certaine que ta mère avait ben plus d'affaires que ça. À cette heure, chaque fois que je vais les rencontrer, tu peux être certain que je vais ouvrir l'œil pour voir si elles portent pas un bijou de ta mère qui était pas dans leur lot.

— Toi et ta maudite langue sale ! s'emporta Alain, à bout de patience. Ma sœur est pas une voleuse et quant à moi, Brigitte aurait pu tout garder et ça aurait pas été payer trop cher pour avoir gardé aussi longtemps ma mère. C'est pas toi qui aurait fait ça !

— Tu peux en être sûr, affirma Lise Joyal avec conviction, avant de se tourner résolument vers la glace latérale pour regarder dehors.

Pendant ce temps, à l'arrière, la tête de Josée se balançait au rythme de la musique diffusée par son baladeur. Les écouteurs qui recouvraient ses oreilles l'avaient empêchée d'entendre la discussion qui opposait ses parents assis à l'avant.

Chapitre 35

L'avenir

Au début de la matinée du 11 avril, le vent du sud charriait de lourds nuages gris annonciateurs d'averses importantes. Ce triste début de semaine était tout de même marqué par une nouvelle attendue : les glaces de la rivière avaient lâché durant la nuit en produisant une série d'explosions d'autant plus inquiétantes qu'on ne pouvait rien voir dans le noir.

Dès le lever du soleil, un bon nombre d'habitants du village s'étaient empressés d'aller voir comment les glaces descendaient le courant et quelle hauteur l'eau avait atteinte en évaluant l'espace encore libre sous le pont, au bas de la côte. Aux premières petites chutes, des blocs de glace de près d'un mètre d'épaisseur se chevauchaient et menaçaient de bloquer le chenal et de provoquer une inondation. Déjà, il ne restait pas plus de deux mètres libres entre la glace et le tablier du pont. Le débit de la rivière, grossi par l'eau de la fonte des neiges, poussait les îlots de glace vers le rivage avec une telle force qu'ils arrachaient au passage des quantités non négligeables de terre.

Il allait de soi que Richard Miron et Fernand Turcotte surveillaient de près l'évolution de la situation. Ils avaient ordre de prévenir immédiatement le ministère de l'Environnement si un embâcle majeur se formait sur la Nicolet à la hauteur du village.

****

Ce soir-là, chez Richard Bergeron, la vie avait presque repris son cours régulier. Après deux mois de physiothérapie quotidienne et d'interminables exercices exécutés à la maison, Richard retrouvait progressivement l'usage normal de son bras gauche. Ce n'était pas parfait, mais il pouvait maintenant se débrouiller sans l'aide de son père.

Louis Bergeron ne s'était pas ménagé durant l'hiver. Matin et soir, il était venu du village pour traire les vaches et nourrir les animaux. Peu à peu, il avait vu son fils reprendre des forces et sa place. Richard savait que son bras ne retrouverait jamais toute la vigueur et la souplesse qu'il avait avant l'accident, mais il pouvait maintenant s'en servir sans problème et cela le rendait heureux. Il en supportait mieux les rendez-vous quotidiens en physiothérapie.

Au fil des semaines, le quadragénaire avait surtout appris à quel point une compagne capable de l'appuyer et de l'aider en toute circonstance était un atout important. Jocelyne avait supporté ses sautes d'humeur et l'avait constamment encouragé depuis son accident. Cela, il ne l'oubliait pas. Progressivement, il en était venu à se persuader qu'épouser celle qui vivait à ses côtés depuis plus de sept ans ne serait pas l'idée la plus bête qu'il pourrait avoir, loin de là. Depuis quelques jours, cette pensée ne cessait de lui trotter dans la tête.

Ce soir-là, après avoir installé Jean-Pierre et Sylvain à la table de cuisine pour faire leurs travaux scolaires, Jocelyne vint s'asseoir dans le salon près de son compagnon, devant le téléviseur. En la voyant arriver, ce dernier baissa quelque peu le son à l'aide du contrôle à distance.

— On n'entend presque rien, dit Jocelyne.

— Je le sais, c'est exprès, fit Richard, tout bas. Écoute, j'ai pensé à quelque chose. Tu me diras ce que t'en penses.

Surprise par le ton de Richard, Jocelyne posa les mains sur ses genoux et se tourna vers lui.

— On est ensemble depuis longtemps, pas vrai? On n'est pas mariés. On est encore tous les deux libres. Toi, par exemple, t'es libre de partir quand tu veux avec ton gars...

— Pourquoi tu me dis ça tout à coup? demanda Jocelyne, soudain très inquiète et scrutant le visage de son compagnon. Qu'est-ce qui marche pas?

— Non, attends. Laisse-moi parler, dit Richard d'un ton bourru. Je me disais qu'on vit ensemble depuis sept ans et qu'on n'en est pas morts ni l'un ni l'autre. Ça serait peut-être le temps de devenir une vraie famille, tu penses pas?

— Dis donc, Richard Bergeron, ça ressemble à une demande en mariage ton affaire, non? fit Jocelyne, soulagée.

— Oui, c'est en plein ça. Qu'est-ce que t'en penses?

Jocelyne se contenta de se pencher vers son ami et elle l'embrassa doucement.

— Je suis d'accord, à la condition que les enfants le veuillent. On va leur demander ce qu'ils en pensent.

— Ouais, c'est une idée, fit Richard.

Jocelyne demanda aux deux garçons de venir les rejoindre dans le salon.

— Sylvain, dit Jocelyne au fils de 12 ans de Richard, ton père vient de me demander en mariage. Est-ce que tu veux que je devienne ta mère?

— Ben, tu l'es ma mère. Je me souviens même plus de l'autre.

Jocelyne eut un sourire épanoui et embrassa l'adolescent, un peu gêné par cette marque d'affection.

— Jean-Pierre, aimerais-tu ça que Richard soit ton père? demanda Jocelyne à son propre fils.

— Si je dis non, est-ce qu'il va me chicaner? demanda le fils de Jocelyne, pour agacer Richard.

— Non, je te chicanerai pas, mais tu vas coucher dehors jusqu'à temps que tu dises oui, répliqua Richard en feignant un ton menaçant.

— O.K. d'abord, tu peux être mon père. Mais lui, là, demanda Jean-Pierre en montrant Sylvain, s'il devient mon vrai frère, est-ce que ça veut dire que je vais avoir le droit de le battre et il pourra pas se défendre?

— Ça, ça me surprendrait ben gros, dit sa mère. Bon, assez niaisé. Vous retournez tous les deux faire vos devoirs et je veux pas vous entendre vous chamailler dans la cuisine.

Aussitôt que les deux jeunes furent réinstallés dans la cuisine, Richard et sa future femme décidèrent de se marier le second samedi de mai au palais de justice de Drummondville. Quand Jocelyne commença à parler du buffet froid qu'elle voulait confectionner pour l'occasion, Richard l'arrêta immédiatement.

— Il est pas question que tu te mettes à cuisiner comme une folle pour notre mariage. On va faire une petite réception pour la famille proche et on va prendre un... un...

— Traiteur?

— C'est ça, un traiteur. Pour éviter d'avoir à faire un grand ménage de la maison, on va réserver une petite salle de réception. Il paraît que ça coûte pas trop cher et ça va être pas mal moins de trouble. On se marie et après, on va tous prendre un bon dîner avant de partir une semaine en voyage de noces.

— Un voyage de noces! s'exclama Jocelyne, ne parvenant pas à dissimuler sa joie. Où? Qui va s'occuper des enfants?

— Qu'est-ce que tu dirais de Toronto et des chutes Niagara? À moins que tu aies une autre idée?

— Non, ce serait parfait. Mais pour les enfants?

— Ma mère va venir les garder et mon père va s'occuper des animaux.

****

Dans la maison voisine, l'atmosphère était beaucoup moins joyeuse. Il n'y avait que les fenêtres de la cuisine éclairées dans la grande maison grise. André Marcotte avait soupé seul et il avait laissé la vaisselle sale sur le comptoir avant de s'installer à la table de cuisine pour examiner les factures qu'il avait à payer. Pascal n'allait rentrer de la polyvalente que vers 23 heures parce qu'il participait à une activité quelconque. Si l'année 1980 s'était mal terminée, le moins que l'on pouvait dire, c'était que le début de l'année 1981 n'avait rien d'encourageant.

Le grand et gros homme jeta un coup d'œil dans la pièce. Il était certain que Louise n'apprécierait pas du tout l'état dans lequel était sa maison si elle rentrait ce soir-là.

Depuis sept semaines, le ménage était réduit à sa plus simple expression. Le plancher n'était pas très propre. Le tapis avait besoin d'un bon coup d'aspirateur. La poussière s'accumulait sur les meubles. La plupart du temps, André ne pensait même pas à faire le lavage et il fallait que son fils lui rappelle que le réfrigérateur était

590

quasiment vide pour qu'il se décide à aller chez Gagnon et chez Camirand au village. Le spectacle de cet intérieur mal tenu n'était pas très réjouissant. Comme chaque fois qu'il faisait cette constatation, André se promit de se reprendre en main et de prouver qu'il pouvait se débrouiller seul… en attendant que Louise revienne.

Durant les premiers jours de l'absence de sa femme, la colère l'avait aveuglé et il l'avait envoyée au diable. Il ne trouvait pas de mots assez durs pour qualifier la conduite de celle qui avait vécu avec lui durant vingt ans. Pour lui, elle était devenue une mère dénaturée, une vraie folle comme toutes ces femmes qui se disaient libérées. Mais libérées de quoi? Des hommes? De leurs devoirs? Les hommes n'avaient tout de même pas tous les torts! Qu'est-ce qu'elles voulaient donc toutes? Seulement les joies et les plaisirs et aucune obligation? Comme si c'était possible! Elles avaient la vie facile comme jamais leur mère n'avait rêvé l'avoir avant elles et elles n'étaient pas encore satisfaites. Qu'est-ce qu'elles avaient donc à considérer tous les hommes comme autant d'ennemis?

Au fil des jours, André en arriva à se persuader que Louise n'avait succombé qu'à une sorte de crise passagère dont elle reviendrait vite. Elle allait tellement s'ennuyer de sa famille et de sa maison qu'elle allait rentrer la tête basse. Il lui pardonnerait et on n'en parlerait plus.

Pourtant, une semaine passa sans que sa femme donne de ses nouvelles. Interrogé, Pascal admit que sa mère était venu le voir au début de la semaine à la polyvalente et qu'elle lui avait donné son numéro de téléphone. Elle lui avait offert de l'accueillir quand il le désirerait.

— Qu'est-ce que tu lui as répondu ? demanda son père, subitement inquiet de se retrouver seul.

— Ben, je lui ai dit que c'était difficile parce que je devais te donner un coup de main pour le train et que ce serait plus facile si elle revenait à la maison.

— T'as ben fait. Qu'est-ce qu'elle t'a dit ?

— Rien.

Trois jours plus tard, au début de l'après-midi, André Marcotte s'apprêtait à faire une courte sieste dans son fauteuil préféré quand il vit la Ford de sa femme stationnée près de la maison de sa tante Marie, à l'entrée du chemin qui menait à sa maison. Il n'avait pas entendu arriver le véhicule.

«Elle va sûrement passer à la maison après avoir jasé avec les deux vieilles, se dit le cultivateur. Il faut pas qu'elle trouve la maison dans cet état-là. Elle va faire une crise.»

L'homme abandonna immédiatement son intention de se reposer quelques minutes pour se lancer à corps perdu dans le rangement de la cuisine et du salon. De temps à autre, il s'arrêtait un instant pour vérifier si la Ford était encore au même endroit. Quand les deux pièces eurent repris une apparence acceptable, André se laissa tomber dans son fauteuil placé près de la fenêtre. Il était fatigué. Il travaillait depuis 5 heures 30 et il avait l'habitude de faire une sieste d'une heure après le dîner.

Durant de longues minutes, il fit des efforts méritoires pour ne pas succomber au sommeil, mais finalement, il ferma les yeux et il s'endormit. Il se réveilla en sursaut une trentaine de minutes plus tard. Levant la tête, il s'aperçut soudainement que la Ford n'était plus près de la maison de sa tante.

— Ah ben! la maudite! s'emporta-t-il. Elle était à côté et elle est même pas venue jusqu'à la maison.

Il remâcha sa rancœur durant les deux jours suivants, imaginant toutes sortes de châtiments pour punir sa femme de son manque de cœur.

Pourtant, la chance finit par tourner lentement en sa faveur les semaines suivantes. Même si la saison des sucres avait été un échec total à cause de la température, il n'en resta pas moins qu'André Marcotte était parvenu à soutirer à Baril un joli petit magot pour la bande de terrain que ce dernier devait absolument acheter pour avoir droit à un chemin entretenu par la municipalité donnant accès à l'île Ouellet. L'achat ne se fit pas sans grincements de dents, mais l'autre était coincé et le cultivateur ne se gêna pas pour profiter outrageusement de la situation.

Par ailleurs, quinze jours auparavant, sa mère lui avait proposé, sans grand enthousiasme, de revenir habiter la grande maison avec son père et ainsi l'aider à tenir son intérieur. Elle avait cependant posé comme condition l'engagement d'une ménagère qui la seconderait parce qu'à son âge, elle se voyait mal cuisiner et entretenir seule une si grande maison. André avait remercié sa mère en lui disant qu'il allait y réfléchir. Mais il n'accepterait de tomber sous la coupe de Pierrette Marcotte que poussé à la dernière extrémité. Or, il y avait encore de l'espoir, l'espoir que Louise revienne occuper la place qu'elle n'aurait jamais dû abandonner.

Après sept semaines, l'homme reconnaissait enfin que sa femme lui manquait terriblement et qu'il ne lui avait peut-être pas témoigné tous les égards auxquels elle aurait dû avoir droit. Il était d'autant plus prêt à faire les premiers pas vers une réconciliation qu'il n'avait reçu aucun document légal émanant d'un avocat. Il voyait là un signe évident que sa femme n'avait pas encore décidé définitivement de mettre fin à leur mariage.

Au début de la troisième semaine d'avril, il demanda à Pascal le numéro de téléphone de sa mère et il attendit que son fils se soit retiré dans sa chambre pour lui téléphoner.

L'échange fut froid et guindé. Finalement, Louise demanda à son mari la raison de son appel.

— Je voudrais te rencontrer.

— Pourquoi?

— J'aimerais discuter de pas mal de choses avec toi. Tout s'est fait tellement vite quand t'es partie...

— Quand?

— Quand tu voudras, concéda André.

— Je travaille pas demain soir. Je vais te donner le temps de souper après ton train. Disons qu'on pourrait se rencontrer au Tim Hortons du boulevard Saint-Joseph à 8 heures.

— Écoute, fit André. Pourquoi on se rencontrerait pas à ton appartement?

— Non, j'aime autant pas.

— Tu veux pas venir souper ici d'abord?

— Pas plus, répondit Louise, méfiante.

— Tu veux pas qu'on aille souper ensemble au restaurant?

— C'est pas nécessaire, répondit sa femme avec une certaine impatience. Est-ce que le Tim Hortons fait ton affaire, oui ou non?

— Oui, s'empressa de répondre André. Je vais être là à l'heure.

Le lendemain soir, André Marcotte, l'air un peu emprunté dans ses vêtements du dimanche, était attablé devant une tasse de café au Tim Hortons du boulevard Saint-Joseph, trente minutes avant l'heure fixée par Louise. Il guettait avec impatience l'arrivée de sa femme en ne quittant pas des yeux la vitrine qui donnait sur le stationnement. Cependant, il ne vit pas Louise arriver.

Quand il la vit entrer dans le restaurant, vêtue d'un imperméable vert qu'il ne lui connaissait pas, il eut un léger sursaut. Il lui fit signe de sa place de venir le rejoindre. Avant qu'il ait pu bouger, Louise s'arrêta au comptoir et commanda une tasse de café qu'elle transporta jusqu'à la table occupée par son mari.

Ce dernier la regarda enlever son imperméable et s'asseoir devant lui, sans dire un mot.

— Comment ça va? parvint-il à demander.

— Bien. Et toi?

— J'ai pas à me plaindre.

— Les enfants?

— Pascal se débrouille. Pour ce qui est de notre fille, pas de nouvelles. En as-tu, toi?

— Je l'ai appelée au début du mois. Elle dit que tout va bien, répondit Louise, avec l'air aussi emprunté que son mari.

— J'ai vu que t'étais venue voir mes tantes. Ça t'a pas tenté de passer à la maison?

— J'avais pas le temps.

Il y eut un long silence gêné entre les deux époux, silence qu'ils meublèrent en buvant lentement une longue gorgée de café. Finalement, André se jeta à l'eau.

— Je voulais te voir pour te demander si t'étais à la veille de revenir à la maison.

— Pourquoi?

— Au cas où tu le saurais pas, j'ai besoin de toi, moi... et Pascal aussi.

— Ça fait du bien de se le faire dire, même vingt ans trop tard, dit Louise, amère.

— Voyons donc, Louise, c'est pas nécessaire de dire ces affaires-là. Est-ce qu'il y a quelqu'un qui me le dit à moi?

— Pour répondre à ta question, je suis pas prête à revenir. J'ai besoin de plus de temps pour voir clair. Je sais même pas si je vais être capable d'oublier un jour notre dernière nuit et le genre de vie que tu m'as fait vivre.

— Tu peux même pas me dire quand tu penses revenir ? demanda André, l'air un peu pitoyable. Tu sais que la mère est prête à revenir à la maison pour s'en occuper. Je lui ai dit non parce que je sais que ça te ferait pas plaisir qu'elle soit là quand tu vas revenir, mais...

— Si ça peut te soulager, André, laisse-la revenir.

— Tu peux vraiment pas revenir tout de suite?

— Non, je suis pas capable. Peut-être plus tard.

— Fais attention, la mit en garde son mari retrouvant un peu de dignité. Fais attention qu'il soit pas trop tard. Tu pourrais le regretter.

— J'ai compris, fit Louise en se levant. Bon, j'ai un peu d'ouvrage qui m'attend. Tu diras bonsoir à Pascal pour moi.

Louise remit son imperméable et lui fit un léger signe de la main avant de se diriger vers la sortie. André ne bougea pas de sa chaise, malgré son envie de se lancer à la poursuite de sa femme. À travers la vitrine, il la suivit des yeux jusqu'à sa voiture stationnée sous un lampadaire à l'extrémité du stationnement.

Assis devant la chaise vide qu'elle avait occupée quelques instants plus tôt, il était inutile de continuer à jouer la comédie de celui qui mène le jeu. Il était soudainement sans ressort, incapable de se décider à se lever et à s'en aller. Il réalisa comme jamais à quel point il tenait à elle. Il n'envisageait même pas sa vie sans elle.

Louise avait été l'unique femme de sa vie. Il ne voyait pas où il trouverait la force de continuer à vivre comme il le faisait depuis plus d'un mois. La tête entre les mains, il avait envie de pleurer sur sa vie gâchée. Un peu plus courageux, il aurait choisi d'en finir définitivement. Il avait vaguement conscience de marcher sur le bord d'un précipice.

Un bruit de conversation à mi-voix tira André Marcotte de ses sombres pensées. Il leva la tête pour identifier les auteurs de ces voix. Deux amoureux avaient pris place à la table voisine et la tête penchée l'un vers l'autre, ils se parlaient en se souriant, l'air heureux.

Le quadragénaire les épia un court instant, le temps qu'une idée extraordinaire jaillisse en lui. Cette idée était tellement simple qu'il s'étonna de ne pas y avoir pensé avant. Pourquoi ne chercherait-il pas à reconquérir sa femme? Un sourire incertain flotta sur ses lèvres un court instant. Il la connaissait beaucoup mieux que vingt ans auparavant. Il possédait donc de meilleures armes pour la séduire. Cette résolution le fouetta et lui donna un regain d'énergie. Il se décida à se lever et à rentrer à Saint-Anselme.

Pendant ce temps, Louise Marcotte était rentrée seule à son petit appartement. Elle faisait lentement l'apprentissage de la solitude. Elle avait rencontré par hasard, à deux occasions, Daniel Lacoste, toujours aussi amateur de cinéma pour meubler ses soirées. Le menuisier avait appris, elle ne savait trop comment, qu'elle avait quitté son mari et il l'avait invitée à souper. Louise avait repoussé son invitation en prétextant un surplus de travail. Elle ne se sentait pas prête à vivre si tôt une nouvelle relation.

Chapitre 36

En ce matin de mai, le ciel avait une luminosité extraordinaire et l'air était embaumé par les bosquets de lilas en fleurs entourant le presbytère. Une légère brise agitait les jeunes feuilles des arbres. L'eau de la Nicolet bruissait en frôlant les pierres dont ses rives étaient couvertes.

Depuis près d'une heure, Étienne Dubé, armé d'un balai à gazon, faisait la chasse aux feuilles mortes qui achevaient de pourrir au pied de la clôture qui entourait le cimetière paroissial. Une douzaine d'enfants sortirent de l'école et se dirigèrent calmement vers l'église, sous la surveillance attentive d'une institutrice à la mine revêche. Louis Bergeron et Jocelyn Marcotte, deux vieux locataires du Petit Foyer voisin, les regardèrent passer, confortablement assis dans l'une des trois balançoires blanches installées devant leur appartement.

— Tant qu'on voit des enfants, dit Louis, on est au moins sûrs que le village est pas près de mourir.

— Saint-Anselme, mourir! fit Jocelyn Marcotte. Mais t'es pas sérieux! Il y a jamais eu tant d'affaires en même temps. T'as juste à penser que le club de Baril va ouvrir pour de bon cette année. Il paraît que mon André lui a vendu le morceau de terre qu'il voulait pour sa route qui va mener à l'île. Pense au Carrefour des jeunes du curé. Ça a l'air de rien, mais son idée fait du chemin. Je lui ai parlé la semaine passée et il s'attend à plus avoir un lot à vendre avant la fin juin. Quand tout ce monde-là va se mettre à construire des chalets et peut-être même des maisons, on reconnaîtra plus les bords de la rivière dans le rang Sainte-Marie.

— T'as raison, convint Louis Bergeron en frottant doucement sa calvitie. Il faut pas oublier non plus Victor Camirand avec sa grosse porcherie. Il paraît qu'il est déjà prêt à engager cinq ou six personnes. Ce monde-là va vouloir rester à Saint-Anselme. Si ça se trouve, il va falloir leur construire des maisons. En plus, ça va être de l'ouvrage pour nos jeunes. Victor m'a dit que si ses affaires allaient ben cette année, il achèterait d'autres terrains sur la rue Lagacé et il ferait construire d'autres maisons pour les retraités. Ça pourrait attirer les petits vieux des autres villages, on sait jamais.

La conversation entre les deux hommes âgés fut momentanément interrompue par l'arrivée de Pierrette Marcotte, les épaules couvertes d'un lainage bleu. Jocelyn fit une place à sa femme à ses côtés avant de reprendre la parole.

— En tout cas, c'est une maudite bonne nouvelle que Beaulieu a eue. La municipalité va être capable de faire refaire l'aqueduc et les égouts l'année prochaine. Il était temps. Surtout l'aqueduc. C'est pas normal qu'on soit obligé de faire bouillir notre eau la plupart du temps.

— Avez-vous pensé que cette nouvelle-là va surtout ôter à Claudette Leduc un bon argument pour se présenter comme mairesse l'automne prochain? demanda Pierrette.

— Moi, Claudette Leduc, elle m'inspire pas ben confiance, dit Louis Bergeron. Il me semble qu'elle est un peu trop partout. Elle se pense trop fine.

— Est-ce que c'est parce que c'est une femme que t'as pas confiance en elle comme mairesse? lui demanda la femme de Jocelyn.

— Non, ça a rien à voir. Je le sais pas, mais j'aurais plus confiance en Beaulieu. Il me semble qu'il a fait ses preuves, qu'il est plus solide.

— Ouais, fit Jocelyn, mais on parle pour rien. Gagnon m'a dit qu'Adrien avait pas l'intention de se représenter et...

— Tiens, v'là le curé qui s'en vient nous voir, dit Louis en regardant venir Charles Lanctôt sur le trottoir.

En effet, le prêtre, vêtu d'un vieux pantalon gris et d'un chandail aux manches retroussées sur les avant-bras, venait de bifurquer dans leur direction.

— J'ai hâte, moi aussi, d'être à ma retraite, dit le prêtre alors qu'il se trouvait encore à une bonne distance des trois retraités.

— Je suis pas trop sûre qu'il y a une retraite pour les hommes d'affaires, répliqua Pierrette, un peu acide.

— Un homme d'affaires de Dieu, madame Marcotte, pas autre chose.

— Ça, c'est vous qui le dites.

— Attention, madame, dit Charles Lanctôt avec un sourire forcé, le diable attend avec sa fourche les calomniateurs...

— Voyons, monsieur le curé, dit Jocelyn Marcotte, vous allez pas nous sortir des boules à mites la vieille histoire du diable. C'est passé de mode depuis longtemps. J'ai toujours pensé que c'était une invention des prêtres pour nous pousser à donner plus d'argent à la quête du dimanche.

Le curé, bon enfant, se mit à rire, imité par les trois vieillards.

— D'accord, j'ai rien dit. Par une journée de printemps aussi magnifique, je pense qu'il faut surtout remercier Dieu de nous avoir donné un si beau coin de pays pour y vivre, fit le prêtre avec conviction.

— C'est vrai, admit Louis. Il y en a pas de plus beau.

Le curé jeta un coup d'œil sur le cimetière voisin où son ami, Étienne Dubé, achevait d'amasser les feuilles mortes. Il regarda ensuite longuement la rivière, de l'autre côté de la rue Principale.

— Ce qui est merveilleux à Saint-Anselme, ne put s'empêcher d'ajouter Charles Lanctôt, c'est qu'il existe une continuité que rien ne vient interrompre. On y naît, on y vit et on y meurt sans que la vie jamais ne s'arrête. Quand je regarde le paysage autour de moi, je peux pas m'empêcher de penser qu'il y a 150 ans, quelqu'un contemplait la même vue que moi.